대화로 배우는 한국어

にほんご(일본어)
ほんやくばん(번역판)

・대화 (名詞)：たいわ【対話】
向かい合って話し合うこと。また、その話。

・로：で
ある動作を行うための方法や方式を表す助詞。

・배우다 (動詞)：まなぶ【学ぶ】。ならう【習う】
新しい知識を得る。

・-는：する。ている
前の言葉に連体修飾語の機能を持たせ、出来事や動作が現在進行中であるという意を表す語尾。

・한국어 (名詞)：かんこくご【韓国語】
韓国で話されている言語。

※ 이 책의 폰트는 '함초롬 바탕체'를 사용하였습니다.

< 저자(ちょしゃ) >

㈜한글2119연구소

· 연구개발전담부서

· ISO 9001 : 품질경영시스템 인증

· ISO 14001 : 환경경영시스템 인증

· 이메일(でんしメール) : gjh0675@naver.com

< 동영상(どうが) 자료(しりょう) >

HANPUK_にほんご(ほんやく)
https://www.youtube.com/@HANPUK_Japanese

HANPUK

제 2024153361 호

연구개발전담부서 인정서

1. 전담부서명: 연구개발전담부서

  [소속기업명: (주)한글2119연구소]

2. 소　재　지: 인천광역시 부평구 마장로264번길 33
   상가동 제지하층 제2호 (산곡동, 뉴서울아파트)

3. 신고 연월일: 2024년 05월 02일

과학기술정보통신부

「기초연구진흥 및 기술개발지원에 관한 법률」제14조의
2제1항 및 같은 법 시행령 제27조제1항에 따라 위와 같이
기업의 연구개발전담부서로 인정합니다.

2024년 5월 13일

한국산업기술진흥협회장

G-CERTI *Certificate*

hereby certifies that

Hangul 2119 Research Institute Co., Ltd.

Rm. 2, Lower level, Sangga-dong, 33, Majang-ro 264beon-gil, Bupyeong-gu, Incheon, Korea

meets the Standard Requirements & Scope as following

ISO 9001:2015
Quality Management Systems

Creation of Media Content, Publication of Korean Paper and Electronic Textbooks, Production and Release of Albums for Korean Language Education

Certificate No: GIS-6934-QC		Code	: 08, 39
Initial Date	: 2024-05-21	Issue Date	: 2024-05-21
Expiry Date	: 2027-05-20	Valid Period	: 2024-05-21 ~ 2027-05-20

Signed for and on behalf of GCERTI
President I.K.Cho

MSCB-113

G-CERTI *certificate*

hereby certifies that

Hangul 2119 Research Institute Co., Ltd.

Rm. 2, Lower level, Sangga-dong, 33, Majang-ro 264beon-gil, Bupyeong-gu, Incheon, Korea

meets the Standard Requirements & Scope as following

ISO 14001:2015
Environmental Management Systems

Creation of Media Content, Publication of Korean Paper and Electronic Textbooks, Production and Release of Albums for Korean Language Education

Certificate No: GIS-6934-EC		Code	: 08, 39
Initial Date	: 2024-05-21	Issue Date	: 2024-05-21
Expiry Date	: 2027-05-20	Valid Period	: 2024-05-21 ~ 2027-05-20

Signed for and on behalf of GCERTI
President I.K.Cho

MSCB-113

ACCREDITED
Management Systems
Certification Body
MSCB 113

< 목차(もくじ【目次】) >

< 대화(たいわ【対話】) > - 1

배고플 텐데 왜 밥을 많이 남겼어?
배고플 텐데 왜 바블 마니 남겨써?
baegopeul tende wae babeul mani namgyeosseo?

사실은 조금 전에 간식으로 빵을 먹었거든요.
사시른 조금 저네 간시그로 빵을 머걷꺼드뇨.
sasireun jogeum jeone gansigeuro ppangeul meogeotgeodeunyo.

< 설명(せつめい【説明】) / 번역(ほんやく【翻訳】) >

<u>배고프</u>+[<u>ㄹ 텐데</u>] 왜 밥+을 많이 <u>남기</u>+었+어?
　　배고플 텐데　　　　　　　　남겼어

・배고프다 (けいようし) : 배 속이 빈 것을 느껴 음식이 먹고 싶다.
　くうふくだ【空腹だ】。おなかがすいている【お腹がすいている】
　空腹感を感じて食べ物を食べたい。

・-ㄹ 텐데 : 앞에 오는 말에 대하여 말하는 사람의 강한 추측을 나타내면서 그와 관련되는 내용을 이어
　　　　　　말할 때 쓰는 표현.
　はずだから。はずなのに。だろうから。だろうに
　前に述べる事柄に対する話し手の強い推測を表しながら、
　それと関連した内容を続けていうのに用いる表現。

・왜 (ふくし) : 무슨 이유로. 또는 어째서.
　なぜ【何故】。どうして。なんで【何で】
　どういう理由で。また、何ゆえ。

・밥 (めいし) : 쌀과 다른 곡식에 물을 붓고 물이 없어질 때까지 끓여서 익힌 음식.
　はん【飯】。めし【飯】
　米や他の穀物を水とともに沸かし、水分が無くなるまで煮た料理。

・을 : 동작이 직접적으로 영향을 미치는 대상을 나타내는 조사.
　を
　動作が直接的に影響を及ぼす対象を表す助詞。

- 많이 (ふくし) : 수나 양, 정도 등이 일정한 기준보다 넘게.
  おおく【多く】。たくさん【沢山】。かずおおく【数多く】。ゆたかに【豊かに】
  数や量、程度などが一定の基準を超えて。

- 남기다 (どうし) : 다 쓰지 않고 나머지가 있게 하다.
  のこす【残す】。とりのこす【取り残す】。あます【余す】
  使い切らず、残るようにする。

- -었- : 어떤 사건이 과거에 완료되었거나 그 사건의 결과가 현재까지 지속되는 상황을 나타내는 어미.
  た。ている
  ある出来事が過去に完了したことや、その出来事の結果が現在まで持続している状況を表す語尾。

- -어 : (두루낮춤으로) 어떤 사실을 서술하거나 **물음**, 명령, 권유를 나타내는 종결 어미.
  のか。なさい。よう。ましょう
  (略待下称) ある事実を叙述したり、質問・命令・勧誘の意を表す「終結語尾」。<とい【問い】>

사실+은 조금 전+에 간식+으로 빵+을 먹+었+거든요.

- 사실 (めいし) : 겉으로 드러나지 않은 일을 솔직하게 말할 때 쓰는 말.
  じじつ【事実】。じつ【実】。ほんとう【本当】
  表には現れていないことを率直に言うのに用いる語。

- 은 : 문장 속에서 어떤 대상이 화제임을 나타내는 조사.
  は
  文章の中である対象が話題であることを表す助詞。

- 조금 (めいし) : 짧은 시간 동안.
  すこし【少し】。わずか【僅か・纔か】。ちょっと【一寸・鳥渡】
  短い間。

- 전 (めいし) : 일정한 때보다 앞.
  まえ【前】
  一定の時より、前の時。

- 에 : 앞말이 시간이나 때임을 나타내는 조사.
  に
  前の言葉が時間や時期であることを表す助詞。

- 간식 (めいし) : 식사와 식사 사이에 간단히 먹는 음식.
  かんしょく【間食】。あいだぐい【間食い】。おやつ【お八つ】
  食事と食事の間に食べるちょっとした食べ物。

· 으로 : 신분이나 자격을 나타내는 조사.
　に。として
　身分や資格を表す助詞。

· 빵 (めいし) : 밀가루를 반죽하여 발효시켜 찌거나 구운 음식.
　パン
　小麦粉を捏ねて発酵させ、蒸したり焼いたりした食べ物。

· 을 : 동작이 직접적으로 영향을 미치는 대상을 나타내는 조사.
　を
　動作が直接的に影響を及ぼす対象を表す助詞。

· 먹다 (どうし) : 음식 등을 입을 통하여 배 속에 들여보내다.
　たべる【食べる】。くう【食う・喰う】。くらう【食らう】
　食べ物を口の中に入れて飲み込む。

· -었- : 사건이 과거에 일어났음을 나타내는 어미.
　た
　出来事が過去にあったという意を表す語尾。

· -거든요 : (두루높임으로) 앞의 내용에 대해 말하는 사람이 생각한 이유나 원인, 근거를 나타내는 표현.
　んですよ。んですもの。んですから
　（略待上称）前の内容について話し手がそう考えた理由や原因、根拠を表す表現。

< 대화(たいわ【対話】) > - 2

제가 지금 돈이 얼마 없거든요. 회비를 다음에 드려도 될까요?
제가 지금 도니 얼마 업꺼드뇨. 회비를 다으메 드려도 될까요?
jega jigeum doni eolma eopgeodeunyo. hoebireul daeume deuryeodo doelkkayo?

네. 그럼 다음 주 모임에 오실 때 주세요.
네. 그럼 다음 주 모이메 오실 때 주세요.
ne. geureom daeum ju moime osil ttae juseyo.

< 설명(せつめい【説明】) / 번역(ほんやく【翻訳】) >

제+가 지금 돈+이 얼마 없+거든요.

회비+를 다음+에 드리+[어도 되]+ㄹ까요?
드려도 될까요

- 제 (だいめいし) : 말하는 사람이 자신을 낮추어 가리키는 말인 '저'에 조사 '가'가 붙을 때의 형태.
  わたくし【私】
  話し手が自分をへりくだっていう語である「저」に助詞「가」がつく時の形。

- 가 : 어떤 상태나 상황에 놓인 대상이나 동작의 주체를 나타내는 조사.
  が
  ある状態や状況に置かれた対象、または動作の主体を表す助詞。

- 지금 (ふくし) : 말을 하고 있는 바로 이때에. 또는 그 즉시에.
  いま【今】。ただいま【ただ今】
  話をしているこの瞬間。

- 돈 (めいし) : 물건을 사고팔 때나 일한 값으로 주고받는 동전이나 지폐.
  かね【金】。おかね【お金】。かへい【貨幣】。きんせん【金銭】
  物の売り買いや、労働の代価としてやり取りする銅銭や紙幣。

- 이 : 어떤 상태나 상황의 대상이나 동작의 주체를 나타내는 조사.
  が
  ある状態・状況の対象や動作の主体を表す助詞。

• 얼마 (めいし) : 밝힐 필요가 없는 적은 수량, 값, 정도.
　いくら【幾ら】
　不定であるが、それほど多くない数量、値段、程度。

• 없다 (けいようし) : 어떤 물건을 가지고 있지 않거나 자격이나 능력 등을 갖추지 않은 상태이다.
　もたない【持たない】
　ある物を持っていないか、資格・能力などを備えていない状態だ。

• -거든요 : (두루높임으로) 앞으로 이어질 내용의 전제를 이야기하면서 뒤에 이야기가 계속 이어짐을 나
　　　　　타내는 표현.
　んですよ
　(略待上称) これから続く内容の前提を述べながら後にも話が続くという意を表す表現。

• 회비 (めいし) : 모임에서 사용하기 위하여 그 모임의 회원들이 내는 돈.
　かいひ【会費】
　会などで使用するためにその会の会員が出す金。

• 를 : 동작이 직접적으로 영향을 미치는 대상을 나타내는 조사.
　を
　動作が直接的に影響を及ぼす対象を表す助詞。

• 다음 (めいし) : 시간이 지난 뒤.
　つぎのとき【次の時】。こんど【今度】
　時が経った後。

• 에 : 앞말이 시간이나 때임을 나타내는 조사.
　に
　前の言葉が時間や時期であることを表す助詞。

• 드리다 (どうし) : (높임말로) 주다. 무엇을 다른 사람에게 건네어 가지게 하거나 사용하게 하다.
　さしあげる【差し上げる】
　「与える」の謙譲語。何かを誰かに渡して持たせたり使わせたりする。

• -어도 되다 : 어떤 행동에 대한 허락이나 허용을 나타낼 때 쓰는 표현.
　てもいい
　ある行動に対する許可や許容を表すのに用いる表現。

• -ㄹ까요 : (두루높임으로) 듣는 사람에게 의견을 묻거나 제안함을 나타내는 표현.
　ましょうか
　(略待上称) 聞き手に意見を問うか提案するという意を表す表現。

네.

그럼 다음 주 모임+에 오+시+[ㄹ 때] 주+세요.
오실 때

- 네 (かんどうし) : 윗사람의 물음이나 명령 등에 긍정하여 대답할 때 쓰는 말.
  はい。ええ
  目上の人からの質問や命令などに肯定の返事をする時にいう語。

- 그럼 (ふくし) : 앞의 내용을 받아들이거나 그 내용을 바탕으로 하여 새로운 주장을 할 때 쓰는 말.
  では
  前の内容を受け入れたり、その内容に基づいて新しい主張をしたりする時に用いる語。

- 다음 (めいし) : 이번 차례의 바로 뒤.
  つぎ【次】
  今回のすぐ後。

- 주 (めいし) : 월요일부터 일요일까지의 칠 일 동안.
  しゅう【週】
  月曜日から日曜日までの7日間。

- 모임 (めいし) : 어떤 일을 하기 위하여 여러 사람이 모이는 일.
  かい【会】。かいごう【会合】。あつまり【集り】。つどい【集い】。よりあい【寄り合い】
  ある事を行うため、多くの人が寄り集まること。

- 에 : 앞말이 목적지이거나 어떤 행위의 진행 방향임을 나타내는 조사.
  に。へ
  前の言葉が目的地であったり、ある行為の進行方向であったりすることを表す助詞。

- 오다 (どうし) : 어떤 목적이 있는 모임에 참석하기 위해 다른 곳에 있다가 이곳으로 위치를 옮기다.
  さんかする【参加する】。しゅっせきする【出席する】
  ある目的のある集まりに出席するため、他の所からこちらへ位置を移す。

- -시- : 어떤 동작이나 상태의 주체를 높이는 뜻을 나타내는 어미.
  お…になる。ご…になる
  ある動作や状態の主体を敬う意を表す語尾。

- -ㄹ 때 : 어떤 행동이나 상황이 일어나는 동안이나 그 시기 또는 그러한 일이 일어난 경우를 나타내는 표현.
  とき【時】。ときに【時に】
  ある行動や状況が起こっている間やその時期、またそのようなことが起こった場合を表す表現。

· **주다 (どうし)** : 물건 등을 남에게 건네어 가지거나 쓰게 하다.
 あたえる【与える】。やる【遣る】。くれる【呉れる】。あげる【上げる】
 物などを他人に渡して持たせたり使わせたりする。

· **-세요** : (두루높임으로) 설명, 의문, 명령, 요청의 뜻을 나타내는 종결 어미.
 ます。です。ますか。ですか。てください
 (略待上称) 説明・疑問・命令・要請の意を表す「終結語尾」。 **<ようせい【要請】>**

< 대화(たいわ【対話】) > - 3

내가 급한 사정이 생겨서 못 가게 된 공연 티켓이 있는데 네가 갈래?
내가 그판 사정이 생겨서 몯 가게 된 공연 티케시 인는데 네가 갈래?
naega geupan sajeongi saenggyeoseo mot gage doen gongyeon tikesi inneunde nega gallae?

정말? 그러면 나야 고맙지.
정말? 그러면 나야 고맙찌.
jeongmal? geureomyeon naya gomapji.

< 설명(せつめい【説明】) / 번역(ほんやく【翻訳】) >

내+가 급하+ㄴ 사정+이 생기+어서 못 가+[게 되]+ㄴ 공연 티켓+이 있+는데
　　　　급한　　　　　　생겨서　　　　　가게 된

네+가 가+ㄹ래?
　　　　갈래

• 내 (だいめいし) : '나'에 조사 '가'가 붙을 때의 형태.
　わたし【私】。ぼく【僕】。おれ【俺】。じぶん【自分】
　一人称代名詞「나」に主格助詞「가」があとにつく場合の形。

• 가 : 어떤 상태나 상황에 놓인 대상이나 동작의 주체를 나타내는 조사.
　が
　ある状態や状況に置かれた対象、または動作の主体を表す助詞。

• 급하다 (けいようし) : 사정이나 형편이 빨리 처리해야 할 상태에 있다.
　いそぎだ【急ぎだ】
　事情や都合上、速く処理しなければならない状態にある。

• -ㄴ : 앞의 말이 관형어의 기능을 하게 만들고 현재의 상태를 나타내는 어미.
　た
　前の言葉に連体修飾語の機能を持たせ、現在の状態を表す「語尾」。

• 사정 (めいし) : 일의 형편이나 이유.
　じじょう【事情】。つごう【都合】。わけ【訳】
　物事の成り行きや理由。

• 이 : 어떤 상태나 상황의 대상이나 동작의 주체를 나타내는 조사.
　が
　ある状態・状況の対象や動作の主体を表す助詞。

• 생기다 (どうし) : 사고나 일, 문제 등이 일어나다.
　おきる【起きる】。おこる【起こる】。しょうずる【生ずる】。できる【出来る】
　事故や事、問題などが発生する。

• -어서 : 이유나 근거를 나타내는 연결 어미.
　て。から。ので。ため。ゆえ【故】
　理由や根拠の意を表す「連結語尾」。

• 못 (ふくし) : 동사가 나타내는 동작을 할 수 없게.
　対訳語無し
　動詞が表す動作が不可能であるさま。

• 가다 (どうし) : 어떤 목적을 가진 모임에 참석하기 위해 이동하다.
　ゆく・いく【行く】
　目的のある集まりに参加するために移動する。

• -게 되다 : 앞의 말이 나타내는 상태나 상황이 됨을 나타내는 표현.
　ようになる。ことになる
　前の言葉の表す状態や状況になるという意を表す表現。

• -ㄴ : 앞의 말이 관형어의 기능을 하게 만들고 사건이나 동작이 완료되어 그 상태가 유지되고 있음을 나타내는 어미.
　た。ている
　前の言葉に連体修飾語の機能を持たせ、
　出来事や動作が完了してその状態が続いているという意を表す語尾。

• 공연 (めいし) : 음악, 무용, 연극 등을 많은 사람들 앞에서 보이는 것.
　こうえん【公演】。じょうえん【上演】。じつえん【実演】
　音楽、舞踊、演劇などを多くの人の前で披露すること。

• 티켓 (めいし) : 입장권, 승차권 등의 표.
　チケット
　入場券や乗車券などの切符。

• 이 : 어떤 상태나 상황의 대상이나 동작의 주체를 나타내는 조사.
　が
　ある状態・状況の対象や動作の主体を表す助詞。

• 있다 (けいようし) : 어떤 물건을 가지고 있거나 자격이나 능력 등을 갖춘 상태이다.
　ある【有る・在る】
　ある物を持っているか、資格や能力などを備えている状態だ。

- -는데 : 뒤의 말을 하기 위하여 그 대상과 관련이 있는 상황을 미리 말함을 나타내는 연결 어미.
  が。けど
  何かを言うための前置きとして、それと関連した状況を前もって述べるという意を表す「連結語尾」。

- 네 (だいめいし) : '너'에 조사 '가'가 붙을 때의 형태.
  おまえ【お前】。きみ【君】
  二人称代名詞「너」に主格助詞「가」があとにつく場合の形。

- 가 : 어떤 상태나 상황에 놓인 대상이나 동작의 주체를 나타내는 조사.
  が
  ある状態や状況に置かれた対象、または動作の主体を表す助詞。

- 가다 (どうし) : 어떤 목적을 가진 모임에 참석하기 위해 이동하다.
  ゆく・いく【行く】
  目的のある集まりに参加するために移動する。

- -ㄹ래 : (두루낮춤으로) 앞으로 어떤 일을 하려고 하는 자신의 의사를 나타내거나 그 일에 대하여 듣는
            사람의 의사를 물어봄을 나타내는 종결 어미.
  よ。か
  (略待下称) これから何かをしようとする自分の意思を表したり、
  それについての聞き手の意思を尋ねる意を表す「終結語尾」。

정말?

그러면 나+야 고맙+지.

- 정말 (めいし) : 거짓이 없는 사실. 또는 사실과 조금도 틀림이 없는 말.
  ほんとう・ほんと【本当】。しんじつ【真実】
  うそでない事実。また、間違いない言葉。

- 그러면 (ふくし) : 앞의 내용이 뒤의 내용의 조건이 될 때 쓰는 말.
  だったら
  前の内容が後ろの内容の条件になる時に用いる語。

- 나 (だいめいし) : 말하는 사람이 친구나 아랫사람에게 자기를 가리키는 말.
  わたし【私】。ぼく【僕】。おれ【俺】。じぶん【自分】
  話し手が友人や目下の人に対し、自分をさす語。

- 야 : 강조의 뜻을 나타내는 조사.
  は
  強調の意を表す助詞。

· **고맙다 (けいようし)** : 남이 자신을 위해 무엇을 해주어서 마음이 흐뭇하고 보답하고 싶다.

　ありがたい【有難い】

　他人が自分に何かしてくれたことに対して、嬉しく恩返ししたいと思う。

· **-지** : (두루낮춤으로) 말하는 사람이 자신에 대한 이야기나 자신의 생각을 친근하게 말할 때 쓰는 종결
　　　어미.

　よ。だろう

　(略待下称) 話し手が自分に関する話や自分の考えを親しみをこめて述べるのに用いる「終結語尾」。

< 대화(たいわ【対話】) > - 4

저녁때 손님이 오신다고 불고기에다가 잡채까지 준비하게요?
저녁때 손니미 오신다고 불고기에다가 잡채까지 준비하게요?
jeonyeokttae sonnimi osindago bulgogiedaga japchaekkaji junbihageyo?

그럼, 그 정도는 준비해야지.
그럼, 그 정도는 준비해야지.
geureom, geu jeongdoneun junbihaeyaji.

< 설명(せつめい【説明】) / 번역(ほんやく【翻訳】) >

저녁때 손님+이 오+시+ㄴ다고 불고기+에다가 잡채+까지 준비하+게요?
오신다고

- **저녁때 (めいし)** : 저녁밥을 먹는 때.
  対訳語無し
  夕食を食べる時間。

- **손님 (めいし)** : (높임말로) 다른 곳에서 찾아온 사람.
  きゃく【客】。らいきゃく【来客】
  訪ねてきた人を表す尊敬語。

- **이** : 어떤 상태나 상황의 대상이나 동작의 주체를 나타내는 조사.
  が
  ある状態・状況の対象や動作の主体を表す助詞。

- **오다 (どうし)** : 무엇이 다른 곳에서 이곳으로 움직이다.
  くる【来る】。ちかづく【近づく】。やってくる
  何かが他の場所からこちらの方へ動く。

- **-시-** : 어떤 동작이나 상태의 주체를 높이는 뜻을 나타내는 어미.
  お…になる。ご…になる
  ある動作や状態の主体を敬う意を表す語尾。

- **-ㄴ다고** : 어떤 행위의 목적, 의도를 나타내거나 어떤 상황의 이유, 원인을 나타내는 연결 어미.
  ために。ため
  ある行為の目的・意図を表したり、ある状況の理由・原因を表す「連結語尾」。

• **불고기 (めいし)** : 얇게 썰어 양념한 돼지고기나 쇠고기를 불에 구운 한국 전통 음식.
　プルゴギ
　焼肉：薄切りして味付けした豚肉や牛肉を火にかけて焼いた韓国の伝統料理。

• **에다가** : 더해지는 대상을 나타내는 조사.
　に
　何かに加えられる対象を表す助詞。

• **잡채 (めいし)** : 여러 가지 채소와 고기 등을 가늘게 썰어 기름에 볶은 것을 당면과 섞어 만든 음식.
　チャプチェ
　千切りにした肉や種々の野菜などを油で炒めたものを春雨に混ぜて作った料理。

• **까지** : 현재의 상태나 정도에서 그 위에 더함을 나타내는 조사.
　まで
　現在の状態や程度に加えることを表す助詞。

• **준비하다 (どうし)** : 미리 마련하여 갖추다.
　じゅんびする【準備する】。よういする【用意する】
　前もって必要なものを揃えておく。

• **-게요** : (두루높임으로) 앞의 내용이 그러하다면 뒤의 내용은 어떠할 것이라고 추측해 물음을 나타내는
　　　　표현.
　んでしょうか。んですか
　（略待上称）前の内容がそうであれば後の内容はこうだろうと推測して尋ねるという意を表す表現。

그럼, 그 정도+는 <u>준비하+여야지</u>.
준비해야지

• **그럼 (かんどうし)** : 말할 것도 없이 당연하다는 뜻으로 대답할 때 쓰는 말.
　そうだとも。そうとも。もちろん。たしかに【確かに】
　言うまでもなく当然だという意味で答える時にいう語。

• **그 (かんけいし)** : 앞에서 이미 이야기한 대상을 가리킬 때 쓰는 말.
　その。あの。れいの【例の】
　すでに話した対象をさすときに使う語。

• **정도 (めいし)** : 사물의 성질이나 가치를 좋고 나쁨이나 더하고 덜한 정도로 나타내는 분량이나 수준.
　ていど【程度】。どあい【度合・度合い】。ど【度】
　物事の性質や価値を優劣や多少、高低などで表す分量や水準。

• **는** : 강조의 뜻을 나타내는 조사.
　は
　強調の意を表す助詞。

• **준비하다 (どうし)** : 미리 마련하여 갖추다.
  じゅんびする【準備する】。よういする【用意する】
  前もって必要なものを揃えておく。

• **-여야지** : (두루낮춤으로) 말하는 사람의 결심이나 의지를 나타내는 종결 어미.
  よう。ないと。なきゃ
  (略待下称) 話し手の決心や意志の意を表す「終結語尾」。

< 대화(たいわ【対話】) > - 5

장사가 잘됐으면 제가 그만뒀게요?
장사가 잘돼쓰면 제가 그만뒬께요?
jangsaga jaldwaesseumyeon jega geumandwotgeyo?

요즘은 장사하는 사람들이 다 어렵다고 하더라고요.
요즈믄 장사하는 사람드리 다 어렵따고 하더라고요.
yojeumeun jangsahaneun saramdeuri da eoryeopdago hadeoragoyo.

< 설명(せつめい【説明】) / 번역(ほんやく【翻訳】) >

장사+가 잘되+었으면 제+가 그만두+었+게요?
　　　　　잘됐으면　　　　　　　그만뒀게요

- 장사 (めいし) : 이익을 얻으려고 물건을 사서 팖. 또는 그런 일.
  しょうばい【商売】。あきない【商い】
  利益を得るために商品を仕入れて売ること。また、その仕事。

- 가 : 어떤 상태나 상황에 놓인 대상이나 동작의 주체를 나타내는 조사.
  が
  ある状態や状況に置かれた対象、または動作の主体を表す助詞。

- 잘되다 (どうし) : 어떤 일이나 현상이 좋게 이루어지다.
  はかどる【捗る】。せいこうする【成功する】。よくできる【良く出来る】
  ある事や現象が順調に進む。

- -었으면 : 현재 그렇지 않음을 표현하기 위해 실제 상황과 반대되는 가정을 할 때 쓰는 표현.
  たら。ていたら
  現在そうではないことを表すために実際の状況に反する仮定をするのに用いる表現。

- 제 (だいめいし) : 말하는 사람이 자신을 낮추어 가리키는 말인 '저'에 조사 '가'가 붙을 때의 형태.
  わたくし【私】
  話し手が自分をへりくだっていう語である「저」に助詞「가」がつく時の形。

- 가 : 어떤 상태나 상황에 놓인 대상이나 동작의 주체를 나타내는 조사.
  が
  ある状態や状況に置かれた対象、または動作の主体を表す助詞。

- 16 -

・그만두다 (どうし) : 하던 일을 중간에 그치고 하지 않다.
　やめる【止める・辞める】
　やっていることを中断する。

・-었- : 어떤 사건이 과거에 완료되었거나 그 사건의 결과가 현재까지 지속되는 상황을 나타내는 어미.
　た。ている
　ある出来事が過去に完了したことや、その出来事の結果が現在まで持続している状況を表す語尾。

・-게요 : (두루높임으로) 앞의 내용이 사실이라면 당연히 뒤의 내용이 이루어지겠지만 실제로는 그렇지
　　　　 않음을 나타내는 표현.
　んでしょうか。んですか。んでしょうが。んでしょうけど
　(略待上称) 前の内容が事実であれば当然後の内容が実現するだろうが、
　実際はそうでないという意を表す表現。

요즘+은 장사하+는 사람+들+이 다 어렵+다고 하+더라고요.

・요즘 (めいし) : 아주 가까운 과거부터 지금까지의 사이.
　さいきん【最近】。ちかごろ【近頃】。このごろ【この頃】
　少し前から現在までの間。

・은 : 문장 속에서 어떤 대상이 화제임을 나타내는 조사.
　は
　文章の中である対象が話題であることを表す助詞。

・장사하다 (どうし) : 이익을 얻으려고 물건을 사서 팔다.
　しょうばいする【商売する】。あきなう【商う】
　利益を得るために商品を仕入れて売る。

・-는 : 앞의 말이 관형어의 기능을 하게 만들고 사건이나 동작이 현재 일어남을 나타내는 어미.
　する。ている
　前の言葉に連体修飾語の機能を持たせ、出来事や動作が現在進行中であるという意を表す語尾。

・사람 (めいし) : 특별히 정해지지 않은 자기 외의 남을 가리키는 말.
　ひと【人】
　不特定の、自分以外の人を指す語。

・들 : '복수'의 뜻을 더하는 접미사.
　たち・ら【達】
　「複数」の意を付加する接尾辞。

・이 : 어떤 상태나 상황의 대상이나 동작의 주체를 나타내는 조사.
　が
　ある状態・状況の対象や動作の主体を表す助詞。

• **다 (ふくし)** : 남거나 빠진 것이 없이 모두.
　ぜんぶ【全部】。すべて【全て】。みな【皆】。のこらず【残らず】。もれなく
　残ったり、漏れたものがなく、全て。

• **어렵다 (けいようし)** : 곤란한 일이나 고난이 많다.
　きびしい【厳しい】。たいへんだ【大変だ】
　困難なことや苦難が多い。

• **-다고** : 다른 사람에게서 들은 내용을 간접적으로 전달하거나 주어의 생각, 의견 등을 나타내는 표현.
　と
　他人から聞いた話の内容を間接的に伝えたり主語の考えや意見などを述べるという意を表す表現。

• **하다 (どうし)** : 무엇에 대해 말하다.
　する【為る】
　何かについて言う。

• **-더라고요** : (두루높임으로) 과거에 경험하여 새로 알게 된 사실에 대해 지금 상대방에게 옮겨 전할 때
　　　　　　　쓰는 표현.
　たんですよ。ていたんですよ
　(略待上称) 過去に直接経験して新しく知った事実について今相手に伝言として述べるのに用いる表現。

< 대화(たいわ【対話】) > - 6

우리 가족 중에서 누가 가장 늦게 일어나게요?
우리 가족 중에서 누가 가장 늗께 이러나게요?
uri gajok jungeseo nuga gajang neutge ireonageyo?

보나 마나 너겠지, 뭐.
보나 마나 너겟찌, 뭐.
bona mana neogetji, mwo.

< 설명(せつめい【説明】) / 번역(ほんやく【翻訳】) >

우리 가족 중+에서 <u>누(구)+가</u> 가장 늦+게 일어나+게요?
　　　　　　　　　　　　누가

- **우리 (だいめいし)** : 말하는 사람이 자기보다 높지 않은 사람에게 자기와 관련된 것을 친근하게 나타낼
　　　　　　　　　　때 쓰는 말.
  わたし【私】
  話し手が自分より高くない人に自分に関することを親しんでいう語。

- **가족 (めいし)** : 주로 한 집에 모여 살고 결혼이나 부모, 자식, 형제 등의 관계로 이루어진 사람들의 집
　　　　　　　　단. 또는 그 구성원.
  かぞく【家族】
  一家で共同生活をし、夫婦やその子供、兄弟などの関係で構成された集団。また、その構成員。

- **중 (めいし)** : 여럿 가운데.
  なか【中】
  いくつかの中。

- **에서** : 여럿으로 이루어진 일정한 범위의 안.
  対訳語無し
  複数から構成されている一定の範囲内。

- **누구 (だいめいし)** : 모르는 사람을 가리키는 말.
  だれ【誰】
  知らない人をさす語。

• 가 : 어떤 상태나 상황에 놓인 대상이나 동작의 주체를 나타내는 조사.
　が
　ある状態や状況に置かれた対象、または動作の主体を表す助詞。

• 가장 (ふくし) : 여럿 가운데에서 제일로.
　もっとも【最も】。いちばん【一番】。なによりも【何よりも】
　他のどれよりもまさるさま。

• 늦다 (けいようし) : 기준이 되는 때보다 뒤져 있다.
　おそい【遅い】
　基準になる時より遅れている。

• -게 : 앞의 말이 뒤에서 가리키는 일의 목적이나 결과, 방식, 정도 등이 됨을 나타내는 연결 어미.
　…く。…に。ように。ほど
　前の事柄が後の事柄の目的・結果・方法・程度などになるという意を表す「連結語尾」。

• 일어나다 (どうし) : 잠에서 깨어나다.
　おきる【起きる】
　目を覚ます。

• -게요 : (두루높임으로) 듣는 사람에게 한 번 추측해서 대답해 보라고 물을 때 쓰는 표현.
　でしょうか。とおもいますか【と思いますか】
　(略待上称) 聞き手に一度推測して答えるように求め、尋ねるのに用いる表現。

보+[나 마나] 너+(이)+겠+지, 뭐.
너겠지

• 보다 (どうし) : 눈으로 대상의 존재나 겉모습을 알다.
　みる【見る】。ながめる【眺める】
　目で対象の存在や外見を知る。

• -나 마나 : 그렇게 하나 그렇게 하지 않으나 다름이 없는 상황임을 나타내는 표현.
　してもしなくても。しようがしまいが
　そうしてもしなくても状況は同じであるという意を表す表現。

• 너 (だいめいし) : 듣는 사람이 친구나 아랫사람일 때, 그 사람을 가리키는 말.
　おまえ【お前】。きみ【君】
　聞き手が友人か目下の人である場合、その聞き手をさす語。

• 이다 : 주어가 지시하는 대상의 속성이나 부류를 지정하는 뜻을 나타내는 서술격 조사.
　だ。である
　主語が指す対象の属性や部類を指定する意を表す叙述格助詞。

• -겠- : 미래의 일이나 추측을 나타내는 어미.

 だろう

未来の事や推量を表す語尾。

• -지 : (두루낮춤으로) 말하는 사람이 자신에 대한 이야기나 자신의 생각을 친근하게 말할 때 쓰는 종결
   어미.

 よ。だろう

(略待下称) 話し手が自分に関する話や自分の考えを親しみをこめて述べるのに用いる「終結語尾」。

• 뭐 (かんどうし) : 사실을 말할 때, 상대의 생각을 가볍게 반박하거나 새롭게 일깨워 주는 뜻으로 하는
        말.

 対訳語無し

事実を述べる時、相手の考えに対して軽く反駁したり新しいことを知らせたりする意味でいう語。

< 대화(たいわ【対話】) > - 7

저 앞 도로에서 무슨 일이 생겼나 봐요. 길이 이렇게 막히게요.
저 압 도로에서 무슨 이리 생견나 봐요. 기리 이러케 마키게요.
jeo ap doroeseo museun iri saenggyeonna bwayo. giri ireoke makigeyo.

사고라도 난 모양이네.
사고라도 난 모양이네.
sagorado nan moyangine.

< 설명(せつめい【説明】) / 번역(ほんやく【翻訳】) >

저 앞 도로+에서 무슨 일+이 생기+었+[나 보]+아요.
생겼나 봐요

길+이 이렇+게 막히+게요.

- 저 (かんけいし) : 말하는 사람과 듣는 사람에게서 멀리 떨어져 있는 대상을 가리킬 때 쓰는 말.
  あの【彼の】
  話し手と聞き手から遠く離れている対象を指す語。

- 앞 (めいし) : 향하고 있는 쪽이나 곳.
  まえ【前】。ぜんめん【前面】
  向かっている方向・所。

- 도로 (めいし) : 사람이나 차가 잘 다닐 수 있도록 만들어 놓은 길.
  どうろ【道路】
  人や車が通えるように設けられた道。

- 에서 : 앞말이 행동이 이루어지고 있는 장소임을 나타내는 조사.
  で
  前の言葉が行動の行われる場所であることを表す助詞。

- 무슨 (かんけいし) : 확실하지 않거나 잘 모르는 일, 대상, 물건 등을 물을 때 쓰는 말.
  なに【何】。なんの。どの。どのような。どういう
  確実でないか、よく知らないこと、対象、ものなどを聞く時に使う語。

- 일 (めいし) : 어떤 내용을 가진 상황이나 사실.
  こと【事】
  内容のある状況や事実。

- 이 : 어떤 상태나 상황의 대상이나 동작의 주체를 나타내는 조사.
  が
  ある状態・状況の対象や動作の主体を表す助詞。

- 생기다 (どうし) : 사고나 일, 문제 등이 일어나다.
  おきる【起きる】。おこる【起こる】。しょうずる【生ずる】。できる【出来る】
  事故や事、問題などが発生する。

- -었- : 어떤 사건이 과거에 완료되었거나 그 사건의 결과가 현재까지 지속되는 상황을 나타내는 어미.
  た。ている
  ある出来事が過去に完了したことや、その出来事の結果が現在まで持続している状況を表す語尾。

- -나 보다 : 앞의 말이 나타내는 사실을 추측함을 나타내는 표현.
  ようだ。らしい。だろうとおもう【だろうと思う】。のではないかとおもう【のではないかと思う】
  前の言葉の表す事実を推量するという意を表す表現。

- -아요 : (두루높임으로) 어떤 사실을 서술하거나 질문, 명령, 권유함을 나타내는 종결 어미.
  ます。です。ますか。ですか。てください。
  (略待上称) ある事実を叙述したり質問、命令、勧誘する意を表す「終結語尾」。<じょじゅつ【叙述】>

- 길 (めいし) : 사람이나 차 등이 지나다닐 수 있게 땅 위에 일정한 너비로 길게 이어져 있는 공간.
  みち【道・路】。どうろ【道路】
  人や車などが通行できるように地上に一定の幅で長く続いている空間。

- 이 : 어떤 상태나 상황의 대상이나 동작의 주체를 나타내는 조사.
  が
  ある状態・状況の対象や動作の主体を表す助詞。

- 이렇다 (けいようし) : 상태, 모양, 성질 등이 이와 같다.
  こうだ
  状態・模様・性質などがこのようである。

- -게 : 앞의 말이 뒤에서 가리키는 일의 목적이나 결과, 방식, 정도 등이 됨을 나타내는 연결 어미.
  …く。…に。ように。ほど
  前の事柄が後の事柄の目的・結果・方法・程度などになるという意を表す「連結語尾」。

- 막히다 (どうし) : 길에 차가 많아 차가 제대로 가지 못하게 되다.
  こむ【込む】。じゅうたいする【渋滞する】
  道路に車が多くて、なかなか進まなくなる。

•-게요 : (두루높임으로) 앞 문장의 내용에 대한 근거를 제시할 때 쓰는 표현.
　んですから。んですもの
　(略待上称) 前の文の内容についての根拠を示すのに用いる表現。

사고+라도 나+[ㄴ 모양이]+네.
난 모양이네

•사고 (めいし) : 예상하지 못하게 일어난 좋지 않은 일.
　じこ【事故】
　思いがけず起こった、望ましくない出来事。

•라도 : 유사한 것을 예로 들어 설명할 때 쓰는 조사.
　でも
　類似した物事を例にあげて説明するのに用いる助詞。

•나다 (どうし) : 어떤 현상이나 사건이 일어나다.
　おこる【起こる】。おきる【起きる】
　ある現象や事件が発生する。

•-ㄴ 모양이다 : 다른 사실이나 상황으로 보아 현재 어떤 일이 일어났거나 어떤 상태라고 추측함을 나타
　　　　　　　　내는 표현.
　ようだ。らしい
　他の事実や状況から判断して、
　現在ある事態が起こっているかある状態になると推測するという意を表す表現。

•-네 : (아주낮춤으로) 지금 깨달은 일에 대하여 말함을 나타내는 종결 어미.
　(だ)なあ。(だ)ね。(なの)か。(だ)よ
　(下称) その場で悟った事について述べるという意を表す「終結語尾」。

< 대화(たいわ【対話】) > - 8

다음 달에 적금을 타면 뭐 하게요?
다음 다레 적끄믈 타면 뭐 하게요?
daeum dare jeokgeumeul tamyeon mwo hageyo?

그걸로 딸아이 피아노 사 주려고 해요.
그걸로 따라이 피아노 사 주려고 해요.
geugeollo ttarai piano sa juryeogo haeyo.

< 설명(せつめい【説明】) / 번역(ほんやく【翻訳】) >

다음 달+에 적금+을 타+면 뭐 하+게요?

• 다음 (めいし) : 어떤 차례에서 바로 뒤.
  つぎ【次】
  ある順序のすぐ後。

• 달 (めいし) : 일 년을 열둘로 나누어 놓은 기간.
  つき・げつ・がつ【月】
  一年を十二分した期間。

• 에 : 앞말이 시간이나 때임을 나타내는 조사.
  に
  前の言葉が時間や時期であることを表す助詞。

• 적금 (めいし) : 은행에 일정한 돈을 일정한 기간 동안 낸 다음에 찾는 저금.
  ていきつみきん【定期積み金・定期積金】
  定まった期間内に、一定金額を積み立てる方式の預金。

• 을 : 동작이 직접적으로 영향을 미치는 대상을 나타내는 조사.
  を
  動作が直接的に影響を及ぼす対象を表す助詞。

• 타다 (どうし) : 몫이나 상으로 주는 돈이나 물건을 받다.
  もらう。うける【受ける】。うけとる【受け取る】
  自分の分け前やご褒美、賞などとして与えられる物を受け取る。

• -면 : 뒤에 오는 말에 대한 근거나 조건이 됨을 나타내는 연결 어미.
　たら。なら。というなら
　後にくる事柄に対する根拠や条件になるという意を表す「連結語尾」。

• 뭐 (だいめいし) : 모르는 사실이나 사물을 가리키는 말.
　なん・なに【何】
　知らない事実・事物を指す語。

• 하다 (どうし) : 어떤 행동이나 동작, 활동 등을 행하다.
　する【為る】。やる【遣る】。なす【成す・為す】
　ある行動や動作、活動などを行う。

• -게요 : (두루높임으로) 상대의 의도를 물을 때 쓰는 표현.
　のですか。つもりですか
　(略待上称) 相手の意図について尋ねるのに用いる表現。

그것(그거)+ㄹ로 딸아이 피아노 사+[(아) 주]+[려고 하]+여요.
　그걸로　　　　　　　　　　　　　사 주려고 해요

• 그것 (だいめいし) : 앞에서 이미 이야기한 대상을 가리키는 말.
　それ。あれ
　前に話で話題になった対象をさす語。

• ㄹ로 : 어떤 일의 수단이나 도구를 나타내는 조사.
　で。に
　ある動作を行うための手段や道具を表す助詞。

• 딸아이 (めいし) : 남에게 자기 딸을 이르는 말.
　むすめ【娘】
　人に対し、自分の娘を称する言葉。

• 피아노 (めいし) : 검은색과 흰색 건반을 손가락으로 두드리거나 눌러서 소리를 내는 큰 악기.
　ピアノ
　黒と白の鍵盤を指で叩いたり押したりして音を出す大きな楽器。

• 사다 (どうし) : 돈을 주고 어떤 물건이나 권리 등을 자기 것으로 만들다.
　かう【買う】。こうにゅうする【購入する】
　金を払って品物や権利などを自分のものにする。

• -아 주다 : 남을 위해 앞의 말이 나타내는 행동을 함을 나타내는 표현.
　てやる。てあげる。てくれる
　他人のために前の言葉の表す行動をするという意を表す表現。

• -려고 하다 : 앞의 말이 나타내는 행동을 할 의도나 의향이 있음을 나타내는 표현.
  しようとする
  前の言葉の表す行動をする意図や意向があるという意を表す表現。

• -여요 : (두루높임으로) 어떤 사실을 서술하거나 질문, 명령, 권유함을 나타내는 종결 어미.
  ます。です。ますか。ですか。てください。ましょう
  (略待上称) ある事実を叙述しながら、質問・命令・勧誘の意を表す「終結語尾」。 <じょじゅつ>

< 대화(たいわ【対話】) > - 9

누가 책상을 치우라고 시켰어요?
누가 책상을 치우라고 시켜써요?
nuga chaeksangeul chiurago sikyeosseoyo?

제가 영수에게 치우게 했습니다.
제가 영수에게 치우게 핻씀니다.
jega yeongsuege chiuge haetseumnida.

< 설명(せつめい【説明】) / 번역(ほんやく【翻訳】) >

누(구)+가 책상+을 치우+라고 시키+었+어요?
　　누가　　　　　　　　　시켰어요

・**누구 (だいめいし)** : 모르는 사람을 가리키는 말.
　だれ【誰】
　知らない人をさす語。

・**가** : 어떤 상태나 상황에 놓인 대상이나 동작의 주체를 나타내는 조사.
　が
　ある状態や状況に置かれた対象、または動作の主体を表す助詞。

・**책상 (めいし)** : 책을 읽거나 글을 쓰거나 사무를 볼 때 앞에 놓고 쓰는 상.
　つくえ【机】。ふづくえ【文机】。デスク
　本を読んだり文章を書いたり事務をする時に前において用いる台。

・**을** : 동작이 직접적으로 영향을 미치는 대상을 나타내는 조사.
　を
　動作が直接的に影響を及ぼす対象を表す助詞。

・**치우다 (どうし)** : 물건을 다른 데로 옮기다.
　うつす【移す】。どける【退ける】。どかす【退かす】
　物をその場所から他の場所へ移す。

・**-라고** : 다른 사람에게 들은 명령이나 권유 등의 내용을 간접적으로 전할 때 쓰는 표현.
　しろと
　他人の命令や勧誘などの内容を間接的に伝えるのに用いる表現。

· **시키다 (どうし)** : 어떤 일이나 행동을 하게 하다.
させる
ある仕事や行動をするように仕向ける。

· **-었-** : 사건이 과거에 일어났음을 나타내는 어미.
た
出来事が過去にあったという意を表す語尾。

· **-어요** : (두루높임으로) 어떤 사실을 서술하거나 질문, 명령, 권유함을 나타내는 종결 어미.
ます。です。ますか。ですか。てください
(略待上称) ある事実を叙述したり質問、命令、勧誘する意を表す「終結語尾」。 <しつもん【質問】>

제+가 영수+에게 치우+[게 하]+였+습니다.
치우게 했습니다

· **제 (だいめいし)** : 말하는 사람이 자신을 낮추어 가리키는 말인 '저'에 조사 '가'가 붙을 때의 형태.
わたくし【私】
話し手が自分をへりくだっていう語である「저」に助詞「가」がつく時の形。

· **가** : 어떤 상태나 상황에 놓인 대상이나 동작의 주체를 나타내는 조사.
が
ある状態や状況に置かれた対象、または動作の主体を表す助詞。

· **영수 (めいし)** : じんめい【人名】

· **에게** : 어떤 행동이 미치는 대상임을 나타내는 조사.
に
行動が行われる対象を表す助詞。

· **치우다 (どうし)** : 물건을 다른 데로 옮기다.
うつす【移す】。どける【退ける】。どかす【退かす】
物をその場所から他の場所へ移す。

· **-게 하다** : 남에게 어떤 행동을 하도록 시키거나 물건이 어떤 작동을 하게 만듦을 나타내는 표현.
させる。ようにする
人にある行動をさせたり物を作動させたりするという意を表す表現。

· **-였-** : 사건이 과거에 일어났음을 나타내는 어미.
た
出来事が過去に発生したという意を表す語尾。

• -습니다 : (아주높임으로) 현재의 동작이나 상태, 사실을 정중하게 설명함을 나타내는 종결 어미.
　ます。です
　(上称) 現在の動作や状態、事実を丁寧に説明する意を表す「終結語尾」。

< 대화(たいわ【対話】) > - 10

어머니가 아직도 여행을 못 가게 하셔?
어머니가 아직또 여행을 몯 가게 하셔?
eomeoniga ajikdo yeohaengeul mot gage hasyeo?

응. 끝까지 허락을 안 해 주실 모양이야.
응. 끋까지 허라글 안 해 주실 모양이야.
eung. kkeutkkaji heorageul an hae jusil moyangiya.

< 설명(せつめい【説明】) / 번역(ほんやく【翻訳】) >

어머니+가 아직+도 여행+을 못 <u>가+[게 하]+시+어</u>?
                            가게 하셔

- **어머니 (めいし)** : 자기를 낳아 준 여자를 이르거나 부르는 말.
  はは【母】。ははおや【母親】。じつぼ【実母】。おかあさん【お母さん】
  自分を産んだ女性を指したり呼ぶ語。

- **가** : 어떤 상태나 상황에 놓인 대상이나 동작의 주체를 나타내는 조사.
  が
  ある状態や状況に置かれた対象、または動作の主体を表す助詞。

- **아직 (ふくし)** : 어떤 일이나 상태 또는 어떻게 되기까지 시간이 더 지나야 함을 나타내거나, 어떤 일이 나 상태가 끝나지 않고 계속 이어지고 있음을 나타내는 말.
  まだ【未だ】
  あることや状態になるまでにさらに時間がかかるべきことを表す語。また、
  あることや状態が終わらずに続くことを表す語。

- **도** : 놀라움, 감탄, 실망 등의 감정을 강조함을 나타내는 조사.
  も
  驚き・感嘆・失望などの感情を強調するという意を表す助詞。

- **여행 (めいし)** : 집을 떠나 다른 지역이나 외국을 두루 구경하며 다니는 일.
  りょこう【旅行】。たび【旅】
  家を離れて他の地域や外国の各所を見物しながら行きまわること。

- 을 : 그 행동의 목적이 되는 일을 나타내는 조사.
  に。を
  行動の目的になることを表す助詞。

- 못 (ふくし) : 동사가 나타내는 동작을 할 수 없게.
  対訳語無し
  動詞が表す動作が不可能であるさま。

- 가다 (どうし) : 어떤 목적을 가지고 일정한 곳으로 움직이다.
  ゆく・いく【行く】
  ある目的で一定の場所に移動する。

- -게 하다 : 다른 사람의 어떤 행동을 허용하거나 허락함을 나타내는 표현.
  させる。ようにする
  人にある行動を許容したり許可したりするという意を表す表現。

- -시- : 어떤 동작이나 상태의 주체를 높이는 뜻을 나타내는 어미.
  お…になる。ご…になる
  ある動作や状態の主体を敬う意を表す語尾。

- -어 : (두루낮춤으로) 어떤 사실을 서술하거나 물음, 명령, 권유를 나타내는 종결 어미.
  のか。なさい。よう。ましょう
  (略待下称) ある事実を叙述したり、質問・命令・勧誘の意を表す「終結語尾」。<とい【問い】>

응.

끝+까지 허락+을 안 하+[여 주]+시+[ㄹ 모양이]+야.
　　　　　　　　해 주실 모양이야

- 응 (かんどうし) : 상대방의 물음이나 명령 등에 긍정하여 대답할 때 쓰는 말.
  うん。ええ
  相手の質問や命令などに対する肯定の意を表す語。

- 끝 (めいし) : 시간에서의 마지막 때.
  おわり【終わり】。はて【果て】。さいご【最後】
  時間における最後の時。

- 까지 : 어떤 범위의 끝임을 나타내는 조사.
  まで
  ある範囲の終端であることを表す助詞。

· **허락 (めいし)** : 요청하는 일을 하도록 들어줌.
　きょだく【許諾】。ゆるし【許し】
　相手の願いを聞き入れて許すこと。

· **을** : 동작이 직접적으로 영향을 미치는 대상을 나타내는 조사.
　を
　動作が直接的に影響を及ぼす対象を表す助詞。

· **안 (ふくし)** : 부정이나 반대의 뜻을 나타내는 말.
　対訳語無し
　否定や反対の意を表す語。

· **하다 (どうし)** : 어떤 행동이나 동작, 활동 등을 행하다.
　する【為る】。やる【遣る】。なす【成す・為す】
　ある行動や動作、活動などを行う。

· **-여 주다** : 남을 위해 앞의 말이 나타내는 행동을 함을 나타내는 표현.
　てやる。てあげる。てくれる
　他人のために前の言葉の表す行動をするという意を表す表現。

· **-시-** : 어떤 동작이나 상태의 주체를 높이는 뜻을 나타내는 어미.
　お…になる。ご…になる
　ある動作や状態の主体を敬う意を表す語尾。

· **-ㄹ 모양이다** : 다른 사실이나 상황으로 보아 앞으로 어떤 일이 일어나거나 어떤 상태일 것이라고 추측
　　　　　　　　함을 나타내는 표현.
　そうだ。ようだ。らしい。みたいだ。だろう
　他の事実や状況から判断して、今後ある事態が起こるかある状態になると推測するという意を表す表現。

· **-야** : (두루낮춤으로) 어떤 사실에 대하여 서술하거나 물음을 나타내는 종결 어미.
　だよ。なのよ
　(略待下称) ある事実について叙述したり質問する意を表す「終結語尾」。**<じょじゅつ【叙述】>**

< 대화(たいわ【対話】) > - 11

할머니는 집에 계세요?
할머니는 지베 계세요(게세요)?
halmeonineun jibe gyeseyo(geseyo)?

응. 그런데 주무시고 계시니 깨우지 말고 좀 기다려.
응. 그런데 주무시고 계시니(게시니) 깨우지 말고 좀 기다려.
eung. geureonde jumusigo gyesini(gesini) kkaeuji malgo jom gidaryeo.

< 설명(せつめい【説明】) / 번역(ほんやく【翻訳】) >

할머니+는 집+에 <u>계시</u>+<u>어요</u>?
계세요

- **할머니 (めいし)** : 아버지의 어머니, 또는 어머니의 어머니를 이르거나 부르는 말.
  おばあさん【御祖母さん】。そぼ・ばば【祖母】
  父または母の母親を指したり呼ぶ語。

- **는** : 문장 속에서 어떤 대상이 화제임을 나타내는 조사.
  は
  文の中で、ある対象が話題であることを表す助詞。

- **집 (めいし)** : 사람이나 동물이 추위나 더위 등을 막고 그 속에 들어 살기 위해 지은 건물.
  いえ【家】。す【巣】
  人や動物が寒さや暑さなどを避けて、その中で住むために作った物。

- **에** : 앞말이 어떤 장소나 자리임을 나타내는 조사.
  に
  前の言葉が場所や席であることを表す助詞。

- **계시다 (どうし)** : (높임말로) 높은 분이나 어른이 어느 곳에 있다.
  いらっしゃる
  地位の高い人や目上の人がどこかにいることを表す尊敬語。

- **-어요** : (두루높임으로) 어떤 사실을 서술하거나 질문, 명령, 권유함을 나타내는 종결 어미.
  ます。です。ますか。ですか。てください
  (略待上称) ある事実を叙述したり質問、命令、勧誘する意を表す「終結語尾」。 **<しつもん【質問】>**

- 34 -

응.

그런데 주무시+[고 계시]+니 깨우+[지 말]+고 좀 <u>기다리</u>+어.
                                      기다려

- 응 (かんどうし) : 상대방의 물음이나 명령 등에 긍정하여 대답할 때 쓰는 말.
  うん。ええ
  相手の質問や命令などに対する肯定の意を表す語。

- 그런데 (ふくし) : 이야기를 앞의 내용과 관련시키면서 다른 방향으로 바꿀 때 쓰는 말.
  しかし
  話題を前の内容と関連づけて他の方向に変える時に用いる語。

- 주무시다 (どうし) : (높임말로) 자다.
  おしずまる【御寝る】。およる【御寝る】。おやすみになる【お休みになる】
  「寝る」の尊敬語。

- -고 계시다 : (높임말로) 앞의 말이 나타내는 행동이 계속 진행됨을 나타내는 표현.
  ていらっしゃる。なさっている
  前の言葉の表す行動が引き続き行われるという意を表す尊敬語。

- -니 : 뒤에 오는 말에 대하여 앞에 오는 말이 원인이나 근거, 전제가 됨을 나타내는 연결 어미.
  から。ので。ため。ゆえ【故】
  後にくる事柄に対して前の事柄が原因や根拠・前提になるという意を表す「連結語尾」。

- 깨우다 (どうし) : 잠들거나 취한 상태 등에서 벗어나 온전한 정신 상태로 돌아오게 하다.
  さます【覚ます】。おこす【起こす】
  眠っていたり酔っている状態などから、意識のはっきりした状態に戻す。

- -지 말다 : 앞의 말이 나타내는 행동을 하지 못하게 함을 나타내는 표현.
  ない
  前の言葉の表す行動を禁止するという意を表す表現。

- -고 : 앞의 말과 뒤의 말이 차례대로 일어남을 나타내는 연결 어미.
  て
  前の事柄と後の事柄が順次に起こるという意を表す「連結語尾」。

- 좀 (ふくし) : 시간이 짧게.
  すこし【少し】。わずか【僅か・纔か】。ちょっと【一寸・鳥渡】
  時間が短いさま。

· **기다리다 (どうし)** : 사람, 때가 오거나 어떤 일이 이루어질 때까지 시간을 보내다.

　まつ【待つ】

　人や時期が来たり、あることが行われたりするまで時間を過ごす。

· **-어** : (두루낮춤으로) 어떤 사실을 서술하거나 물음, 명령, 권유를 나타내는 종결 어미.

　のか。なさい。よう。ましょう

　(略待下称) ある事実を叙述したり、質問・命令・勧誘の意を表す「終結語尾」。 <めいれい【命令】>

< 대화(たいわ【対話】) > - 12

여기서 산 가방을 환불하고 싶은데 어떻게 하면 되나요?
여기서 산 가방을 환불하고 시픈데 어떠케 하면 되나요?
yeogiseo san gabangeul hwanbulhago sipeunde eotteoke hamyeon doenayo?

네, 손님. 영수증은 가지고 계신가요?
네, 손님. 영수증은 가지고 계신가요(게신가요)?
ne, sonnim. yeongsujeungeun gajigo gyesingayo(gesingayo)?

< 설명(せつめい【説明】) / 번역(ほんやく【翻訳】) >

여기+서 <u>사+ㄴ</u> 가방+을 환불하+[고 싶]+은데 어떻게 하+[면 되]+나요?
　　　　 산

- **여기** (だいめいし) : 말하는 사람에게 가까운 곳을 가리키는 말.
  ここ
  話し手に近い所をさしていう語。

- **서** : 앞말이 행동이 이루어지고 있는 장소임을 나타내는 조사.
  で。にて
  前の言葉がその行動が行われている場所であることを表す助詞。

- **사다** (どうし) : 돈을 주고 어떤 물건이나 권리 등을 자기 것으로 만들다.
  かう【買う】。こうにゅうする【購入する】
  金を払って品物や権利などを自分のものにする。

- **-ㄴ** : 앞의 말이 관형어의 기능을 하게 만들고 사건이나 동작이 과거에 일어났음을 나타내는 어미.
  た。ている
  前の言葉に連体修飾語の機能を持たせ、出来事や動作が過去にあったという意を表す「語尾」。

- **가방** (めいし) : 물건을 넣어 손에 들거나 어깨에 멜 수 있게 만든 것.
  かばん。バッグ
  何かを中に入れて手でさげたり肩にかけたりできるように作られた携帯用具。

- **을** : 동작이 직접적으로 영향을 미치는 대상을 나타내는 조사.
  を
  動作が直接的に影響を及ぼす対象を表す助詞。

• **환불하다** (どうし) : 이미 낸 돈을 되돌려주다.
　はらいもどす【払い戻す】
　すでに支払った金を返金する。

• **-고 싶다** : 앞의 말이 나타내는 행동을 하기를 원함을 나타내는 표현.
　たい
　前の言葉の表す行動をしたいという意を表す表現。

• **-은데** : 뒤의 말을 하기 위하여 그 대상과 관련이 있는 상황을 미리 말함을 나타내는 연결 어미.
　が。けど
　何かを言うための前置きとして、それと関連した状況を前もって述べるという意を表す「連結語尾」。

• **어떻게** (ふくし) : 어떤 방법으로. 또는 어떤 방식으로.
　どうして。どうやって。どのように
　どんな方法で。また、どんな方式で。

• **하다** (どうし) : 어떤 방식으로 행위를 이루다.
　する【為る】。やる【遣る】
　ある方式で何かを行う。

• **-면 되다** : 조건이 되는 어떤 행동을 하거나 어떤 상태만 갖추어지면 문제가 없거나 충분함을 나타내는 표현.
　ばいい。といい
　条件になるある行動をするかある状態さえそろえば何も問題ない、
　あるいはそれで十分であるという意を表す表現。

• **-나요** : (두루높임으로) 앞의 내용에 대해 상대방에게 물어볼 때 쓰는 표현.
　ですか。ますか
　(略待上称) 前の内容について相手に尋ねるのに用いる表現。

네, 손님.

영수증+은 가지+[고 계시]+ㄴ가요?
가지고 계신가요

• **네** (かんどうし) : 윗사람의 물음이나 명령 등에 긍정하여 대답할 때 쓰는 말.
　はい。ええ
　目上の人からの質問や命令などに肯定の返事をする時にいう語。

• **손님** (めいし) : (높임말로) 여관이나 음식점 등의 가게에 찾아온 사람.
　きゃく【客】。こきゃく【顧客】。らいきゃく【来客】
　宿泊施設や食堂などを訪ねてきた人を表す尊敬語。

・영수증 (めいし) : 돈이나 물건을 주고받은 사실이 적힌 종이.
　りょうしゅうしょ【領収書】。りょうしゅうしょう【領収証】。じゅりょうしょう【受領証】。
　うけとり【受取】。レシート
　金銭や物品を受け渡した事実が書き付けられている紙。

・은 : 문장 속에서 어떤 대상이 화제임을 나타내는 조사.
　は
　文章の中である対象が話題であることを表す助詞。

・가지다 (どうし) : 무엇을 손에 쥐거나 몸에 지니다.
　もつ【持つ】。たずさえる【携える】
　何かを手に握ったり、身に付けたりする。

・-고 계시다 : (높임말로) 앞의 말이 나타내는 행동의 결과가 계속됨을 나타내는 표현.
　ていらっしゃる。なさっている
　前の言葉の表す行動の結果が引き続き残っているという意を表す尊敬語。

・-ㄴ가요 : (두루높임으로) 현재의 사실에 대한 물음을 나타내는 종결 어미.
　のか。なのか
　(略待上称) 現在の事柄に対する質問の意を表す「終結語尾」。

< 대화(たいわ【対話】) > - 13

숙제는 다 하고 나서 놀아라.
숙쩨는 다 하고 나서 노라라.
sukjeneun da hago naseo norara.

벌써 다 했어요. 저 놀다 올게요.
벌써 다 해써요. 저 놀다 올께요.
beolsseo da haesseoyo. jeo nolda olgeyo.

< 설명(せつめい【説明】) / 번역(ほんやく【翻訳】) >

숙제+는 다 하+[고 나]+(아)서 놀+아라.
　　　　　　　하고 나서

- 숙제 (めいし) : 학생들에게 복습이나 예습을 위하여 수업 후에 하도록 내 주는 과제.
  しゅくだい【宿題】
  復習や予習のために児童・生徒に課される放課後の課題。

- 는 : 문장 속에서 어떤 대상이 화제임을 나타내는 조사.
  は
  文の中で、ある対象が話題であることを表す助詞。

- 다 (ふくし) : 남거나 빠진 것이 없이 모두.
  ぜんぶ【全部】。すべて【全て】。みな【皆】。のこらず【残らず】。もれなく
  残ったり、漏れたものがなく、全て。

- 하다 (どうし) : 어떤 행동이나 동작, 활동 등을 행하다.
  する【為る】。やる【遣る】。なす【成す・為す】
  ある行動や動作、活動などを行う。

- -고 나다 : 앞에 오는 말이 나타내는 행동이 끝났음을 나타내는 표현.
  てしまう。…おえる【…終える】
  前の言葉の表す行動が終わったという意を表す表現。

- -아서 : 앞의 말과 뒤의 말이 순차적으로 일어남을 나타내는 연결 어미.
  て。てから
  前の事柄と後の事柄が順次に起こるという意を表す「連結語尾」。

・**놀다 (どうし)** : 놀이 등을 하면서 재미있고 즐겁게 지내다.
　あそぶ【遊ぶ】
　遊びなどをして、面白くて楽しい時間を過ごす。

・**-아라** : (아주낮춤으로) 명령을 나타내는 종결 어미.
　しろ。せよ
　(下称) 命令の意を表す「終結語尾」。

벌써 다 <u>하+였+어요</u>.
　　했어요

저 놀+다 <u>오+ㄹ게요</u>.
　　올게요

・**벌써 (ふくし)** : 이미 오래전에.
　とっくに。とうに【疾うに】
　すでにずっと前に。

・**다 (ふくし)** : 남거나 빠진 것이 없이 모두.
　ぜんぶ【全部】。すべて【全て】。みな【皆】。のこらず【残らず】。もれなく
　残ったり、漏れたものがなく、全て。

・**하다 (どうし)** : 어떤 행동이나 동작, 활동 등을 행하다.
　する【為る】。やる【遣る】。なす【成す・為す】
　ある行動や動作、活動などを行う。

・**-였-** : 어떤 사건이 과거에 완료되었거나 그 사건의 결과가 현재까지 지속되는 상황을 나타내는 어미.
　た。ている
　ある出来事が過去に完了したことや、その出来事の結果が現在まで持続している状況を表す語尾。

・**-어요** : (두루높임으로) 어떤 사실을 서술하거나 질문, 명령, 권유함을 나타내는 종결 어미.
　ます。です。ますか。ですか。てください
　(略待上称) ある事実を叙述したり質問、命令、勧誘する意を表す「終結語尾」。<**じょじゅつ【叙述】**>

・**저 (だいめいし)** : 말하는 사람이 듣는 사람에게 자신을 낮추어 가리키는 말.
　わたくし【私】
　目上の人に対して自分をへりくだっていう語。

・**놀다 (どうし)** : 놀이 등을 하면서 재미있고 즐겁게 지내다.
　あそぶ【遊ぶ】
　遊びなどをして、面白くて楽しい時間を過ごす。

• -다 : 어떤 행동이나 상태 등이 중단되고 다른 행동이나 상태로 바뀜을 나타내는 연결 어미.

   ていて。…かけて。

   ある行動や状態などが中断され、別の行動や状態に変わる意を表す「連結語尾」。

• 오다 (どうし) : 무엇이 다른 곳에서 이곳으로 움직이다.

   くる【来る】。ちかづく【近づく】。やってくる

   何かが他の場所からこちらの方へ動く。

• -ㄹ게요 : (두루높임으로) 말하는 사람이 어떤 행동을 할 것을 듣는 사람에게 약속하거나 의지를 나타내
            는 표현.

   ます

   (略待上称) 話し手が聞き手に対してある行動をすると約束したり知らせたりする意を表す表現。

< 대화(たいわ【対話】) > - 14

이번 달리기 대회에서 시우가 일 등 할 줄 알았는데.
이번 달리기 대회에서 시우가 일 등 할 쭐 아란는데.
ibeon dalligi daehoeeseo siuga il deung hal jul aranneunde.

그러게, 너무 욕심을 부리다 넘어지고 만 거지.
그러게, 너무 욕씨믈 부리다 너머지고 만 거지.
geureoge, neomu yoksimeul burida neomeojigo man geoji.

< 설명(せつめい【説明】) / 번역(ほんやく【翻訳】) >

이번 달리기 대회+에서 시우+가 일 등 <u>하</u>+[ㄹ 줄] 알+았+는데.
할 줄

- 이번 (めいし) : 곧 돌아올 차례. 또는 막 지나간 차례.
  こんど【今度】。こんかい【今回】。このたび【この度】
  すぐ行われる順序にある事柄。または、行われたばかりの事柄。

- 달리기 (めいし) : 일정한 거리를 누가 빨리 뛰는지 겨루는 경기.
  かけくらべ【駆け競べ】
  一定の距離を誰が速く走るかを争う競技。

- 대회 (めいし) : 여러 사람이 실력이나 기술을 겨루는 행사.
  たいかい【大会】
  多くの人が実力や技量を競う催し。

- 에서 : 앞말이 행동이 이루어지고 있는 장소임을 나타내는 조사.
  で
  前の言葉が行動の行われる場所であることを表す助詞。

- 시우 (めいし) : じんめい【人名】

- 가 : 어떤 상태나 상황에 놓인 대상이나 동작의 주체를 나타내는 조사.
  が
  ある状態や状況に置かれた対象、または動作の主体を表す助詞。

· 일 (かんけいし) : 첫 번째의.
いち【一】
一番目の。

· 등 (めいし) : 등급이나 등수를 나타내는 단위.
とう【等】
等級や順位をつけて表す単位。

· 하다 (どうし) : 어떠한 결과를 이루어 내다.
する【為る】。たつ【立つ】
ある結果を出す。

· -ㄹ 줄 : 어떤 사실이나 상태에 대해 알고 있거나 모르고 있음을 나타내는 표현.
対訳語無し
ある事実や状態について知っているか、知らないという意を表す表現。

· 알다 (どうし) : 어떤 사실을 그러하다고 여기거나 생각하다.
おもう【思う】。かんがえる【考える】
ある事実を判断したり思ったりする。

· -았- : 사건이 과거에 일어났음을 나타내는 어미.
た
出来事が過去にあったという意を表す語尾。

· -는데 : (두루낮춤으로) 듣는 사람의 반응을 기대하며 어떤 일에 대해 감탄함을 나타내는 종결 어미.
(だ)ね。(だ)なあ
(略待下称) 聞き手の反応を期待しながら何かについて感嘆しているという意を表す「終結語尾」。

그러게, 너무 욕심+을 부리+다 넘어지+[고 말(마)]+[ㄴ 것(거)]+(이)+지.
넘어지고 만 거지

· 그러게 (かんどうし) : 상대방의 말에 찬성하거나 동의하는 뜻을 나타낼 때 쓰는 말.
だから。そうなんだよ
相手の話に賛成または同意の意を表す時にいう語。

· 너무 (ふくし) : 일정한 정도나 한계를 훨씬 넘어선 상태로.
あまりに
一定の程度や限界をはるかに超えた状態で。

· 욕심 (めいし) : 무엇을 지나치게 탐내거나 가지고 싶어 하는 마음.
よくしん【欲心】。よくねん【欲念】。よく【欲・慾】
何かを度を越えて欲しがる心。

• 을 : 동작이 직접적으로 영향을 미치는 대상을 나타내는 조사.
　を
　動作が直接的に影響を及ぼす対象を表す助詞。

• **부리다 (どうし)** : 바람직하지 못한 행동이나 성질을 계속 드러내거나 보이다.
　はる【張る】
　望ましくない行動や性質を見せる。

• -다 : 앞에 오는 말이 뒤에 오는 말의 원인이나 근거가 됨을 나타내는 연결 어미.
　ていて。ていたら
　前の事柄の内容が後の事柄の原因や根拠になるという意を表す「連結語尾」。

• **넘어지다 (どうし)** : 서 있던 사람이나 물체가 중심을 잃고 한쪽으로 기울어지며 쓰러지다.
　ころぶ【転ぶ】
　立っていた人や物がバランスを失って一方に傾いて倒れる。

• -고 말다 : 앞에 오는 말이 가리키는 행동이 안타깝게도 끝내 일어났음을 나타내는 표현.
　てしまう
　前の言葉の表す事態が残念ながら起こってしまったという意を表す表現。

• -ㄴ 것 : 명사가 아닌 것을 문장에서 명사처럼 쓰이게 하거나 '이다' 앞에 쓰일 수 있게 할 때 쓰는 표현.
　こと。の。もの
　名詞でないものを文中で名詞化し、「이다」の前にくるようにするのに用いる表現。

• 이다 : 주어가 지시하는 대상의 속성이나 부류를 지정하는 뜻을 나타내는 서술격 조사.
　だ。である
　主語が指す対象の属性や部類を指定する意を表す叙述格助詞。

• -지 : (두루낮춤으로) 말하는 사람이 자신에 대한 이야기나 자신의 생각을 친근하게 말할 때 쓰는 종결 어미.
　よ。だろう
　(略待下称) 話し手が自分に関する話や自分の考えを親しみをこめて述べるのに用いる「終結語尾」。

< 대화(たいわ【対話】) > - 15

감독님, 저희 모두가 마지막 경기에 거는 기대가 큽니다.
감동님, 저히 모두가 마지막 경기에 거는 기대가 큼니다.
gamdongnim, jeohi moduga majimak gyeonggie geoneun gidaega keumnida.

네. 마지막 경기는 꼭 승리하고 말겠습니다.
네. 마지막 경기는 꼭 승니하고 말겓씀니다.
ne. majimak gyeonggineun kkok seungnihago malgetseumnida.

< 설명(せつめい【説明】) / 번역(ほんやく【翻訳】) >

감독+님, 저희 모두+가 마지막 경기+에 걸(거)+는 기대+가 크+ㅂ니다.
　　　　　　　　　　　　　　　　　 거는　　　　　 큽니다

• 감독 (めいし) : 공연, 영화, 운동 경기 등에서 일의 전체를 지휘하며 책임지는 사람.
　かんとく【監督】
　公演、映画、スポーツなどで全体を指揮して責任を取る人。

• 님 : '높임'의 뜻을 더하는 접미사.
　さま【様】
　「敬う」意を付加する接尾辞。

• 저희 (だいめいし) : 말하는 사람이 자기보다 높은 사람에게 자기를 포함한 여러 사람들을 가리키는 말.
　わたくしたち【私達】。じぶんたち【自分達】
　話し手が目上の人に自分を含めた複数の人を指していう語。

• 모두 (めいし) : 남거나 빠진 것이 없는 전체.
　みな・みんな【皆】
　残ったり、抜けたりすることのない全体。

• 가 : 어떤 상태나 상황에 놓인 대상이나 동작의 주체를 나타내는 조사.
　が
　ある状態や状況に置かれた対象、または動作の主体を表す助詞。

• 마지막 (めいし) : 시간이나 순서의 맨 끝.
　さいご【最後】
　時間や順序のいちばんあと。

- **경기 (めいし)** : 운동이나 기술 등의 능력을 서로 겨룸.
  きょうぎ【競技】
  運動や技術などの能力の優劣を互いに競うこと。

- **에** : 앞말이 어떤 행위나 감정 등의 대상임을 나타내는 조사.
  に
  前の言葉がある行為や感情などの対象であることを表す助詞。

- **걸다 (どうし)** : 앞으로의 일에 대한 희망 등을 품거나 기대하다.
  かける【掛ける】
  これからのことに対する希望などを抱いたり期待したりする。

- **-는** : 앞의 말이 관형어의 기능을 하게 만들고 사건이나 동작이 현재 일어남을 나타내는 어미.
  する。ている
  前の言葉に連体修飾語の機能を持たせ、出来事や動作が現在進行中であるという意を表す語尾。

- **기대 (めいし)** : 어떤 일이 이루어지기를 바라며 기다림.
  きたい【期待】。のぞみ【望み】。みこみ【見込見】。よそう【予想】
  あることが叶うように望みをかけて待ち受けること。

- **가** : 어떤 상태나 상황에 놓인 대상이나 동작의 주체를 나타내는 조사.
  が
  ある状態や状況に置かれた対象、または動作の主体を表す助詞。

- **크다 (けいようし)** : 어떤 일의 규모, 범위, 정도, 힘 등이 보통 수준을 넘다.
  おおきい【大きい】。つよい【強い】
  物事の規模・範囲・程度・力などが普通の水準を超える。

- **-ㅂ니다** : (아주높임으로) 현재의 동작이나 상태, 사실을 정중하게 설명함을 나타내는 종결 어미.
  ます。です
  (上称) 現在の動作や状態、事実を丁寧に説明する意を表す「終結語尾」。

네.

마지막 경기+는 꼭 승리하+[고 말]+겠+습니다.

- **네 (かんどうし)** : 윗사람의 물음이나 명령 등에 긍정하여 대답할 때 쓰는 말.
  はい。ええ
  目上の人からの質問や命令などに肯定の返事をする時にいう語。

· 마지막 (めいし) : 시간이나 순서의 맨 끝.
  さいご【最後】
  時間や順序のいちばんあと。

· 경기 (めいし) : 운동이나 기술 등의 능력을 서로 겨룸.
  きょうぎ【競技】
  運動や技術などの能力の優劣を互いに競うこと。

· 는 : 문장 속에서 어떤 대상이 화제임을 나타내는 조사.
  は
  文の中で、ある対象が話題であることを表す助詞。

· 꼭 (ふくし) : 어떤 일이 있어도 반드시.
  きっちり
  何が何でも必ず。

· 승리하다 (どうし) : 전쟁이나 경기 등에서 이기다.
  しょうりする【勝利する】
  戦争や試合などで勝つ。

· -고 말다 : 앞에 오는 말이 가리키는 일을 이루고자 하는 말하는 사람의 강한 의지를 나타내는 표현.
  てしまう
  前の言葉の表す事態を実現させようとする話し手の強い意志を表す表現。

· -겠- : 말하는 사람의 의지를 나타내는 어미.
  よう
  話し手の意志を表す語尾。

· -습니다 : (아주높임으로) 현재의 동작이나 상태, 사실을 정중하게 설명함을 나타내는 종결 어미.
  ます。です
  (上称) 現在の動作や状態、事実を丁寧に説明する意を表す「終結語尾」。

< 대화(たいわ【対話】) > - 16

시간이 지나고 보니 모든 순간이 다 소중한 것 같아.
시가니 지나고 보니 모든 순가니 다 소중한 걸 가타.
sigani jinago boni modeun sungani da sojunghan geot gata.

무슨 일 있어? 갑자기 왜 그런 말을 해?
무슨 일 이써? 갑짜기 왜 그런 마를 해?
museun il isseo? gapjagi wae geureon mareul hae?

< 설명(せつめい【説明】) / 번역(ほんやく【翻訳】) >

시간+이 지나+[고 보]+니 모든 순간+이 다 소중하+[ㄴ 것 같]+아.
소중한 것 같아

- **시간 (めいし)** : 자연히 지나가는 세월.
  じかん【時間】。とき【時】
  自然に流れていく年月。

- **이** : 어떤 상태나 상황의 대상이나 동작의 주체를 나타내는 조사.
  が
  ある状態・状況の対象や動作の主体を表す助詞。

- **지나다 (どうし)** : 시간이 흘러 그 시기에서 벗어나다.
  すぎる【過ぎる】。たつ【経つ】。へる【経る】
  時間が経過して、その時期から遠ざかる。

- **-고 보다** : 앞의 말이 나타내는 행동을 하고 난 후에 뒤의 말이 나타내는 사실을 새로 깨달음을 나타내는 표현.
  てみる
  前の言葉の表す行動をしてから後の言葉の表す事実に気づいたという意を表す表現。

- **-니** : 앞에서 이야기한 내용과 관련된 다른 사실을 이어서 설명할 때 쓰는 연결 어미.
  たら。と
  前述した内容と関連した別の事実を続けて説明するのに用いる「連結語尾」。

- **모든 (かんけいし)** : 빠지거나 남는 것 없이 전부인.
  すべての。あらゆる。ぜん【全】
  欠落したり余ったりせず、全部であるさま。

• 순간 (めいし) : 아주 짧은 시간 동안.
　しゅんかん【瞬間】。またたくま【瞬く間】。いっしゅん【一瞬】。せつな【刹那】
　非常に短い時間。

• 이 : 어떤 상태나 상황의 대상이나 동작의 주체를 나타내는 조사.
　が
　ある状態・状況の対象や動作の主体を表す助詞。

• 다 (ふくし) : 남거나 빠진 것이 없이 모두.
　ぜんぶ【全部】。すべて【全て】。みな【皆】。のこらず【残らず】。もれなく
　残ったり、漏れたものがなく、全て。

• 소중하다 (けいようし) : 매우 귀중하다.
　たいせつだ【大切だ】。だいじだ【大事だ】
　非常に貴重である。

• -ㄴ 것 같다 : 추측을 나타내는 표현.
　ようだ。そうだ。らしい。みたいだ
　推測の意を表す表現。

• -아 : (두루낮춤으로) 어떤 사실을 서술하거나 물음, 명령, 권유를 나타내는 종결 어미.
　する。である。するのか。しなさい。しよう。しましょう
　(略待下称) ある事実を叙述したり質問・命令・勧誘の意を表す「終結語尾」。<じょじゅつ【叙述】>

무슨 일 있+어?

갑자기 왜 그런 말+을 하+여?
　　　　　　　　　　　　해

• 무슨 (かんけいし) : 확실하지 않거나 잘 모르는 일, 대상, 물건 등을 물을 때 쓰는 말.
　なに【何】。なんの。どの。どのような。どういう
　確実でないか、よく知らないこと、対象、ものなどを聞く時に使う語。

• 일 (めいし) : 해결하거나 처리해야 할 문제나 사항.
　こと【事】。よう【用】。じこ【事故】
　解決したり処理したりしなければならない問題や事項。

• 있다 (けいようし) : 어떤 사람에게 무슨 일이 생긴 상태이다.
　ある【有る・在る】
　ある人に何かが起こった状態だ。

• -어 : (두루낮춤으로) 어떤 사실을 서술하거나 물음, 명령, 권유를 나타내는 종결 어미.
　のか。なさい。よう。ましょう
　(略待下称) ある事実を叙述したり、質問・命令・勧誘の意を表す「終結語尾」。<とい【問い】>

• 갑자기 (ふくし) : 미처 생각할 틈도 없이 빨리.
　きゅうに【急に】
　考える間もなくいきなり。

• 왜 (ふくし) : 무슨 이유로. 또는 어째서.
　なぜ【何故】。どうして。なんで【何で】
　どういう理由で。また、何ゆえ。

• 그런 (かんけいし) : 상태, 모양, 성질 등이 그러한.
　そんな。そのような。そうした。そういう
　状態・模様・性質などがそのようなさま。

• 말 (めいし) : 생각이나 느낌을 표현하고 전달하는 사람의 소리.
　ことば【言葉】
　考えや感情を表現して伝える人の音声。

• 을 : 동작이 직접적으로 영향을 미치는 대상을 나타내는 조사.
　を
　動作が直接的に影響を及ぼす対象を表す助詞。

• 하다 (どうし) : 어떤 행동이나 동작, 활동 등을 행하다.
　する【為る】。やる【遣る】。なす【成す・為す】
　ある行動や動作、活動などを行う。

• -여 : (두루낮춤으로) 어떤 사실을 서술하거나 물음, 명령, 권유를 나타내는 종결 어미.
　のか。なさい。よう。ましょう
　(略待下称) ある事実を叙述したり、質問・命令・勧誘の意を表す「終結語尾」。<とい【問い】>

< 대화(たいわ【対話】) > - 17

날씨가 추우니까 따뜻한 게 먹고 싶네.
날씨가 추우니까 **따뜨탄** 게 먹꼬 심네.
nalssiga chuunikka ttatteutan ge meokgo simne.

그럼 오늘 점심은 삼계탕을 먹으러 갈까?
그럼 오늘 점시믄 삼계탕을(삼게탕을) 머그러 갈까?
geureom oneul jeomsimeun samgyetangeul(samgetangeul) meogeureo galkka?

< 설명(せつめい【説明】) / 번역(ほんやく【翻訳】) >

날씨+가 춥(추우)+니까 따뜻하+[ㄴ 것(거)]+이 먹+[고 싶]+네.
　　　　　추우니까　　　　 따뜻한 게

- 날씨 (めいし) : 그날그날의 기온이나 공기 중에 비, 구름, 바람, 안개 등이 나타나는 상태.
  てんき【天気】。きこう【気候】。てんこう【天候】。そらもよう【空模様】
  その日その日の気温や空気中の雨、雲、風、霧などが発生する状態。

- 가 : 어떤 상태나 상황에 놓인 대상이나 동작의 주체를 나타내는 조사.
  が
  ある状態や状況に置かれた対象、または動作の主体を表す助詞。

- 춥다 (けいようし) : 대기의 온도가 낮다.
  さむい【寒い】
  大気の温度が低い。

- -니까 : 뒤에 오는 말에 대하여 앞에 오는 말이 원인이나 근거, 전제가 됨을 강조하여 나타내는 연결 어미.
  から。ので。ため。て
  後にくる事柄に対して前の事柄が原因や根拠・前提になることを強調していう「連結語尾」。

- 따뜻하다 (けいようし) : 아주 덥지 않고 기분이 좋은 정도로 온도가 알맞게 높다.
  あたたかい【暖かい】
  暑すぎず、程よい気温である。

- -ㄴ 것 : 명사가 아닌 것을 문장에서 명사처럼 쓰이게 하거나 '이다' 앞에 쓰일 수 있게 할 때 쓰는 표현.
  こと。の。もの
  名詞でないものを文中で名詞化し、「이다」の前にくるようにするのに用いる表現。

- 이 : 어떤 상태나 상황의 대상이나 동작의 주체를 나타내는 조사.
  が
  ある状態・状況の対象や動作の主体を表す助詞。

- 먹다 (どうし) : 음식 등을 입을 통하여 배 속에 들여보내다.
  たべる【食べる】。くう【食う・喰う】。くらう【食らう】
  食べ物を口の中に入れて飲み込む。

- -고 싶다 : 앞의 말이 나타내는 행동을 하기를 원함을 나타내는 표현.
  たい
  前の言葉の表す行動をしたいという意を表す表現。

- -네 : (예사 낮춤으로) 단순한 서술을 나타내는 종결 어미.
  よ
  (等称) 単純な叙述を表す「終結語尾」。

그럼 오늘 점심+은 삼계탕+을 먹+으러 가+ㄹ까?
갈까

- 그럼 (ふくし) : 앞의 내용을 받아들이거나 그 내용을 바탕으로 하여 새로운 주장을 할 때 쓰는 말.
  では
  前の内容を受け入れたり、その内容に基づいて新しい主張をしたりする時に用いる語。

- 오늘 (めいし) : 지금 지나가고 있는 이날.
  きょう【今日】。ほんじつ【本日】
  今過ごしているこの日。

- 점심 (めいし) : 아침과 저녁 식사 중간에, 낮에 하는 식사.
  ひる【昼】。ちゅうしょく・ちゅうじき【昼食】。ひるめし【昼飯】。ランチ
  朝と夕方の間に食べる食事。

- 은 : 문장 속에서 어떤 대상이 화제임을 나타내는 조사.
  は
  文章の中である対象が話題であることを表す助詞。

- 삼계탕 (めいし) : 어린 닭에 인삼, 찹쌀, 대추 등을 넣고 푹 삶은 음식.
  サムゲタン
  若鶏に人参、もち米、ナツメなどを入れて煮込んだ料理。

· 을 : 동작이 직접적으로 영향을 미치는 대상을 나타내는 조사.
　　を
　　動作が直接的に影響を及ぼす対象を表す助詞。

· **먹다 (どうし)** : 음식 등을 입을 통하여 배 속에 들여보내다.
　　たべる【食べる】。くう【食う・喰う】。くらう【食らう】
　　食べ物を口の中に入れて飲み込む。

· -으러 : 가거나 오거나 하는 동작의 목적을 나타내는 연결 어미.
　　に
　　行く、または来る動作の目的の意を表す「連結語尾」。

· **가다 (どうし)** : 어떤 목적을 가지고 일정한 곳으로 움직이다.
　　ゆく・いく【行く】
　　ある目的で一定の場所に移動する。

· -ㄹ까 : (두루낮춤으로) 듣는 사람의 의사를 물을 때 쓰는 종결 어미.
　　ようか
　　(略待下称) 話し手の考えや推量を表したり相手の意思を尋ねるのに用いる「終結語尾」。

< 대화(たいわ【対話】) > - 18

아들이 자꾸 컴퓨터를 새로 사 달라고 해요.
아드리 자꾸 컴퓨터를 새로 사 달라고 해요.
adeuri jakku keompyuteoreul saero sa dallago haeyo.

그렇게 갖고 싶어 하는데 하나 사 줘요.
그러케 갇꼬 시퍼 하는데 하나 사 줘요.
geureoke gatgo sipeo haneunde hana sa jwoyo.

< 설명(せつめい【説明】) / 번역(ほんやく【翻訳】) >

아들+이 자꾸 컴퓨터+를 새로 사+[(아) 달]+라고 하+여요.
　　　　　　　　　　　　　　　사 달라고　　해요

- **아들 (めいし)** : 남자인 자식.
  むすこ【息子】
  男性である子供。

- **이** : 어떤 상태나 상황의 대상이나 동작의 주체를 나타내는 조사.
  が
  ある状態・状況の対象や動作の主体を表す助詞。

- **자꾸 (ふくし)** : 여러 번 계속하여.
  しきりに【頻りに】。ひっきりなしに【引っ切り無しに】
  何度も繰り返して。

- **컴퓨터 (めいし)** : 전자 회로를 이용하여 문서, 사진, 영상 등의 대량의 데이터를 빠르고 정확하게 처리하는 기계.
  コンピューター
  電子回路を用いて文書・写真・映像などの大量のデータを迅速かつ正確に処理する装置。

- **를** : 동작이 직접적으로 영향을 미치는 대상을 나타내는 조사.
  を
  動作が直接的に影響を及ぼす対象を表す助詞。

- **새로 (ふくし)** : 전과 달리 새롭게. 또는 새것으로.
  あらためて【改めて】。ふたたび【再び】。ことあたらしい【事新しい】
  以前とは違って新しく。または新しいものに。

・**사다 (どうし)** : 돈을 주고 어떤 물건이나 권리 등을 자기 것으로 만들다.
かう【買う】。こうにゅうする【購入する】
金を払って品物や権利などを自分のものにする。

・**-아 달다** : 앞의 말이 나타내는 행동을 해 줄 것을 요구함을 나타내는 표현.
てくれる
前の言葉の表す行動をしてくれることを要求するという意を表す表現。

・**-라고** : 다른 사람에게 들은 명령이나 권유 등의 내용을 간접적으로 전할 때 쓰는 표현.
しろと
他人の命令や勧誘などの内容を間接的に伝えるのに用いる表現。

・**하다 (どうし)** : 무엇에 대해 말하다.
する【為る】
何かについて言う。

・**-여요** : (두루높임으로) 어떤 사실을 서술하거나 질문, 명령, 권유함을 나타내는 종결 어미.
ます。です。ますか。ですか。てください。ましょう
(略待上称) ある事実を叙述しながら、質問・命令・勧誘の意を表す「終結語尾」。<**じょじゅつ【叙述】**>

그렇+게 갖+[고 싶어 하]+는데 하나 사+[(아) 주]+어요.
사 줘요

・**그렇다 (けいようし)** : 상태, 모양, 성질 등이 그와 같다.
そのとおりだ
状態、形、性質などがそれと同じである。

・**-게** : 앞의 말이 뒤에서 가리키는 일의 목적이나 결과, 방식, 정도 등이 됨을 나타내는 연결 어미.
…く。…に。ように。ほど
前の事柄が後の事柄の目的・結果・方法・程度などになるという意を表す「連結語尾」。

・**갖다 (どうし)** : 자기 것으로 하다.
もつ【持つ】。しょゆうする【所有する】。ゆうする【有する】
自分のものにする。

・**-고 싶어 하다** : 앞의 말이 나타내는 행동을 하기를 바라거나 그렇게 되기를 원함을 나타내는 표현.
たがる
前の言葉の表す行動をしたい、またはそうなってほしいという意を表す表現。

・**-는데** : 뒤의 말을 하기 위하여 그 대상과 관련이 있는 상황을 미리 말함을 나타내는 연결 어미.
が。けど
何かを言うための前置きとして、それと関連した状況を前もって述べるという意を表す「連結語尾」。

• **하나 (すうし)** : 숫자를 셀 때 맨 처음의 수.
　　ひとつ【一つ】。いち【一・壱】
　　数字を数えるときの最初の数。

• **사다 (どうし)** : 돈을 주고 어떤 물건이나 권리 등을 자기 것으로 만들다.
　　かう【買う】。こうにゅうする【購入する】
　　金を払って品物や権利などを自分のものにする。

• **-아 주다** : 남을 위해 앞의 말이 나타내는 행동을 함을 나타내는 표현.
　　てやる。てあげる。てくれる
　　他人のために前の言葉の表す行動をするという意を表す表現。

• **-어요** : (두루높임으로) 어떤 사실을 서술하거나 질문, 명령, 권유함을 나타내는 종결 어미.
　　ます。です。ますか。ですか。てください
　　(略待上称) ある事実を叙述したり質問、命令、勧誘する意を表す「終結語尾」。<めいれい【命令】>

< 대화(たいわ【対話】) > - 19

출발했니? 언제쯤 도착할 것 같아?
출발핸니? 언제쯤 도차칼 껃 가타?
chulbalhaenni? eonjejjeum dochakal geot gata?

지금 가고 있으니까 십 분쯤 뒤에 도착할 거야.
지금 가고 이쓰니까 십 분쯤 뒤에 도차칼 꺼야.
jigeum gago isseunikka sip bunjjeum dwie dochakal geoya.

< 설명(せつめい【説明】) / 번역(ほんやく【翻訳】) >

출발하+였+니?
　　출발했니

언제+쯤　도착하+[ㄹ 것 같]+아?
　　　　도착할 것 같아

· **출발하다 (どうし)** : 어떤 곳을 향하여 길을 떠나다.
　しゅっぱつする【出発する】。しゅったつする【出立する】
　目的地に向かって出かける。

· **-였-** : 어떤 사건이 과거에 완료되었거나 그 사건의 결과가 현재까지 지속되는 상황을 나타내는 어미.
　た。ている
　ある出来事が過去に完了したことや、その出来事の結果が現在まで持続している状況を表す語尾。

· **-니** : (아주낮춤으로) 물음을 나타내는 종결 어미.
　か
　(下称) 質問の意を表す「終結語尾」。

· **언제 (だいめいし)** : 알지 못하는 어느 때.
　いつ【何時】
　知らないある時。

· **쯤** : '정도'의 뜻을 더하는 접미사.
　くらい・ぐらい【位】。ほど【程】。ばかり。ぜんご【前後】
　「程度」の意を付加する接尾辞。

· **도착하다 (どうし)** : 목적지에 다다르다.
  とうちゃくする【到着する】。つく【着く】
  目的地に行きつく。

· **-ㄹ 것 같다** : 추측을 나타내는 표현.
  ようだ。そうだ。らしい。みたいだ
  推測の意を表す表現。

· **-아** : (두루낮춤으로) 어떤 사실을 서술하거나 물음, 명령, 권유를 나타내는 종결 어미.
  する。である。するのか。しなさい。しよう。しましょう
  (略待下称) ある事実を叙述したり質問・命令・勧誘の意を表す「終結語尾」。<とい【問い】>

지금 가+[고 있]+으니까 십 분+쯤 뒤+에 <u>도착하+[ㄹ 것(거)]+(이)+야</u>.

도착할 거야

· **지금 (ふくし)** : 말을 하고 있는 바로 이때에. 또는 그 즉시에.
  いま【今】。ただいま【ただ今】
  話をしているこの瞬間。

· **가다 (どうし)** : 한 곳에서 다른 곳으로 장소를 이동하다.
  ゆく・いく【行く】。うつる【移る】
  ある場所から他の場所へ移動する。

· **-고 있다** : 앞의 말이 나타내는 행동이 계속 진행됨을 나타내는 표현.
  ている
  前の言葉の表す行動が引き続き行われるという意を表す表現。

· **-으니까** : 뒤에 오는 말에 대하여 앞에 오는 말이 원인이나 근거, 전제가 됨을 강조하여 나타내는 연결 어미.
  から。ので。ため。ゆえ【故】
  後にくる事柄に対して前の事柄がその原因や根拠・前提になることを強調していう「連結語尾」。

· **십 (かんけいし)** : 열의.
  じゅう・とお【十】
  十の。

· **분 (めいし)** : 한 시간의 60분의 1을 나타내는 시간의 단위.
  ふん【分】
  1時間の60分の1を表す時間の単位。

· **쯤** : '정도'의 뜻을 더하는 접미사.
  くらい・ぐらい【位】。ほど【程】。ばかり。ぜんご【前後】
  「程度」の意を付加する接尾辞。

・뒤 (めいし) : 시간이나 순서상으로 다음이나 나중.
　あと【後】。ごじつ【後日】
　時間や順序の上で次か後。

・에 : 앞말이 시간이나 때임을 나타내는 조사.
　に
　前の言葉が時間や時期であることを表す助詞。

・도착하다 (どうし) : 목적지에 다다르다.
　とうちゃくする【到着する】。つく【着く】
　目的地に行きつく。

・-ㄹ 것 : 명사가 아닌 것을 문장에서 명사처럼 쓰이게 하거나 '이다' 앞에 쓰일 수 있게 할 때 쓰는 표
　　　　　　현.
　こと。の。もの
　名詞でないものを文中で名詞化し、「이다」の前にくるようにするのに用いる表現。

・이다 : 주어가 지시하는 대상의 속성이나 부류를 지정하는 뜻을 나타내는 서술격 조사.
　だ。である
　主語が指す対象の属性や部類を指定する意を表す叙述格助詞。

・-야 : (두루낮춤으로) 어떤 사실에 대하여 서술하거나 물음을 나타내는 종결 어미.
　だよ。なのよ
　(略待下称) ある事実について叙述したり質問する意を表す「終結語尾」。<じょじゅつ【叙述】>

< 대화(たいわ【対話】) > - 20

넌 안경을 쓰고 있을 때 더 멋있어 보인다.
넌 안경을 쓰고 이쓸 때 더 머시써 보인다.
neon angyeongeul sseugo isseul ttae deo meosisseo boinda.

그래? 이제부터 계속 쓰고 다닐까 봐.
그래? 이제부터 계속(계속) 쓰고 다닐까 봐.
geurae? ijebuteo gyesok(gesok) sseugo danilkka bwa.

< 설명(せつめい【説明】) / 번역(ほんやく【翻訳】) >

너+는 안경+을 쓰+[고 있]+[을 때] 더 멋있+[어 보이]+ㄴ다.
넌   멋있어 보인다

- 너 (だいめいし) : 듣는 사람이 친구나 아랫사람일 때, 그 사람을 가리키는 말.
  おまえ【お前】。きみ【君】
  聞き手が友人か目下の人である場合、その聞き手をさす語。

- 는 : 문장 속에서 어떤 대상이 화제임을 나타내는 조사.
  は
  文の中で、ある対象が話題であることを表す助詞。

- 안경 (めいし) : 눈을 보호하거나 시력이 좋지 않은 사람이 잘 볼 수 있도록 눈에 쓰는 물건.
  めがね・がんきょう【眼鏡】
  目を保護したり、視力が良くない人がよく見えるように使うもの。

- 을 : 동작이 직접적으로 영향을 미치는 대상을 나타내는 조사.
  を
  動作が直接的に影響を及ぼす対象を表す助詞。

- 쓰다 (どうし) : 얼굴에 어떤 물건을 걸거나 덮어쓰다.
  かぶる【被る】。つける【付ける】。する
  顔にある物をかけたり覆うように載せたりする。

- -고 있다 : 앞의 말이 나타내는 행동의 결과가 계속됨을 나타내는 표현.
  ている
  前の言葉の表す行動の結果が引き続き残っているという意を表す表現。

· -을 때 : 어떤 행동이나 상황이 일어나는 동안이나 그 시기 또는 그러한 일이 일어난 경우를 나타내는
　　　　　표현.
　とき【時】。ころ【頃】
　ある行動や状況が起こっている間やその時期、またそのようなことが起こった場合を表す表現。

· 더 (ふくし) : 비교의 대상이나 어떤 기준보다 정도가 크게, 그 이상으로.
　もっと。いっそう【一層】。ずっと。さらに
　比較の対象やある基準よりその度が強まるさま。また、それ以上に。

· 멋있다 (けいようし) : 매우 좋거나 훌륭하다.
　すてきだ【素敵だ】。かっこいい【格好いい】。りっぱだ【立派だ】
　とても良くてすばらしい。

· -어 보이다 : 겉으로 볼 때 앞의 말이 나타내는 것처럼 느껴지거나 추측됨을 나타내는 표현.
　てみえる。くみえる。にみえる。そうだ
　見かけでは前の言葉の表す状態のように見えたり思われるという意を表す表現。

· -ㄴ다 : (아주낮춤으로) 현재 사건이나 사실을 서술함을 나타내는 종결 어미.
　する。している
　(下称) 現在の出来事や事実を叙述するという意を表す「終結語尾」。

그래?

이제+부터 계속 쓰+고 다니+[ㄹ까 보]+아.
다닐까 봐

· 그래 (かんどうし) : 상대편의 말에 대한 감탄이나 가벼운 놀라움을 나타낼 때 쓰는 말.
　そう。うそ。それで
　相手の話に対する感嘆や軽い驚きを示す時にいう語。

· 이제 (めいし) : 말하고 있는 바로 이때.
　いま【今】
　言っている瞬間。

· 부터 : 어떤 일의 시작이나 처음을 나타내는 조사.
　から。より
　ある出来事の始まりや起点という意を表す助詞。

· 계속 (ふくし) : 끊이지 않고 잇따라.
　つづけて【続けて】
　途切れずに続けて。

• **쓰다 (どうし)** : 얼굴에 어떤 물건을 걸거나 덮어쓰다.

　かぶる【被る】。つける【付ける】。する

　顔にある物をかけたり覆うように載せたりする。

• **-고** : 앞의 말이 나타내는 행동이나 그 결과가 뒤에 오는 행동이 일어나는 동안에 그대로 지속됨을 나
　　　타내는 연결 어미.

　て

　前の言葉の表す動作やその結果が、

　次にくる動作が行われる間にもそのまま持続されるという意を表す「連結語尾」。

• **다니다 (どうし)** : 이리저리 오고 가다.

　あるきまわる【歩き回る】。さまよう【彷徨う】

　あちこちに行き来する。

• **-ㄹ까 보다** : 앞에 오는 말이 나타내는 행동을 할 의도가 있음을 나타내는 표현.

　ようか。ようとおもう【ようと思う】

　前の言葉の表す行動をする意図があるという意を表す表現。

• **-아** : (두루낮춤으로) 어떤 사실을 서술하거나 물음, 명령, 권유를 나타내는 종결 어미.

　する。である。するのか。しなさい。しよう。しましょう

　(略待下称) ある事実を叙述したり質問・命令・勧誘の意を表す「終結語尾」。<じょじゅつ【叙述】>

< 대화(たいわ【対話】) > - 21

이건 어렸을 때 찍은 제 가족 사진이에요.
이건 어려쓸 때 찌근 제 가족 사지니에요.
igeon eoryeosseul ttae jjigeun je gajok sajinieyo.

시우 씨 어렸을 때는 키가 작고 통통했군요.
시우 씨 어려쓸 때는 키가 작꼬 통통햄꾸뇨.
siu ssi eoryeosseul ttaeneun kiga jakgo tongtonghaetgunyo.

< 설명(せつめい【説明】) / 번역(ほんやく【翻訳】) >

이것(이거)+은 어리+었+[을 때] 찍+은 저+의 가족 사진+이+에요.
　　이건　　　　　어렸을 때　　　　　제

- **이것 (だいめいし)** : 말하는 사람에게 가까이 있거나 말하는 사람이 생각하고 있는 것을 가리키는 말.
  これ
  話し手の近くにあるか、話し手が考えている対象を指す語。

- **은** : 문장 속에서 어떤 대상이 화제임을 나타내는 조사.
  は
  文章の中である対象が話題であることを表す助詞。

- **어리다 (けいようし)** : 나이가 적다.
  おさない【幼い】
  年齢が低い。

- **-었-** : 사건이 과거에 일어났음을 나타내는 어미.
  た
  出来事が過去にあったという意を表す語尾。

- **-을 때** : 어떤 행동이나 상황이 일어나는 동안이나 그 시기 또는 그러한 일이 일어난 경우를 나타내는
  　　　　표현.
  とき【時】。ころ【頃】
  ある行動や状況が起こっている間やその時期、またそのようなことが起こった場合を表す表現。

- **찍다 (どうし)** : 어떤 대상을 카메라로 비추어 그 모양을 필름에 옮기다.
  うつす【写す】。とる【撮る】
  ある対象をカメラでとらえ、その模様をフィルムに移す。

- -은 : 앞의 말이 관형어의 기능을 하게 만들고 사건이나 동작이 과거에 일어났음을 나타내는 어미.
  た
  前の言葉に連体修飾語の機能を持たせ、出来事や動作が過去に行われたという意を表す語尾。

- 저 (だいめいし) : 말하는 사람이 듣는 사람에게 자신을 낮추어 가리키는 말.
  わたくし【私】
  目上の人に対して自分をへりくだっていう語。

- 의 : 앞의 말이 뒤의 말에 대하여 소유, 소속, 소재, 관계, 기원, 주체의 관계를 가짐을 나타내는 조사.
  の
  前の言葉が後ろの言葉に対し、所有、所在、関係、起源、主体の関係を持つことを表す助詞。

- 가족 (めいし) : 주로 한 집에 모여 살고 결혼이나 부모, 자식, 형제 등의 관계로 이루어진 사람들의 집
  단. 또는 그 구성원.
  かぞく【家族】
  一家で共同生活をし、夫婦やその子供、兄弟などの関係で構成された集団。また、その構成員。

- 사진 (めいし) : 사물의 모습을 오래 보존할 수 있도록 사진기로 찍어 종이나 컴퓨터 등에 나타낸 영상.
  しゃしん【写真】
  事物の姿を長く保存できるようにカメラで撮って、紙やコンピューターなどに写した映像。

- 이다 : 주어가 지시하는 대상의 속성이나 부류를 지정하는 뜻을 나타내는 서술격 조사.
  だ。である
  主語が指す対象の属性や部類を指定する意を表す叙述格助詞。

- -에요 : (두루높임으로) 어떤 사실을 서술하거나 질문함을 나타내는 종결 어미.
  ます。です。ますか。ですか
  (略待上称) ある事実を叙述したり質問する意を表す「終結語尾」。<じょじゅつ【叙述】>

시우 씨 <u>어리+었+[을 때]</u>+는 키+가 작+고 <u>통통하+였+군요</u>.
　　　　　어렸을 때는　　　　　　　　　　통통했군요

- 시우 (めいし) : じんめい【人名】

- 씨 (めいし) : 그 사람을 높여 부르거나 이르는 말.
  し【氏】。さん
  その人を高めて呼んだり指していう語。

- 어리다 (けいようし) : 나이가 적다.
  おさない【幼い】
  年齢が低い。

· -었- : 사건이 과거에 일어났음을 나타내는 어미.
　　た
　　出来事が過去にあったという意を表す語尾。

· -을 때 : 어떤 행동이나 상황이 일어나는 동안이나 그 시기 또는 그러한 일이 일어난 경우를 나타내는
　　　　　표현.
　　とき【時】。ころ【頃】
　　ある行動や状況が起こっている間やその時期、またそのようなことが起こった場合を表す表現。

· 는 : 어떤 대상이 다른 것과 대조됨을 나타내는 조사.
　　は
　　ある対象が他のものと対照されることを表す助詞。

· 키 (めいし) : 사람이나 동물이 바로 섰을 때의 발에서부터 머리까지의 몸의 길이.
　　せ【背】。せたけ【背丈】。しんちょう【身長】。みのたけ【身の丈】
　　人や動物がまっすぐに立った時のかかとから頭頂までの体の高さ。

· 가 : 어떤 상태나 상황에 놓인 대상이나 동작의 주체를 나타내는 조사.
　　が
　　ある状態や状況に置かれた対象、または動作の主体を表す助詞。

· 작다 (けいようし) : 길이, 넓이, 부피 등이 다른 것이나 보통보다 덜하다.
　　ちいさい【小さい】
　　長さ・広さ・嵩などが他のものや普通のものより劣る。

· -고 : 두 가지 이상의 대등한 사실을 나열할 때 쓰는 연결 어미.
　　て
　　二つ以上の対等な事柄を並べ立てるのに用いる「連結語尾」。

· 통통하다 (けいようし) : 키가 작고 살이 쪄서 몸이 옆으로 퍼져 있다.
　　でぶだ。ふとっている【太っている】
　　背が低く太っていて体形がぽっちゃりしている。

· -였- : 사건이 과거에 일어났음을 나타내는 어미.
　　た
　　出来事が過去に発生したという意を表す語尾。

· -군요 : (두루높임으로) 새롭게 알게 된 사실에 주목하거나 감탄함을 나타내는 표현.
　　んですね
　　(略待上称) ある事実を新しく確認したりそれに気づいて感嘆するという意を表す表現。

< 대화(たいわ【対話】) > - 22

꼼꼼한 지우 씨도 어제 큰 실수를 했나 봐요.
꼼꼬만 지우 씨도 어제 큰 실쑤를 핸나 봐요.
kkomkkomhan jiu ssido eoje keun silsureul haenna bwayo.

아무리 꼼꼼한 사람이라도 서두르면 실수하기 쉽지요.
아무리 꼼꼬만 사라미라도 서두르면 실쑤하기 쉽찌요.
amuri kkomkkomhan saramirado seodureumyeon silsuhagi swipjiyo.

< 설명(せつめい【説明】) / 번역(ほんやく【翻訳】) >

꼼꼼하+ㄴ 지우 씨+도 어제 크+ㄴ 실수+를 하+였+[나 보]+아요.
　꼼꼼한　　　　　　　　　큰　　　　　　했나 봐요

- **꼼꼼하다 (けいようし)** : 빈틈이 없이 자세하고 차분하다.
  きちょうめんだ【几帳面だ】
  抜け間なく細かくて、落ち着いている。

- **-ㄴ** : 앞의 말이 관형어의 기능을 하게 만들고 현재의 상태를 나타내는 어미.
  た
  前の言葉に連体修飾語の機能を持たせ、現在の状態を表す「語尾」。

- **지우 (めいし)** : じんめい【人名】

- **씨 (めいし)** : 그 사람을 높여 부르거나 이르는 말.
  し【氏】。さん
  その人を高めて呼んだり指していう語。

- **도** : 이미 있는 어떤 것에 다른 것을 더하거나 포함함을 나타내는 조사.
  も
  既存の物事に他の物事を加えたり含ませたりするという意を表す助詞。

- **어제 (ふくし)** : 오늘의 하루 전날에.
  きのう【昨日】
  今日の一日前の日に。

- 크다 (けいようし) : 어떤 일의 규모, 범위, 정도, 힘 등이 보통 수준을 넘다.
  おおきい【大きい】。つよい【強い】
  物事の規模・範囲・程度・力などが普通の水準を超える。

- -ㄴ : 앞의 말이 관형어의 기능을 하게 만들고 현재의 상태를 나타내는 어미.
  た
  前の言葉に連体修飾語の機能を持たせ、現在の状態を表す「語尾」。

- 실수 (めいし) : 잘 알지 못하거나 조심하지 않아서 저지르는 잘못.
  あやまり【誤り】。しっぱい【失敗】。まちがい【間違い】。ミス。ミステーク
  よく分からなかったり不注意で犯す過ち。

- 를 : 동작이 직접적으로 영향을 미치는 대상을 나타내는 조사.
  を
  動作が直接的に影響を及ぼす対象を表す助詞。

- 하다 (どうし) : 어떤 행동이나 동작, 활동 등을 행하다.
  する【為る】。やる【遣る】。なす【成す・為す】
  ある行動や動作、活動などを行う。

- -였- : 사건이 과거에 일어났음을 나타내는 어미.
  た
  出来事が過去に発生したという意を表す語尾。

- -나 보다 : 앞의 말이 나타내는 사실을 추측함을 나타내는 표현.
  ようだ。らしい。だろうとおもう【だろうと思う】。のではないかとおもう【のではないかと思う】
  前の言葉の表す事実を推量するという意を表す表現。

- -아요 : (두루높임으로) 어떤 사실을 서술하거나 질문, 명령, 권유함을 나타내는 종결 어미.
  ます。です。ますか。ですか。てください。
  (略待上称) ある事実を叙述したり質問、命令、勧誘する意を表す「終結語尾」。<じょじゅつ【叙述】>

아무리 꼼꼼하+ㄴ 사람+이라도 서두르+면 실수하+[기가 쉽]+지요.
꼼꼼한

- 아무리 (ふくし) : 정도가 매우 심하게.
  いくら【幾ら】。どんなに
  程度が甚だしく。

- 꼼꼼하다 (けいようし) : 빈틈이 없이 자세하고 차분하다.
  きちょうめんだ【几帳面だ】
  抜け間なく細かくて、落ち着いている。

- -ㄴ : 앞의 말이 관형어의 기능을 하게 만들고 현재의 상태를 나타내는 어미.
  た
  前の言葉に連体修飾語の機能を持たせ、現在の状態を表す「語尾」。

- **사람 (めいし)** : 생각할 수 있으며 언어와 도구를 만들어 사용하고 사회를 이루어 사는 존재.
  ひと【人】。にんげん【人間】。じんるい【人類】
  考える力があり、言語と道具を使い、社会を作って生きる存在。

- 이라도 : 다른 경우들과 마찬가지임을 나타내는 조사.
  でも
  他の一般の場合と同じであることを表す助詞。

- **서두르다 (どうし)** : 일을 빨리하려고 침착하지 못하고 급하게 행동하다.
  いそぐ【急ぐ】
  早く目的に達するように、慌ただしく行動する。

- -면 : 뒤에 오는 말에 대한 근거나 조건이 됨을 나타내는 연결 어미.
  たら。なら。というなら
  後にくる事柄に対する根拠や条件になるという意を表す「連結語尾」。

- **실수하다 (どうし)** : 잘 알지 못하거나 조심하지 않아서 잘못을 저지르다.
  あやまる【誤る】。しっぱいする【失敗する】。まちがえる【間違える】。ミスする。ミステークする
  よく分からなかったり不注意で過ちを犯す。

- -기가 쉽다 : 앞의 말이 나타내는 행위를 하거나 그런 상태가 될 가능성이 많음을 나타내는 표현.
  がちだ。やすい【易い】
  前の言葉の表す行為をしたりそのような状態になる可能性が高いという意を表す表現。

- -지요 : (두루높임으로) 말하는 사람이 자신에 대한 이야기나 자신의 생각을 친근하게 말할 때 쓰는 종결 어미.
  ますよ。ですよ。でしょう
  (略待上称) 話し手が自分に関する話や自分の考えを親しみをこめて述べるのに用いる「終結語尾」。

< 대화(たいわ【対話】) > - 23

방이 되게 좁은 줄 알았는데 이렇게 보니 괜찮네.
방이 되게 조븐 줄 아란는데 이러케 보니 괜찬네.
bangi doege jobeun jul aranneunde ireoke boni gwaenchanne.

좁은 공간도 꾸미기 나름이야.
조븐 공간도 꾸미기 나르미야.
jobeun gonggando kkumigi nareumiya.

< 설명(せつめい【説明】) / 번역(ほんやく【翻訳】) >

방+이 되게 좁+[은 줄] 알+았+는데 이렇+게 보+니 괜찮+네.

- 방 (めいし) : 사람이 살거나 일을 하기 위해 벽을 둘러서 막은 공간.
  へや【部屋】
  人が生活したり仕事をしたりするため、壁で囲んで作った空間。

- 이 : 어떤 상태나 상황의 대상이나 동작의 주체를 나타내는 조사.
  が
  ある状態・状況の対象や動作の主体を表す助詞。

- 되게 (ふくし) : 아주 몹시.
  ひじょうに【非常に】。きわめて【極めて】。たいへん【大変】
  とても非常に。

- 좁다 (けいようし) : 면이나 바닥 등의 면적이 작다.
  せまい【狭い】
  地面や床などの面積が少ない。

- -은 줄 : 어떤 사실이나 상태에 대해 알고 있거나 모르고 있음을 나타내는 표현.
  対訳語無し
  ある方法や事実について知っているか、あるいは知らないという意を表す表現。

- 알다 (どうし) : 어떤 사실을 그러하다고 여기거나 생각하다.
  おもう【思う】。かんがえる【考える】
  ある事実を判断したり思ったりする。

• -았- : 사건이 과거에 일어났음을 나타내는 어미.
  た
  出来事が過去にあったという意を表す語尾。

• -는데 : 뒤의 말을 하기 위하여 그 대상과 관련이 있는 상황을 미리 말함을 나타내는 연결 어미.
  が。けど
  何かを言うための前置きとして、それと関連した状況を前もって述べるという意を表す「連結語尾」。

• **이렇다 (けいようし)** : 상태, 모양, 성질 등이 이와 같다.
  こうだ
  状態・模様・性質などがこのようである。

• -게 : 앞의 말이 뒤에서 가리키는 일의 목적이나 결과, 방식, 정도 등이 됨을 나타내는 연결 어미.
  …く。…に。ように。ほど
  前の事柄が後の事柄の目的・結果・方法・程度などになるという意を表す「連結語尾」。

• **보다 (どうし)** : 대상의 내용이나 상태를 알기 위하여 살피다.
  みる【見る】。みきわめる【見極める】。しらべる【調べる】
  対象の内容や状態を知るために見極める。

• -니 : 뒤에 오는 말에 대하여 앞에 오는 말이 원인이나 근거, 전제가 됨을 나타내는 연결 어미.
  から。ので。ため。ゆえ【故】
  後にくる事柄に対して前の事柄が原因や根拠・前提になるという意を表す「連結語尾」。

• **괜찮다 (けいようし)** : 꽤 좋다.
  なかなかいい
  かなり良い方だ。

• -네 : (아주낮춤으로) 지금 깨달은 일에 대하여 말함을 나타내는 종결 어미.
  （だ）なあ。（だ）ね。（なの）か。（だ）よ
  (下称) その場で悟った事について述べるという意を表す「終結語尾」。

좁+은 공간+도 꾸미+[기 나름이]+야.

• **좁다 (けいようし)** : 면이나 바닥 등의 면적이 작다.
  せまい【狭い】
  地面や床などの面積が少ない。

• -은 : 앞의 말이 관형어의 기능을 하게 만들고 현재의 상태를 나타내는 어미.
  た。ている
  前の言葉に連体修飾語の機能を持たせ、現在の状態の意を表す語尾。

· 공간 (めいし) : 아무것도 없는 빈 곳이나 자리.
くうかん【空間】
物体がなにもない空いている所。

· 도 : 이미 있는 어떤 것에 다른 것을 더하거나 포함함을 나타내는 조사.
も
既存の物事に他の物事を加えたり含ませたりするという意を表す助詞。

· 꾸미다 (どうし) : 모양이 좋아지도록 손질하다.
かざる【飾る】。 よそおう【装う】
形がきれいになるように手を入れる。

· -기 나름이다 : 어떤 일이 앞의 말이 나타내는 행동을 어떻게 하느냐에 따라 달라질 수 있음을 나타내는 표현.
しだいだ【次第だ】
ある事が前の言葉の表す行動のやり方次第で変わりうるという意を表す表現。

· -야 : (두루낮춤으로) 어떤 사실에 대하여 서술하거나 물음을 나타내는 종결 어미.
だよ。 なのよ
(略待下称) ある事実について叙述したり質問する意を表す「終結語尾」。<じょじゅつ【叙述】>

< 대화(たいわ【対話】) > - 24

나물 반찬 말고 더 맛있는 거 없어요?
나물 반찬 말고 더 마신는 거 업써요?
namul banchan malgo deo masinneun geo eopseoyo?

반찬 투정하지 말고 빨리 먹기나 해.
반찬 투정하지 말고 빨리 먹끼나 해.
banchan tujeonghaji malgo ppalli meokgina hae.

< 설명(せつめい【説明】) / 번역(ほんやく【翻訳】) >

나물 반찬 말+고 더 맛있+[는 것(거)] 없+어요?
맛있는 거

- **나물 (めいし)** : 먹을 수 있는 풀이나 나뭇잎, 채소 등을 삶거나 볶거나 또는 날것으로 양념하여 무친 반찬.
  ナムル
  食用の草や樹葉、野菜などを煮たり、炒めたり、または生のまま味付けして和えたおかず。

- **반찬 (めいし)** : 식사를 할 때 밥에 곁들여 먹는 음식.
  おかず【御数・御菜】。おさい【お菜】
  食事のとき、ご飯に添えて食べる副菜。

- **말다 (どうし)** : 앞의 것이 아니고 뒤의 것임을 나타내는 말.
  ではなくて。じゃなくて
  前者ではなく、後者であることを表す語。

- **-고** : 두 가지 이상의 대등한 사실을 나열할 때 쓰는 연결 어미.
  て
  二つ以上の対等な事柄を並べ立てるのに用いる「連結語尾」。

- **더 (ふくし)** : 비교의 대상이나 어떤 기준보다 정도가 크게, 그 이상으로.
  もっと。いっそう【一層】。ずっと。さらに
  比較の対象やある基準よりその度が強まるさま。また、それ以上に。

- **맛있다 (けいようし)** : 맛이 좋다.
  おいしい【美味しい】。うまい【旨い・美味い】
  味が良い。

• -는 것 : 명사가 아닌 것을 문장에서 명사처럼 쓰이게 하거나 '이다' 앞에 쓰일 수 있게 할 때 쓰는 표현.

こと。の。もの

名詞でないものを文中で名詞化し、「이다」の前にくるようにするのに用いる表現。

• 없다 (けいようし) : 사람, 사물, 현상 등이 어떤 곳에 자리나 공간을 차지하고 존재하지 않는 상태이다.

ない【無い】。いない。そんざいしない【存在しない】

人・事物・現象などがある所で場所や空間を占めていず、存在していない状態だ。

• -어요 : (두루높임으로) 어떤 사실을 서술하거나 질문, 명령, 권유함을 나타내는 종결 어미.

ます。です。ますか。ですか。てください

(略待上称) ある事実を叙述したり質問、命令、勧誘する意を表す「終結語尾」。<しつもん【質問】>

반찬 투정하+[지 말]+고 빨리 먹+[기나 하]+여.
먹기나 해

• 반찬 (めいし) : 식사를 할 때 밥에 곁들여 먹는 음식.

おかず【御数・御菜】。おさい【お菜】

食事のとき、ご飯に添えて食べる副菜。

• 투정하다 (どうし) : 무엇이 모자라거나 마음에 들지 않아 떼를 쓰며 조르다.

ねだる【強請る】。だだをこねる【駄駄を捏ねる】

何かが足りなかったり気に入らなかったりして、ごねたり、せがんだりする。

• -지 말다 : 앞의 말이 나타내는 행동을 하지 못하게 함을 나타내는 표현.

ない

前の言葉の表す行動を禁止するという意を表す表現。

• -고 : 앞의 말과 뒤의 말이 차례대로 일어남을 나타내는 연결 어미.

て

前の事柄と後の事柄が順次に起こるという意を表す「連結語尾」。

• 빨리 (ふくし) : 걸리는 시간이 짧게.

はやく【早く】

かかる時間が短く。

• 먹다 (どうし) : 음식 등을 입을 통하여 배 속에 들여보내다.

たべる【食べる】。くう【食う・喰う】。くらう【食らう】

食べ物を口の中に入れて飲み込む。

• -기나 하다 : 마음에 차지는 않지만 듣는 사람이나 다른 사람이 앞의 말이 나타내는 행동을 하길 바랄

　　　　　　　　때 쓰는 표현.

　　対訳語無し

　　満足するほどではないが相手に前の言葉の表す行動をしてほしいと思う時に用いる表現。

• -여 : (두루낮춤으로) 어떤 사실을 서술하거나 물음, 명령, 권유를 나타내는 종결 어미.

　のか。なさい。よう。ましょう

　(略待下称) ある事実を叙述したり、質問・命令・勧誘の意を表す「終結語尾」。 <めいれい【命令】>

< 대화(たいわ【対話】) > - 25

수박 한 통에 이만 원이라고요? 좀 비싼데요.
수박 한 통에 이만 워니라고요? 좀 비싼데요.
subak han tonge iman woniragoyo? jom bissandeyo.

비싸기는요. 요즘 물가가 얼마나 올랐는데요.
비싸기느뇨. 요즘 물까가 얼마나 올란는데요.
bissagineunyo. yojeum mulgaga eolmana ollanneundeyo.

< 설명(せつめい【説明】) / 번역(ほんやく【翻訳】) >

수박 한 통+에 이만 원+이+라고요?

좀 비싸+ㄴ데요.
　　비싼데요

・수박 (めいし) : 둥글고 크며 초록 빛깔에 검푸른 줄무늬가 있으며 속이 붉고 수분이 많은 과일.
　すいか【西瓜】
　丸くて大きく、緑色に青黒い縞模様があって、果肉は赤く水分の多い果物。

・한 (かんけいし) : 하나의.
　いち【一】
　1の。

・통 (めいし) : 배추나 수박, 호박 등을 세는 단위.
　こ【個】。たま【玉】
　白菜やスイカ、カボチャなどを数える単位。

・에 : 앞말이 기준이 되는 대상이나 단위임을 나타내는 조사.
　に
　前の言葉が基準になる対象や単位であることを表す助詞。

・이만 : 20,000

・원 (めいし) : 한국의 화폐 단위.
　ウォン
　韓国の通貨単位。

- 이다 : 주어가 지시하는 대상의 속성이나 부류를 지정하는 뜻을 나타내는 서술격 조사.
  だ。である
  主語が指す対象の属性や部類を指定する意を表す叙述格助詞。

- -라고요 : (두루높임으로) 다른 사람의 말을 확인하거나 따져 물을 때 쓰는 표현.
  というんですか【と言うんですか】。んだって。んですって。
  (略待上称) 他人の話を確認したり問いただしたりするのに用いる表現。

- 좀 (ふくし) : 분량이나 정도가 적게.
  すこし【少し】。わずか【僅か・纔か】。ちょっと【一寸・鳥渡】
  分量や程度が少ないさま。

- 비싸다 (けいようし) : 물건값이나 어떤 일을 하는 데 드는 비용이 보통보다 높다.
  たかい【高い】。こうかだ【高価だ】
  商品の値段や何かをするのにかかる費用が普通より高い。

- -ㄴ데요 : (두루높임으로) 의외라 느껴지는 어떤 사실을 감탄하여 말할 때 쓰는 표현.
  ですね
  (略待上称)意外と思われる事実について感嘆して述べるのに用いる表現。

비싸+기는요.

요즘 물가+가 얼마나 오르(올ㄹ)+았+는데요.
                    올랐는데요

- 비싸다 (けいようし) : 물건값이나 어떤 일을 하는 데 드는 비용이 보통보다 높다.
  たかい【高い】。こうかだ【高価だ】
  商品の値段や何かをするのにかかる費用が普通より高い。

- -기는요 : (두루높임으로) 상대방의 말을 가볍게 부정하거나 반박함을 나타내는 표현.
  なんて。だなんて
  (略待上称) 相手の話を軽く否定したり反駁するという意を表す表現。

- 요즘 (めいし) : 아주 가까운 과거부터 지금까지의 사이.
  さいきん【最近】。ちかごろ【近頃】。このごろ【この頃】
  少し前から現在までの間。

- 물가 (めいし) : 물건이나 서비스의 평균적인 가격.
  ぶっか【物価】
  ものやサービスの平均的な価格。

- 가 : 어떤 상태나 상황에 놓인 대상이나 동작의 주체를 나타내는 조사.
  が
  ある状態や状況に置かれた対象、または動作の主体を表す助詞。

- 얼마나 (ふくし) : 상태나 느낌 등의 정도가 매우 크고 대단하게.
  どんなに
  状態や感情などの程度がとても大変で大きく。

- 오르다 (どうし) : 값, 수치, 온도, 성적 등이 이전보다 많아지거나 높아지다.
  あがる【上がる】。ます【増す】
  値・数値・温度・成績などが以前より多くなったり高くなったりする。

- -았- : 어떤 사건이 과거에 완료되었거나 그 사건의 결과가 현재까지 지속되는 상황을 나타내는 어미.
  た。ている
  ある出来事が過去に完了したことや、その出来事の結果が現在まで持続している状況を表す語尾。

- -는데요 : (두루높임으로) 어떤 상황을 전달하여 듣는 사람의 반응을 기대함을 나타내는 표현.
  ですが。ですけど。ますが。ますけど
  (略待上称) ある状況について伝えながら聞き手の反応を期待するという意を表す表現。

< 대화(たいわ【対話】) > - 26

왜 나한테 거짓말을 했어?
왜 나한테 거진마를 해써?
wae nahante geojinmareul haesseo?

그건 너와 멀어질까 봐 두려웠기 때문이야.
그건 너와 머러질까 봐 두려월끼 때무니야.
geugeon neowa meoreojilkka bwa duryeowotgi ttaemuniya.

< 설명(せつめい【説明】) / 번역(ほんやく【翻訳】) >

왜 나+한테 거짓말+을 <u>하+였+어</u>?
했어

- 왜 (ふくし) : 무슨 이유로. 또는 어째서.
  なぜ【何故】。どうして。なんで【何で】
  どういう理由で。また、何ゆえ。

- 나 (だいめいし) : 말하는 사람이 친구나 아랫사람에게 자기를 가리키는 말.
  わたし【私】。ぼく【僕】。おれ【俺】。じぶん【自分】
  話し手が友人や目下の人に対し、自分をさす語。

- 한테 : 어떤 행동이 미치는 대상임을 나타내는 조사.
  に
  ある行動が影響を及ぼす対象であることを表す助詞。

- 거짓말 (めいし) : 사실이 아닌 것을 사실인 것처럼 꾸며서 하는 말.
  うそ【嘘】。いつわり【偽り】
  事実でないことを事実であるように偽って言う言葉。

- 을 : 동작이 직접적으로 영향을 미치는 대상을 나타내는 조사.
  を
  動作が直接的に影響を及ぼす対象を表す助詞。

- 하다 (どうし) : 어떤 행동이나 동작, 활동 등을 행하다.
  する【為る】。やる【遣る】。なす【成す・為す】
  ある行動や動作、活動などを行う。

• -였- : 사건이 과거에 일어났음을 나타내는 어미.
た
出来事が過去に発生したという意を表す語尾。

• -어 : (두루낮춤으로) 어떤 사실을 서술하거나 물음, 명령, 권유를 나타내는 종결 어미.
のか。なさい。よう。ましょう
(略待下称) ある事実を叙述したり、質問・命令・勧誘の意を表す「終結語尾」。<とい【問い】>

그것(그거)+은 너+와 멀어지+[ㄹ까 보]+아 두렵(두려우)+었+[기 때문]+이+야.
　　그건　　　　　　　　멀어질까 봐　　　　　　두려웠기 때문이야

• 그것 (だいめいし) : 앞에서 이미 이야기한 대상을 가리키는 말.
それ。あれ
前に話で話題になった対象をさす語。

• 은 : 문장 속에서 어떤 대상이 화제임을 나타내는 조사.
は
文章の中である対象が話題であることを表す助詞。

• 너 (だいめいし) : 듣는 사람이 친구나 아랫사람일 때, 그 사람을 가리키는 말.
おまえ【お前】。きみ【君】
聞き手が友人か目下の人である場合、その聞き手をさす語。

• 와 : 무엇인가를 상대로 하여 어떤 일을 할 때 그 상대임을 나타내는 조사.
と
何かを対象にあることをする時、その相手であることを表す助詞。

• 멀어지다 (どうし) : 친하던 사이가 다정하지 않게 되다.
とおざかる【遠ざかる】。とおのく【遠退く】。そえんになる【疎遠になる】
親しかった関係が薄くなる。

• -ㄹ까 보다 : 앞에 오는 말이 나타내는 상황이 될 것을 걱정하거나 두려워함을 나타내는 표현.
そうだ。ようだ。みたいだ。かもしれない
前の言葉の表す状況になることを心配したり恐れたりするという意を表す表現。

• -아 : 앞에 오는 말이 뒤에 오는 말에 대한 원인이나 이유임을 나타내는 연결 어미.
て。たので。たから
前の事柄が後の事柄の原因や理由であることを表す「連結語尾」。

• 두렵다 (けいようし) : 걱정되고 불안하다.
しんぱいだ【心配だ】。ふあんだ【不安だ】。きがかりだ【気がかりだ】
気になって不安である。

• -었- : 사건이 과거에 일어났음을 나타내는 어미.

た

出来事が過去にあったという意を表す語尾。

• -기 때문 : 앞의 내용이 뒤에 오는 일의 원인이나 까닭임을 나타내는 표현.

から。ため。ので

前の内容が後にくる内容の原因や理由であるという意を表す表現。

• 이다 : 주어가 지시하는 대상의 속성이나 부류를 지정하는 뜻을 나타내는 서술격 조사.

だ。である

主語が指す対象の属性や部類を指定する意を表す叙述格助詞。

• -야 : (두루낮춤으로) 어떤 사실에 대하여 서술하거나 물음을 나타내는 종결 어미.

だよ。なのよ

(略待下称) ある事実について叙述したり質問する意を表す「終結語尾」。<じょじゅつ【叙述】>

< 대화(たいわ【対話】) > - 27

이번 휴가 때 남자 친구에게 운전을 배우기로 했어.
이번 휴가 때 남자 친구에게 운저늘 배우기로 해써.
ibeon hyuga ttae namja chinguege unjeoneul baeugiro haesseo.

그러면 분명히 서로 싸우게 될 텐데…….
그러면 분명히 서로 싸우게 될 텐데…….
geureomyeon bunmyeonghi seoro ssauge doel tende…….

< 설명(せつめい【説明】) / 번역(ほんやく【翻訳】) >

이번 휴가 때 남자 친구+에게 운전+을 배우+[기로 하]+였+어.
배우기로 했어

・이번 (めいし) : 곧 돌아올 차례. 또는 막 지난 차례.
　こんど【今度】。こんかい【今回】。このたび【この度】
　すぐ行われる順序にある事柄。または、行われたばかりの事柄。

・휴가 (めいし) : 직장이나 군대 등의 단체에 속한 사람이 일정한 기간 동안 일터를 벗어나서 쉬는 일. 또
　　　　　　　 는 그런 기간.
　きゅうか【休暇】
　職場や軍隊などの団体に属している人が一定の期間、仕事先から離れて休みを取ること。また、
　その期間。

・때 (めいし) : 어떤 시기 동안.
　とき【時】。じだい【時代】
　ある時期の間。

・남자 친구 (めいし) : 여자가 사랑하는 감정을 가지고 사귀는 남자.
　かれし【彼氏】。ボーイフレンド
　女性が愛の感情を持って付き合っている男性。

・에게 : 어떤 행동의 주체이거나 비롯되는 대상임을 나타내는 조사.
　に
　行動の主体や対象を表す助詞。

- 82 -

• 운전 (めいし) : 기계나 자동차를 움직이고 조종함.
　うんてん【運転】
　機械や自動車などを作動させること。

• 을 : 동작이 직접적으로 영향을 미치는 대상을 나타내는 조사.
　を
　動作が直接的に影響を及ぼす対象を表す助詞。

• 배우다 (どうし) : 새로운 기술을 익히다.
　まなぶ【学ぶ】。ならう【習う】。おぼえる【覚える】
　新しい技術を身につける。

• -기로 하다 : 앞의 말이 나타내는 행동을 할 것을 결심하거나 약속함을 나타내는 표현.
　ことにする
　前の言葉の表す行動をすることを決心したり約束するという意を表す表現。

• -였- : 어떤 사건이 과거에 완료되었거나 그 사건의 결과가 현재까지 지속되는 상황을 나타내는 어미.
　た。ている
　ある出来事が過去に完了したことや、その出来事の結果が現在まで持続している状況を表す語尾。

• -어 : (두루낮춤으로) 어떤 사실을 서술하거나 물음, 명령, 권유를 나타내는 종결 어미.
　のか。なさい。よう。ましょう
　(略待下称) ある事実を叙述したり、質問・命令・勧誘の意を表す「終結語尾」。<じょじゅつ【叙述】>

그러면 분명히 서로 싸우+[게 되]+[ㄹ 텐데]…….
싸우게 될 텐데

• 그러면 (ふくし) : 앞의 내용이 뒤의 내용의 조건이 될 때 쓰는 말.
　だったら
　前の内容が後ろの内容の条件になる時に用いる語。

• 분명히 (ふくし) : 어떤 사실이 틀림이 없이 확실하게.
　ぶんめいに【分明に】。たしかに【確かに】。めいかくに【明確に】
　ある事実が間違いなくはっきりと。

• 서로 (ふくし) : 관계를 맺고 있는 둘 이상의 대상이 각기 그 상대에 대하여.
　たがいに【互いに】。そうほうともに【双方ともに】。そうごに【相互に】
　関係する二者以上の対象がそれぞれの相手に対して。

• 싸우다 (どうし) : 말이나 힘으로 이기려고 다투다.
　けんかする【喧嘩する】。あらそう【争う】。たたかう【戦う】。いさかう【諍う】
　言葉や力で勝とうとする。

· -게 되다 : 앞의 말이 나타내는 상태나 상황이 됨을 나타내는 표현.

ようになる。ことになる

前の言葉の表す状態や状況になるという意を表す表現。

· -ㄹ 텐데 : 앞에 오는 말에 대하여 말하는 사람의 강한 추측을 나타내면서 그와 관련되는 내용을 이어
　　　　　 말할 때 쓰는 표현.

はずだから。はずなのに。だろうから。だろうに

前に述べる事柄に対する話し手の強い推測を表しながら、

それと関連した内容を続けていうのに用いる表現。

< 대화(たいわ【対話】) > - 28

운동선수로서 뭐가 제일 힘들어?
운동선수로서 뭐가 제일 힘드러?
undongseonsuroseo mwoga jeil himdeureo?

글쎄, 체중을 조절하기 위한 끊임없는 노력이겠지.
글쎄, 체중을 조절하기 위한 끄니멈는 노려기겠찌.
geulsse, chejungeul jojeolhagi wihan kkeunimeomneun noryeogigetji.

< 설명(せつめい【説明】) / 번역(ほんやく【翻訳】) >

운동선수+로서 뭐+가 제일 힘들+어?

- 운동선수 (めいし) : 운동에 뛰어난 재주가 있어 전문적으로 운동을 하는 사람.
  うんどうせんしゅ【運動選手】。スポーツせんしゅ【スポーツ選手】
  運動に優れた才能があって、専門的に運動をする人。

- 로서 : 어떤 지위나 신분, 자격을 나타내는 조사.
  として
  ある地位や身分、資格を表す助詞。

- 뭐 (だいめいし) : 모르는 사실이나 사물을 가리키는 말.
  なん・なに【何】
  知らない事実・事物を指す語。

- 가 : 어떤 상태나 상황에 놓인 대상이나 동작의 주체를 나타내는 조사.
  が
  ある状態や状況に置かれた対象、または動作の主体を表す助詞。

- 제일 (ふくし) : 여럿 중에서 가장.
  いちばん【一番】。もっとも【最も】
  多くの中で最高に。

- 힘들다 (けいようし) : 어떤 일을 하는 것이 어렵거나 곤란하다.
  むずかしい【難しい】。しがたい【し難い】
  物事を遂行するのが難しくて困難だ。

- -어 : (두루낮춤으로) 어떤 사실을 서술하거나 물음, 명령, 권유를 나타내는 종결 어미.
  のか。なさい。よう。ましょう
  (略待下称) ある事実を叙述したり、質問・命令・勧誘の意を表す「終結語尾」。<とい【問い】>

글쎄, 체중+을 조절하+[기 위한] 끊임없+는 노력+이+겠+지.

- 글쎄 (かんどうし) : 상대방의 물음이나 요구에 대하여 분명하지 않은 태도를 나타낼 때 쓰는 말.
  さあ
  相手の質問や要求に対してはっきりしない態度を示す時にいう語。

- 체중 (めいし) : 몸의 무게.
  たいじゅう【体重】
  体の重さ。

- 을 : 동작이 직접적으로 영향을 미치는 대상을 나타내는 조사.
  を
  動作が直接的に影響を及ぼす対象を表す助詞。

- 조절하다 (どうし) : 균형에 맞게 바로잡거나 상황에 알맞게 맞추다.
  ちょうせつする【調節する】
  ほどよく釣り合いがとれるように正したり、状況に合わせたりする。

- -기 위한 : 뒤에 오는 명사를 수식하면서 그 목적이나 의도를 나타내는 표현.
  ための
  後の言葉を修飾しながら目的や意図を表す表現。

- 끊임없다 (けいようし) : 계속하거나 이어져 있던 것이 끊이지 아니하다.
  たえまない【絶え間ない】
  継続するか、またはつながっているものが途切れない。

- -는 : 앞의 말이 관형어의 기능을 하게 만들고 사건이나 동작이 현재 일어남을 나타내는 어미.
  する。ている
  前の言葉に連体修飾語の機能を持たせ、出来事や動作が現在進行中であるという意を表す語尾。

- 노력 (めいし) : 어떤 목적을 이루기 위하여 힘을 들이고 애를 씀.
  どりょく【努力】。とりくみ【取組】。じんりょく【尽力】
  ある目的を成し遂げるために力を尽くして励むこと。

- 이다 : 주어가 지시하는 대상의 속성이나 부류를 지정하는 뜻을 나타내는 서술격 조사.
  だ。である
  主語が指す対象の属性や部類を指定する意を表す叙述格助詞。

- -겠- : 미래의 일이나 추측을 나타내는 어미.

  だろう

  未来の事や推量を表す語尾。

- -지 : (두루낮춤으로) 말하는 사람이 자신에 대한 이야기나 자신의 생각을 친근하게 말할 때 쓰는 종결
  어미.

  よ。 だろう

  (略待下称) 話し手が自分に関する話や自分の考えを親しみをこめて述べるのに用いる「終結語尾」。

< 대화(たいわ【対話】) > - 29

요즘 부쩍 운동을 열심히 하시네요.
요즘 부쩍 운동을 열씸히 하시네요.
yojeum bujjeok undongeul yeolsimhi hasineyo.

건강을 유지하기 위해서 운동을 좀 해야겠더라고요.
건강을 유지하기 위해서 운동을 좀 해야겓떠라고요.
geongangeul yujihagi wihaeseo undongeul jom haeyagetdeoragoyo.

< 설명(せつめい【説明】) / 번역(ほんやく【翻訳】) >

요즘 부쩍 운동+을 열심히 하+시+네요.

• 요즘 (めいし) : 아주 가까운 과거부터 지금까지의 사이.
　さいきん【最近】。ちかごろ【近頃】。このごろ【この頃】
　少し前から現在までの間。

• 부쩍 (ふくし) : 어떤 사물이나 현상이 갑자기 크게 변화하는 모양.
　めっきり。ぐっと。ぐんと
　ある物や現象が急に大きく変わるさま。

• 운동 (めいし) : 몸을 단련하거나 건강을 위하여 몸을 움직이는 일.
　うんどう【運動】
　体を鍛えたり健康を保ったりするために体を動かすこと。

• 을 : 동작이 직접적으로 영향을 미치는 대상을 나타내는 조사.
　を
　動作が直接的に影響を及ぼす対象を表す助詞。

• 열심히 (ふくし) : 어떤 일에 온 정성을 다하여.
　いっしょうけんめいに【一生懸命に】。ねっしんに【熱心に】
　何かに精魂を込めて。

• 하다 (どうし) : 어떤 행동이나 동작, 활동 등을 행하다.
　する【為る】。やる【遣る】。なす【成す・為す】
　ある行動や動作、活動などを行う。

- -시- : 어떤 동작이나 상태의 주체를 높이는 뜻을 나타내는 어미.
  お…になる。ご…になる
  ある動作や状態の主体を敬う意を表す語尾。

- -네요 : (두루높임으로) 말하는 사람이 직접 경험하여 새롭게 알게 된 사실에 대해 감탄함을 나타낼 때
       쓰는 표현.
  ですね。ますね
  (略待上称) 話し手が直接経験して新しく知ったことについて感嘆する意を表すのに用いる表現。

건강+을 유지하+[기 위해서] 운동+을 좀 <u>하+여야겠+더라고요</u>.
해야겠더라고요

- **건강 (めいし)** : 몸이나 정신이 이상이 없이 튼튼한 상태.
  けんこう【健康】
  心身に異常のない丈夫な状態。

- **을** : 동작이 직접적으로 영향을 미치는 대상을 나타내는 조사.
  を
  動作が直接的に影響を及ぼす対象を表す助詞。

- **유지하다 (どうし)** : 어떤 상태나 상황 등을 그대로 이어 나가다.
  いじする【維持する】
  物事の状態や状況などをそのまま保ち続ける。

- **-기 위해서** : 어떤 일을 하는 목적인 의도를 나타내는 표현.
  ために
  何かをする目的としての意図を表す表現。

- **운동 (めいし)** : 몸을 단련하거나 건강을 위하여 몸을 움직이는 일.
  うんどう【運動】
  体を鍛えたり健康を保ったりするために体を動かすこと。

- **을** : 동작이 직접적으로 영향을 미치는 대상을 나타내는 조사.
  を
  動作が直接的に影響を及ぼす対象を表す助詞。

- **좀 (ふくし)** : 분량이나 정도가 적게.
  すこし【少し】。わずか【僅か・纔か】。ちょっと【一寸・鳥渡】
  分量や程度が少ないさま。

- **하다 (どうし)** : 어떤 행동이나 동작, 활동 등을 행하다.
  する【為る】。やる【遣る】。なす【成す・為す】
  ある行動や動作、活動などを行う。

• -여야겠- : 앞의 말이 나타내는 행동에 대한 강한 의지를 나타내거나 그 행동을 할 필요가 있음을 완곡
　　　　　 하게 말할 때 쓰는 표현.
　ないと。しようと
　前の言葉の表す行動に対する強い意志を表したり、
　その行動をする必要があることを婉曲にいうのに用いる表現。

• -더라고요 : (두루높임으로) 과거에 경험하여 새로 알게 된 사실에 대해 지금 상대방에게 옮겨 전할 때
　　　　　　 쓰는 표현.
　たんですよ。ていたんですよ
　(略待上称) 過去に直接経験して新しく知った事実について今相手に伝言として述べるのに用いる表現。

< 대화(たいわ【対話】) > - 30

해외여행을 떠나기 전에 무엇을 준비해야 할까요?
해외여행을 떠나기 저네 무어슬 준비해야 할까요?
haeoeyeohaengeul tteonagi jeone mueoseul junbihaeya halkkayo?

먼저 여권을 준비하고 환전도 해야 해요.
먼저 여꿔늘 준비하고 환전도 해야 해요.
meonjeo yeogwoneul junbihago hwanjeondo haeya haeyo.

< 설명(せつめい【説明】) / 번역(ほんやく【翻訳】) >

해외여행+을 떠나+[기 전에] 무엇+을 준비하+[여야 하]+ㄹ까요?
준비해야 할까요

- **해외여행 (めいし)** : 외국으로 여행을 가는 일. 또는 그런 여행.
  かいがいりょこう【海外旅行】
  外国へ旅行すること。また、その旅行。

- **을** : 그 행동의 목적이 되는 일을 나타내는 조사.
  に。を
  行動の目的になることを表す助詞。

- **떠나다 (どうし)** : 어떤 일을 하러 나서다.
  でる【出る】
  何かをしに行く。

- **-기 전에** : 뒤에 오는 말이 나타내는 행동이 앞에 오는 말이 나타내는 행동보다 앞서는 것을 나타내는 표현.
  まえに【前に】
  後に述べる行動が前に述べる行動より先であるという意を表す表現。

- **무엇 (だいめいし)** : 모르는 사실이나 사물을 가리키는 말.
  なに【何】
  未知の事実や事物を指していう語。

- **을** : 동작이 직접적으로 영향을 미치는 대상을 나타내는 조사.
  を
  動作が直接的に影響を及ぼす対象を表す助詞。

• 준비하다 (どうし) : 미리 마련하여 갖추다.
　じゅんびする【準備する】。よういする【用意する】
　前もって必要なものを揃えておく。

• -여야 하다 : 앞에 오는 말이 어떤 일을 하거나 어떤 상황에 이르기 위한 의무적인 행동이거나 필수적
　　　　　　　인 조건임을 나타내는 표현.
　ないといけない。ないとならない。なければいけない。なければならない。ねばならない
　前にくる言葉が、ある事をしたりある状況になるための義務的な行動、
　または必須条件であるという意を表す表現。

• -ㄹ까요 : (두루높임으로) 듣는 사람에게 의견을 묻거나 제안함을 나타내는 표현.
　ましょうか
　(略待上称) 聞き手に意見を問うか提案するという意を表す表現。

먼저 여권+을 준비하+고 환전+도 하+[여야 하]+여요.
해야 해요

• 먼저 (ふくし) : 시간이나 순서에서 앞서.
　さきに【先に】。まず。あらかじめ【予め】。まえもって【前もって】
　時間や順序で、先立って。

• 여권 (めいし) : 다른 나라를 여행하는 사람의 신분이나 국적을 증명하고, 여행하는 나라에 그 사람의 보
　　　　　　　호를 맡기는 문서.
　りょけん【旅券】。パスポート
　外国に旅行・滞在する人の身分や国籍を証明し、相手国にその人の保護を依頼する文書。

• 을 : 동작이 직접적으로 영향을 미치는 대상을 나타내는 조사.
　を
　動作が直接的に影響を及ぼす対象を表す助詞。

• 준비하다 (どうし) : 미리 마련하여 갖추다.
　じゅんびする【準備する】。よういする【用意する】
　前もって必要なものを揃えておく。

• -고 : 두 가지 이상의 대등한 사실을 나열할 때 쓰는 연결 어미.
　て
　二つ以上の対等な事柄を並べ立てるのに用いる「連結語尾」。

• 환전 (めいし) : 한 나라의 화폐를 다른 나라의 화폐와 맞바꿈.
　りょうがえ【両替】
　ある国の貨幣を他国の貨幣と交換すること。

· 도 : 이미 있는 어떤 것에 다른 것을 더하거나 포함함을 나타내는 조사.
  も
  既存の物事に他の物事を加えたり含ませたりするという意を表す助詞。

· 하다 (どうし) : 어떤 행동이나 동작, 활동 등을 행하다.
  する【為る】。やる【遣る】。なす【成す・為す】
  ある行動や動作、活動などを行う。

· -여야 하다 : 앞에 오는 말이 어떤 일을 하거나 어떤 상황에 이르기 위한 의무적인 행동이거나 필수적
                인 조건임을 나타내는 표현.
  ないといけない。ないとならない。なければいけない。なければならない。ねばならない
  前にくる言葉が、ある事をしたりある状況になるための義務的な行動、
  または必須条件であるという意を表す表現。

· -여요 : (두루높임으로) 어떤 사실을 서술하거나 질문, 명령, 권유함을 나타내는 종결 어미.
  ます。です。ますか。ですか。てください。ましょう
  (略待上称) ある事実を叙述しながら、質問・命令・勧誘の意を表す「終結語尾」。 <じょじゅつ【叙述】>

< 대화(たいわ【対話】) > - 31

저 다음 달에 한국에 갑니다.
저 다음 다레 한구게 감니다.
jeo daeum dare hanguge gamnida.

어머, 그럼 우리 서울에서 볼 수 있겠네요?
어머, 그럼 우리 서우레서 볼 쑤 잇껜네요?
eomeo, geureom uri seoureseo bol su itgenneyo?

< 설명(せつめい【説明】) / 번역(ほんやく【翻訳】) >

저 다음 달+에 한국+에 가+ㅂ니다.
갑니다

- 저 (だいめいし) : 말하는 사람이 듣는 사람에게 자신을 낮추어 가리키는 말.
  わたくし【私】
  目上の人に対して自分をへりくだっていう語。

- 다음 (めいし) : 어떤 차례에서 바로 뒤.
  つぎ【次】
  ある順序のすぐ後。

- 달 (めいし) : 일 년을 열둘로 나누어 놓은 기간.
  つき・げつ・がつ【月】
  一年を十二分した期間。

- 에 : 앞말이 시간이나 때임을 나타내는 조사.
  に
  前の言葉が時間や時期であることを表す助詞。

- 한국 (めいし) : 아시아 대륙의 동쪽에 있는 나라. 한반도와 그 부속 섬들로 이루어져 있으며, 대한민국이라고도 부른다. 1950년에 일어난 육이오 전쟁 이후 휴전선을 사이에 두고 국토가 둘로 나뉘었다. 언어는 한국어이고, 수도는 서울이다.
  かんこく【韓国】
  アジア大陸の東側にある国。韓半島とその周囲の島礁から構成されていて、大韓民国(テハンミングク)とも呼ばれている。1950年に起きた韓国戦争以降、休戦ラインを挟んで南北に分断されている。主要言語は韓国語で、首都はソウル。

• 에 : 앞말이 목적지이거나 어떤 행위의 진행 방향임을 나타내는 조사.

に。へ

前の言葉が目的地であったり、ある行為の進行方向であったりすることを表す助詞。

• 가다 (どうし) : 한 곳에서 다른 곳으로 장소를 이동하다.

ゆく・いく【行く】。うつる【移る】

ある場所から他の場所へ移動する。

• -ㅂ니다 : (아주높임으로) 현재의 동작이나 상태, 사실을 정중하게 설명함을 나타내는 종결 어미.

ます。です

(上称) 現在の動作や状態、事実を丁寧に説明する意を表す「終結語尾」。

어머, 그럼 우리 서울+에서 보+[ㄹ 수 있]+겠+네요?
볼 수 있겠네요

• 어머 (かんどうし) : 주로 여자들이 예상하지 못한 일로 갑자기 놀라거나 감탄할 때 내는 소리.

あら。まあ

主に女性が、予想外のことにより驚いたり感心したりしたときに発する声。

• 그럼 (ふくし) : 앞의 내용을 받아들이거나 그 내용을 바탕으로 하여 새로운 주장을 할 때 쓰는 말.

では

前の内容を受け入れたり、その内容に基づいて新しい主張をしたりする時に用いる語。

• 우리 (だいめいし) : 말하는 사람이 자기와 듣는 사람 또는 이를 포함한 여러 사람들을 가리키는 말.

わたくしたち【私達】

話し手が自分と聞き手、またそれを含めた複数の人たちを指す語。

• 서울 (めいし) : 한반도 중앙에 있는 특별시. 한국의 수도이자 정치, 경제, 산업, 사회, 문화, 교통의 중심지이다. 북한산, 관악산 등의 산에 둘러싸여 있고 가운데로는 한강이 흐른다.

ソウル

韓半島の中央にある特別市。韓国の首都であり、政治・経済・産業・社会・文化・交通の中心地である。北漢 (プカン) 山や冠岳 (クァナク) 山などの山に囲まれ、その中央には漢江 (ハンガン) が流れる。

• 에서 : 앞말이 행동이 이루어지고 있는 장소임을 나타내는 조사.

で

前の言葉が行動の行われる場所であることを表す助詞。

• 보다 (どうし) : 사람을 만나다.

あう【会う】

人に会う。

• -ㄹ 수 있다 : 어떤 행동이나 상태가 가능함을 나타내는 표현.
 (ら)れる。ことができる
 ある行動や状態が可能であることを表す表現。

• -겠- : 미래의 일이나 추측을 나타내는 어미.
 だろう
 未来の事や推量を表す語尾。

• -네요 : (두루높임으로) 말하는 사람이 추측하거나 짐작한 내용에 대해 듣는 사람에게 동의를 구하며 물
　　　　을 때 쓰는 표현.
 ですよね。ますよね
 (略待上称)
 話し手が推測したり推し量ったりした内容について聞き手に同意を求めながら尋ねるのに用いる表現。

< 대화(たいわ【対話】) > - 32

매일 만드는 대로 요리했는데 오늘은 평소보다 맛이 없는 것 같아요.
매일 만드는 대로 요리핸는데 오느른 평소보다 마시 엄는 걷 가타요.
maeil mandeuneun daero yorihaenneunde oneureun pyeongsoboda masi eomneun geot gatayo.

아니에요. 맛있어요. 잘 먹을게요.
아니에요. 마시써요. 잘 머글께요.
anieyo. masisseoyo. jal meogeulgeyo.

< 설명(せつめい【説明】) / 번역(ほんやく【翻訳】) >

매일 만들(만드)+[는 대로] 요리하+였+는데
　　　　만드는 대로　　　　요리했는데

오늘+은 평소+보다 맛+이 없+[는 것 같]+아요.

- 매일 (ふくし) : 하루하루마다 빠짐없이.
  まいにち【毎日】
  一日も欠かさず。

- 만들다 (どうし) : 힘과 기술을 써서 없던 것을 생기게 하다.
  つくる【作る】。したてる【仕立てる】。こしらえる【拵える】。せいぞうする【製造する】。
  せいさくする【製作する】
  力や技術を使って、存在しなかったものを生じさせる。

- -는 대로 : 앞에 오는 말이 뜻하는 현재의 행동이나 상황과 같음을 나타내는 표현.
  まま。とおり【通り】
  前にくる言葉の表す現在の行動や状況と同じであるという意を表す表現。

- 요리하다 (どうし) : 음식을 만들다.
  りょうりする【料理する】
  料理を作る。

- -였- : 어떤 사건이 과거에 완료되었거나 그 사건의 결과가 현재까지 지속되는 상황을 나타내는 어미.
  た。ている
  ある出来事が過去に完了したことや、その出来事の結果が現在まで持続している状況を表す語尾。

· -는데 : 뒤의 말을 하기 위하여 그 대상과 관련이 있는 상황을 미리 말함을 나타내는 연결 어미.
　が。けど
　何かを言うための前置きとして、それと関連した状況を前もって述べるという意を表す「連結語尾」。

· 오늘 (めいし) : 지금 지나가고 있는 이날.
　きょう【今日】。ほんじつ【本日】
　今過ごしているこの日。

· 은 : 어떤 대상이 다른 것과 대조됨을 나타내는 조사.
　は
　ある対象が他のものと対照的であることを表す助詞。

· 평소 (めいし) : 특별한 일이 없는 보통 때.
　へいそ【平素】。ふだん【普段】。つねひごろ【常日頃】
　特別なことのない、普通の時。

· 보다 : 서로 차이가 있는 것을 비교할 때, 비교의 대상이 되는 것을 나타내는 조사.
　より
　互いに差のある物事を比べるとき、比較の基準になるという意を表す助詞。

· 맛 (めいし) : 음식 등을 혀에 댈 때 느껴지는 감각.
　あじ【味】
　食べ物などが舌に触れた時に感じられる感覚。

· 이 : 어떤 상태나 상황의 대상이나 동작의 주체를 나타내는 조사.
　が
　ある状態・状況の対象や動作の主体を表す助詞。

· 없다 (けいようし) : 어떤 사실이나 현상이 현실로 존재하지 않는 상태이다.
　ない【無い】
　事実・現象が現実として存在しない状態だ。

· -는 것 같다 : 추측을 나타내는 표현.
　ようだ。らしい。みたいだ。とおもう【と思う】。ではないかとおもう【ではないかと思う】
　推測の意を表す表現。

· -아요 : (두루높임으로) 어떤 사실을 서술하거나 질문, 명령, 권유함을 나타내는 종결 어미.
　ます。です。ますか。ですか。てください。
　(略待上称) ある事実を叙述したり質問、命令、勧誘する意を表す「終結語尾」。<じょじゅつ【叙述】>

아니+에요.

맛있+어요.

잘 먹+을게요.

• 아니다 (けいようし) : 어떤 사실이나 내용을 부정하는 뜻을 나타내는 말.
　ではない
　ある事実や内容を否定する意味を表す語。

• -에요 : (두루높임으로) 어떤 사실을 서술하거나 질문함을 나타내는 종결 어미.
　ます。です。ますか。ですか
　(略待上称) ある事実を叙述したり質問する意を表す「終結語尾」。<じょじゅつ【叙述】>

• 맛있다 (けいようし) : 맛이 좋다.
　おいしい【美味しい】。うまい【旨い・美味い】
　味が良い。

• -어요 : (두루높임으로) 어떤 사실을 서술하거나 질문, 명령, 권유함을 나타내는 종결 어미.
　ます。です。ますか。ですか。てください
　(略待上称) ある事実を叙述したり質問、命令、勧誘する意を表す「終結語尾」。<じょじゅつ【叙述】>

• 잘 (ふくし) : 충분히 만족스럽게.
　じゅうぶんに【十分に】。おもうぞんぶん【思う存分】
　十分に満足に。

• 먹다 (どうし) : 음식 등을 입을 통하여 배 속에 들여보내다.
　たべる【食べる】。くう【食う・喰う】。くらう【食らう】
　食べ物を口の中に入れて飲み込む。

• -을게요 : (두루높임으로) 말하는 사람이 어떤 행동을 할 것을 듣는 사람에게 약속하거나 의지를 나타내는 표현.
　ます
　(略待上称) 話し手が聞き手に対してある行動をすると約束したり知らせる意を表す表現。

< 대화(たいわ【対話】) > - 33

지아야, 여행 잘 다녀와. 전화하고.
지아야, 여행 잘 다녀와. 전화하고.
jiaya, yeohaeng jal danyeowa. jeonhwahago.

네, 호텔에 도착하는 대로 전화 드릴게요.
네, 호테레 도차카는 대로 전화 드릴께요.
ne, hotere dochakaneun daero jeonhwa deurilgeyo.

< 설명(せつめい【説明】) / 번역(ほんやく【翻訳】) >

지아+야, 여행 잘 <u>다녀오</u>+아.
　　　　　　　　다녀와

전화하+고.

- 지아 (めいし) : じんめい【人名】

- 야 : 친구나 아랫사람, 동물 등을 부를 때 쓰는 조사.
  対訳語無し
  友だちや目下の人、動物などを呼ぶのに用いる助詞。

- 여행 (めいし) : 집을 떠나 다른 지역이나 외국을 두루 구경하며 다니는 일.
  りょこう【旅行】。たび【旅】
  家を離れて他の地域や外国の各所を見物しながら行きまわること。

- 잘 (ふくし) : 아무 탈 없이 편안하게.
  ぶじに【無事に】
  何の事故もなく平穏に。

- 다녀오다 (どうし) : 어떤 일을 하기 위해 갔다가 오다.
  いってくる【行って来る】
  何かをするために行って帰ってくる。

- -아 : (두루낮춤으로) 어떤 사실을 서술하거나 물음, 명령, 권유를 나타내는 종결 어미.
  する。である。するのか。しなさい。しよう。しましょう
  (略待下称) ある事実を叙述したり質問・命令・勧誘の意を表す「終結語尾」。<めいれい【命令】>

・**전화하다 (どうし)** : 전화기를 통해 사람들끼리 말을 주고받다.
  でんわする【電話する】
  電話機を用いて通話する。

・**-고** : (두루낮춤으로) 뒤에 올 또 다른 명령 표현을 생략한 듯한 느낌을 주면서 부드럽게 명령할 때 쓰는 종결 어미.
  て。なさい
  (略待下称) 後にくる命令表現を省略したような感じで柔らかい口調で命令するのに用いる「終結語尾」。

네, 호텔+에 도착하+[는 대로] 전화 <u>드리</u>+<u>ㄹ게요</u>.
드릴게요

・**네 (かんどうし)** : 윗사람의 물음이나 명령 등에 긍정하여 대답할 때 쓰는 말.
  はい。ええ
  目上の人からの質問や命令などに肯定の返事をする時にいう語。

・**호텔 (めいし)** : 시설이 잘 되어 있고 규모가 큰 고급 숙박업소.
  ホテル
  施設が完備されていて、規模の大きい高級宿泊施設。

・**에** : 앞말이 목적지이거나 어떤 행위의 진행 방향임을 나타내는 조사.
  に。へ
  前の言葉が目的地であったり、ある行為の進行方向であったりすることを表す助詞。

・**도착하다 (どうし)** : 목적지에 다다르다.
  とうちゃくする【到着する】。つく【着く】
  目的地に行きつく。

・**-는 대로** : 어떤 행동이나 상황이 나타나는 그때 바로, 또는 직후에 곧의 뜻을 나타내는 표현.
  とすぐ。しだい【次第】
  ある動作や状態が実現した時にすぐ、あるいはその直後にという意を表す表現。

・**전화 (めいし)** : 전화기를 통해 사람들끼리 말을 주고받음. 또는 그렇게 하여 전달되는 내용.
  でんわ【電話】
  電話機を用いて通話すること。また、その通話の内容。

・**드리다 (どうし)** : 윗사람에게 어떤 말을 하거나 인사를 하다.
  もうしあげる【申し上げる】
  目上の人に何かを言ったり挨拶をしたりする。

• -ㄹ게요 : (두루높임으로) 말하는 사람이 어떤 행동을 할 것을 듣는 사람에게 약속하거나 의지를 나타내
　　　　　는 표현.

ます

(略待上称) 話し手が聞き手に対してある行動をすると約束したり知らせたりする意を表す表現。

< 대화(たいわ【対話】) > - 34

우리 이번 주말에 영화 보기로 했지?
우리 이번 주마레 영화 보기로 핻찌?
uri ibeon jumare yeonghwa bogiro haetji?

응. 그런데 날씨가 좋으니까 영화를 보는 대신에 공원에 놀러 갈까?
응. 그런데 날씨가 조으니까 영화를 보는 대시네 공워네 놀러 갈까?
eung. geureonde nalssiga joeunikka yeonghwareul boneun daesine gongwone nolleo galkka?

< 설명(せつめい【説明】) / 번역(ほんやく【翻訳】) >

우리 이번 주말+에 영화 보+[기로 하]+였+지?
보기로 했지

- **우리 (だいめいし)** : 말하는 사람이 자기와 듣는 사람 또는 이를 포함한 여러 사람들을 가리키는 말.
  わたくしたち【私達】
  話し手が自分と聞き手、またそれを含めた複数の人たちを指す語。

- **이번 (めいし)** : 곧 돌아올 차례. 또는 막 지나간 차례.
  こんど【今度】。こんかい【今回】。このたび【この度】
  すぐ行われる順序にある事柄。または、行われたばかりの事柄。

- **주말 (めいし)** : 한 주일의 끝.
  しゅうまつ【週末】
  一週間の末。

- **에** : 앞말이 시간이나 때임을 나타내는 조사.
  に
  前の言葉が時間や時期であることを表す助詞。

- **영화 (めいし)** : 일정한 의미를 갖고 움직이는 대상을 촬영하여 영사기로 영사막에 비추어서 보게 하는 종합 예술.
  えいが【映画】
  一定の意味を持って動く対象を撮影し、映写機を利用してスクリーンに映し出して見せる総合芸術。

• 보다 (どうし) : 눈으로 대상을 즐기거나 감상하다.

　みる【観る】。かんしょうする【観賞する】。けんぶつする【見物する】。たのしむ【楽しむ】

　目で対象を楽しんだり観賞したりする。

• -기로 하다 : 앞의 말이 나타내는 행동을 할 것을 결심하거나 약속함을 나타내는 표현.

　ことにする

　前の言葉の表す行動をすることを決心したり約束するという意を表す表現。

• -였- : 어떤 사건이 과거에 완료되었거나 그 사건의 결과가 현재까지 지속되는 상황을 나타내는 어미.

　た。ている

　ある出来事が過去に完了したことや、その出来事の結果が現在まで持続している状況を表す語尾。

• -지 : (두루낮춤으로) 이미 알고 있는 것을 다시 확인하듯이 물을 때 쓰는 종결 어미.

　だろう。よね

　(略待下称) すでに知っていることを改めて確認するように尋ねるのに用いる「終結語尾」。

응.

그런데 날씨+가 좋+으니까 영화+를 보+[는 대신에] 공원+에 놀+러 가+ㄹ까?

　　　　　　　　　　　　　　　　　　　　　　　　　　　갈까

• 응 (かんどうし) : 상대방의 물음이나 명령 등에 긍정하여 대답할 때 쓰는 말.

　うん。ええ

　相手の質問や命令などに対する肯定の意を表す語。

• 그런데 (ふくし) : 이야기를 앞의 내용과 관련시키면서 다른 방향으로 바꿀 때 쓰는 말.

　しかし

　話題を前の内容と関連づけて他の方向に変える時に用いる語。

• 날씨 (めいし) : 그날그날의 기온이나 공기 중에 비, 구름, 바람, 안개 등이 나타나는 상태.

　てんき【天気】。きこう【気候】。てんこう【天候】。そらもよう【空模様】

　その日その日の気温や空気中の雨、雲、風、霧などが発生する状態。

• 가 : 어떤 상태나 상황에 놓인 대상이나 동작의 주체를 나타내는 조사.

　が

　ある状態や状況に置かれた対象、または動作の主体を表す助詞。

• 좋다 (けいようし) : 날씨가 맑고 화창하다.

　よい【良い・善い】

　空が晴れてのどかである。

- -으니까 : 뒤에 오는 말에 대하여 앞에 오는 말이 원인이나 근거, 전제가 됨을 강조하여 나타내는 연결 어미.

  から。ので。ため。ゆえ【故】

  後にくる事柄に対して前の事柄がその原因や根拠・前提になることを強調していう「連結語尾」。

- 영화 (めいし) : 일정한 의미를 갖고 움직이는 대상을 촬영하여 영사기로 영사막에 비추어서 보게 하는 종합 예술.

  えいが【映画】

  一定の意味を持って動く対象を撮影し、映写機を利用してスクリーンに映し出して見せる総合芸術。

- 를 : 동작이 직접적으로 영향을 미치는 대상을 나타내는 조사.

  を

  動作が直接的に影響を及ぼす対象を表す助詞。

- 보다 (どうし) : 눈으로 대상을 즐기거나 감상하다.

  みる【観る】。かんしょうする【観賞する】。けんぶつする【見物する】。たのしむ【楽しむ】

  目で対象を楽しんだり観賞したりする。

- -는 대신에 : 앞에 오는 말이 나타내는 행동이나 상태를 비슷하거나 맞먹는 다른 행동이나 상태로 바꾸는 것을 나타내는 표현.

  かわりに【代わりに】。にかえて【に代えて】

  前にくる言葉の表す行動や状態を、それに相応する他の行動や状態に代えることを表す表現。

- 공원 (めいし) : 사람들이 놀고 쉴 수 있도록 풀밭, 나무, 꽃 등을 가꾸어 놓은 넓은 장소.

  こうえん【公園】

  人々が憩い、遊びを楽しめるように芝生を敷き、木や花などを植えた広い場所。

- 에 : 앞말이 목적지이거나 어떤 행위의 진행 방향임을 나타내는 조사.

  に。へ

  前の言葉が目的地であったり、ある行為の進行方向であったりすることを表す助詞。

- 놀다 (どうし) : 놀이 등을 하면서 재미있고 즐겁게 지내다.

  あそぶ【遊ぶ】

  遊びなどをして、面白くて楽しい時間を過ごす。

- -러 : 가거나 오거나 하는 동작의 목적을 나타내는 연결 어미.

  …に

  行く、または来る動作の目的の意を表す「連結語尾」。

- 가다 (どうし) : 어떤 목적을 가지고 일정한 곳으로 움직이다.

  ゆく・いく【行く】

  ある目的で一定の場所に移動する。

• -ㄹ까 : (두루낮춤으로) 듣는 사람의 의사를 물을 때 쓰는 종결 어미.
ようか
(略待下称) 話し手の考えや推量を表したり相手の意思を尋ねるのに用いる「終結語尾」。

< 대화(たいわ【対話】) > - 35

열 시가 다 돼 가는데도 지우가 집에 안 들어오네요.
열 시가 다 돼 가는데도 지우가 지베 안 드러오네요.
yeol siga da dwae ganeundedo jiuga jibe an deureooneyo.

벌써 시간이 그렇게 됐네요. 제가 전화해 볼게요.
벌써 시가니 그러케 됀네요. 제가 전화해 볼께요.
beolsseo sigani geureoke dwaenneyo. jega jeonhwahae bolgeyo.

< 설명(せつめい【説明】) / 번역(ほんやく【翻訳】) >

열 시+가 다 <u>되+[어 가]</u>+는데도 지우+가 집+에 안 들어오+네요.
돼 가는데도

- **열 (かんけいし)** : 아홉에 하나를 더한 수의.
  とお・じゅう【十】
  九つに一つを足した数の。

- **시 (めいし)** : 하루를 스물넷으로 나누었을 때 그 하나를 나타내는 시간의 단위.
  じ【時】
  一日を24に分けた時、そのうち一つを表す時間の単位。

- **가** : 바뀌게 되는 대상이나 부정하는 대상임을 나타내는 조사.
  に
  対象が変わったり、否定したりすることを表す助詞。

- **다 (ふくし)** : 행동이나 상태의 정도가 한정된 정도에 거의 가깝게.
  ほとんど【殆ど】
  行動や状態の具合がぎりぎりになっている程度に。

- **되다 (どうし)** : 어떤 때나 시기, 상태에 이르다.
  なる
  ある時や時期、状態に達する。

- **-어 가다** : 앞의 말이 나타내는 행동이나 상태가 계속 진행됨을 나타내는 표현.
  ていく。てくる
  前の言葉の表す行動や状態が引き続き進むという意を表す表現。

- -는데도 : 앞에 오는 말이 나타내는 상황에 상관없이 뒤에 오는 말이 나타내는 상황이 일어남을 나타내
　　　　는 표현.
  のに
  前にくる言葉の表す状況とは関係なく、後にくる言葉の表す状況が起こるという意を表す表現。

- 지우 (めいし) : じんめい【人名】

- 가 : 어떤 상태나 상황에 놓인 대상이나 동작의 주체를 나타내는 조사.
  が
  ある状態や状況に置かれた対象、または動作の主体を表す助詞。

- 집 (めいし) : 사람이나 동물이 추위나 더위 등을 막고 그 속에 들어 살기 위해 지은 건물.
  いえ【家】。す【巣】
  人や動物が寒さや暑さなどを避けて、その中で住むために作った物。

- 에 : 앞말이 목적지이거나 어떤 행위의 진행 방향임을 나타내는 조사.
  に。へ
  前の言葉が目的地であったり、ある行為の進行方向であったりすることを表す助詞。

- 안 (ふくし) : 부정이나 반대의 뜻을 나타내는 말.
  対訳語無し
  否定や反対の意を表す語。

- 들어오다 (どうし) : 어떤 범위의 밖에서 안으로 이동하다.
  はいる【入る】
  外から、ある範囲内へ移動する。

- -네요 : (두루높임으로) 말하는 사람이 직접 경험하여 새롭게 알게 된 사실에 대해 감탄함을 나타낼 때
　　　　쓰는 표현.
  ですね。ますね
  (略待上称) 話し手が直接経験して新しく知ったことについて感嘆する意を表すのに用いる表現。

벌써 시간+이 그렇+[게 되]+었+네요.
　　　　　그렇게 됐네요

제+가 전화하+[여 보]+ㄹ게요.
　　　　전화해 볼게요

- 벌써 (ふくし) : 생각보다 빠르게.
  もう。もはや。いつのまにか【いつの間にか】
  思ったより早く。

· **시간 (めいし)** : 어떤 일을 하도록 정해진 때. 또는 하루 중의 어느 한 때.
　じかん【時間】。とき【時】
　ある事を行うように定められた時。または、一日中のある時。

· **이** : 어떤 상태나 상황의 대상이나 동작의 주체를 나타내는 조사.
　が
　ある状態・状況の対象や動作の主体を表す助詞。

· **그렇다 (けいようし)** : 상태, 모양, 성질 등이 그와 같다.
　そのとおりだ
　状態、形、性質などがそれと同じである。

· **-게 되다** : 앞의 말이 나타내는 상태나 상황이 됨을 나타내는 표현.
　ようになる。ことになる
　前の言葉の表す状態や状況になるという意を表す表現。

· **-었-** : 어떤 사건이 과거에 완료되었거나 그 사건의 결과가 현재까지 지속되는 상황을 나타내는 어미.
　た。ている
　ある出来事が過去に完了したことや、その出来事の結果が現在まで持続している状況を表す語尾。

· **-네요** : (두루높임으로) 말하는 사람이 직접 경험하여 새롭게 알게 된 사실에 대해 감탄함을 나타낼 때
　　　쓰는 표현.
　ですね。ますね
　(略待上称) 話し手が直接経験して新しく知ったことについて感嘆する意を表すのに用いる表現。

· **제 (だいめいし)** : 말하는 사람이 자신을 낮추어 가리키는 말인 '저'에 조사 '가'가 붙을 때의 형태.
　わたくし【私】
　話し手が自分をへりくだっていう語である「저」に助詞「가」がつく時の形。

· **가** : 어떤 상태나 상황에 놓인 대상이나 동작의 주체를 나타내는 조사.
　が
　ある状態や状況に置かれた対象、または動作の主体を表す助詞。

· **전화하다 (どうし)** : 전화기를 통해 사람들끼리 말을 주고받다.
　でんわする【電話する】
　電話機を用いて通話する。

· **-여 보다** : 앞의 말이 나타내는 행동을 시험 삼아 함을 나타내는 표현.
　てみる
　前の言葉の表す行動を試してやるという意を表す表現。

· **-ㄹ게요** : (두루높임으로) 말하는 사람이 어떤 행동을 할 것을 듣는 사람에게 약속하거나 의지를 나타내
　　　는 표현.
　ます
　(略待上称)話し手が聞き手に対してある行動をすると約束したり知らせたりする意を表す表現。

< 대화(たいわ【対話】) > - 36

친구들이랑 여행 갈 건데 너도 갈래?
친구드리랑 여행 갈 건데 너도 갈래?
chingudeurirang yeohaeng gal geonde neodo gallae?

저도 가도 돼요? 어디로 가는데요? 혹시 제주도로 가요?
저도 가도 돼요? 어디로 가는데요? 혹씨 제주도로 가요?
jeodo gado dwaeyo? eodiro ganeundeyo? hoksi jejudoro gayo?

< 설명(せつめい【説明】) / 번역(ほんやく【翻訳】) >

친구+들+이랑 여행 <u>가+[ㄹ 것(거)]+(이)+ㄴ데</u> 너+도 <u>가+ㄹ래</u>?
　　　　　　　　　　　갈 건데　　　　　　　　　　갈래

- **친구 (めいし)** : 사이가 가까워 서로 친하게 지내는 사람.
  とも【友】。ともだち【友達】。ゆうじん【友人】。ほうゆう【朋友】
  関係が近くて、親しく交わっている人。

- **들** : '복수'의 뜻을 더하는 접미사.
  たち・ら【達】
  「複数」の意を付加する接尾辞。

- **이랑** : 어떤 일을 함께 하는 대상임을 나타내는 조사.
  と
  ある動作を一緒に行う対象であるという意を表す助詞。

- **여행 (めいし)** : 집을 떠나 다른 지역이나 외국을 두루 구경하며 다니는 일.
  りょこう【旅行】。たび【旅】
  家を離れて他の地域や外国の各所を見物しながら行きまわること。

- **가다 (どうし)** : 어떤 일을 하기 위해서 다른 곳으로 이동하다.
  ゆく・いく【行く】
  何かをするために他の場所に移動する。

- **-ㄹ 것** : 명사가 아닌 것을 문장에서 명사처럼 쓰이게 하거나 '이다' 앞에 쓰일 수 있게 할 때 쓰는 표현.
  こと。の。もの
  名詞でないものを文中で名詞化し、「이다」の前にくるようにするのに用いる表現。

・이다 : 주어가 지시하는 대상의 속성이나 부류를 지정하는 뜻을 나타내는 서술격 조사.
　だ。である
　主語が指す対象の属性や部類を指定する意を表す叙述格助詞。

・-ㄴ데 : 뒤의 말을 하기 위하여 그 대상과 관련이 있는 상황을 미리 말함을 나타내는 연결 어미.
　(だ) が。(だ) けど
　何かを言うための前置きとして、それと関連した状況を前もって述べるという意を表す「連結語尾」。

・너 (だいめいし) : 듣는 사람이 친구나 아랫사람일 때, 그 사람을 가리키는 말.
　おまえ【お前】。きみ【君】
　聞き手が友人か目下の人である場合、その聞き手をさす語。

・도 : 이미 있는 어떤 것에 다른 것을 더하거나 포함함을 나타내는 조사.
　も
　既存の物事に他の物事を加えたり含ませたりするという意を表す助詞。

・가다 (どうし) : 어떤 일을 하기 위해서 다른 곳으로 이동하다.
　ゆく・いく【行く】
　何かをするために他の場所に移動する。

・-ㄹ래 : (두루낮춤으로) 앞으로 어떤 일을 하려고 하는 자신의 의사를 나타내거나 그 일에 대하여 듣는
　　　　사람의 의사를 물어봄을 나타내는 종결 어미.
　よ。か
　(略待下称) これから何かをしようとする自分の意思を表したり、
　それについての聞き手の意思を尋ねる意を表す「終結語尾」。

저+도 가+[(아)도 되]+어요?
　　　　가도 돼요

어디+로 가+는데요?

혹시 제주도+로 가+(아)요?
　　　　　가요

・저 (だいめいし) : 말하는 사람이 듣는 사람에게 자신을 낮추어 가리키는 말.
　わたくし【私】
　目上の人に対して自分をへりくだっていう語。

・도 : 이미 있는 어떤 것에 다른 것을 더하거나 포함함을 나타내는 조사.
　も
　既存の物事に他の物事を加えたり含ませたりするという意を表す助詞。

• 가다 (どうし) : 어떤 일을 하기 위해서 다른 곳으로 이동하다.
　ゆく・いく【行く】
　何かをするために他の場所に移動する。

• -아도 되다 : 어떤 행동에 대한 허락이나 허용을 나타낼 때 쓰는 표현.
　てもいい
　ある行動に対する許可や許容を表すのに用いる表現。

• -어요 : (두루높임으로) 어떤 사실을 서술하거나 질문, 명령, 권유함을 나타내는 종결 어미.
　ます。です。ますか。ですか。てください
　(略待上称) ある事実を叙述したり質問、命令、勧誘する意を表す「終結語尾」。<しつもん【質問】>

• 어디 (だいめいし) : 모르는 곳을 가리키는 말.
　どこ
　知らない場所を指す語。

• 로 : 움직임의 방향을 나타내는 조사.
　に。へ
　動きの方向を表す助詞。

• 가다 (どうし) : 어떤 일을 하기 위해서 다른 곳으로 이동하다.
　ゆく・いく【行く】
　何かをするために他の場所に移動する。

• -는데요 : (두루높임으로) 듣는 사람에게 어떤 대답을 요구할 때 쓰는 표현.
　ですか。ますか
　(略待上称)聞き手に対してある返事を求めるのに用いる表現。

• 혹시 (ふくし) : 그러리라 생각하지만 분명하지 않아 말하기를 망설일 때 쓰는 말.
　もしかして【若しかして】。もしかしたら【若しかしたら】。もしかすると【若しかすると】。ひょっとして
　そうであろうと思うものの、はっきりしていなくて言い渋る時に用いる語。

• 제주도 (めいし) : 한국 서남해에 있는 화산섬. 한국에서 가장 큰 섬으로 화산 활동 지형의 특색이 잘 드러나 있어 관광 산업이 발달하였다. 해녀, 말, 귤이 유명하다.
　チェジュド【済州島】
　韓国の南西海にある火山島で、韓国最大の島。火山活動による地形の特色がよく出ていて、
　観光産業が発達。海女、馬、ミカンなどが有名。

• 로 : 움직임의 방향을 나타내는 조사.
　に。へ
　動きの方向を表す助詞。

• 가다 (どうし) : 어떤 일을 하기 위해서 다른 곳으로 이동하다.
　ゆく・いく【行く】
　何かをするために他の場所に移動する。

- -아요 : (두루높임으로) 어떤 사실을 서술하거나 질문, 명령, 권유함을 나타내는 종결 어미.
  ます。です。ますか。ですか。てください。
  (略待上称) ある事実を叙述したり質問、命令、勧誘する意を表す「終結語尾」 <しつもん【質問】>

< 대화(たいわ【対話】) > - 37

요새 아르바이트하느라 힘들지 않니?
요새 아르바이트하느라 힘들지 안니?
yosae areubaiteuhaneura himdeulji anni?

네. 아르바이트를 하면 경험을 쌓는 동시에 돈도 벌 수 있어서 좋아요.
네. 아르바이트를 하면 경허믈 싼는 동시에 돈도 벌 쑤 이써서 조아요.
ne. areubaiteureul hamyeon gyeongheomeul ssanneun dongsie dondo beol su isseoseo joayo.

< 설명(せつめい【説明】) / 번역(ほんやく【翻訳】) >

요새 아르바이트하+느라 힘들+[지 않]+니?

- **요새 (めいし)** : 얼마 전부터 이제까지의 매우 짧은 동안.
  このごろ【この頃】。ちかごろ【近頃】
  少し前の時から現在にかけての短期間。

- **아르바이트하다 (どうし)** : 짧은 기간 동안 돈을 벌기 위해 자신의 본업 외에 임시로 하는 일을 하다.
  アルバイトする。バイトする
  短い期間にお金を稼ぐために自分の本業とは別に臨時の仕事をする。

- **-느라** : 앞에 오는 말이 나타내는 행동이 뒤에 오는 말의 목적이나 원인이 됨을 나타내는 연결 어미.
  ために。ため
  前の言葉の表す行動が後にくる言葉の目的や原因になるという意を表す「連結語尾」。

- **힘들다 (けいようし)** : 힘이 많이 쓰이는 면이 있다.
  たいへんだ【大変だ】
  力を多く要するところがある。

- **-지 않다** : 앞의 말이 나타내는 행위나 상태를 부정하는 뜻을 나타내는 표현.
  ない。くない。ではない
  前の言葉の表す行為や状態を否定する意を表す表現。

- **-니** : (아주낮춤으로) 물음을 나타내는 종결 어미.
  か
  (下称) 質問の意を表す「終結語尾」。

네.

아르바이트+를 하+면 경험+을 쌓+[는 동시에]

돈+도 벌(버)+[ㄹ 수 있]+어서 좋+아요.
　　　　벌 수 있어서

・네 (かんどうし) : 윗사람의 물음이나 명령 등에 긍정하여 대답할 때 쓰는 말.
　はい。ええ
　目上の人からの質問や命令などに肯定の返事をする時にいう語。

・아르바이트 (めいし) : 돈을 벌기 위해 자신의 본업 외에 임시로 하는 일.
　アルバイト。バイト。ないしょく【内職】
　収入を得るために本業とは別の仕事を臨時にすること。

・를 : 동작이 직접적으로 영향을 미치는 대상을 나타내는 조사.
　を
　動作が直接的に影響を及ぼす対象を表す助詞。

・하다 (どうし) : 어떤 행동이나 동작, 활동 등을 행하다.
　する【為る】。やる【遣る】。なす【成す・為す】
　ある行動や動作、活動などを行う。

・-면 : 뒤에 오는 말에 대한 근거나 조건이 됨을 나타내는 연결 어미.
　たら。なら。というなら
　後にくる事柄に対する根拠や条件になるという意を表す「連結語尾」。

・경험 (めいし) : 자신이 실제로 해 보거나 겪어 봄. 또는 거기서 얻은 지식이나 기능.
　けいけん【経験】。たいけん【体験】。けんぶん【見聞】。エクスペリエンス
　自分が実際行ってみたり、体験してみること。また、そこから得られた知識や技能。

・을 : 동작이 직접적으로 영향을 미치는 대상을 나타내는 조사.
　を
　動作が直接的に影響を及ぼす対象を表す助詞。

・쌓다 (どうし) : 오랫동안 기술이나 경험, 지식 등을 많이 익히다.
　つむ【積む】
　時間をかけて技術や経験、知識などを身につける。

・-는 동시에 : 앞에 오는 말과 뒤에 오는 말이 나타내는 행동이나 상태가 함께 일어남을 나타내는 표현.
　とどうじに【と同時に】。とともに【と共に】
　前にくる言葉と、後にくる言葉の表す行動や状態が共に起こるという意を表す表現。

- 115 -

· 돈 (めいし) : 물건을 사고팔 때나 일한 값으로 주고받는 동전이나 지폐.
　かね【金】。おかね【お金】。かへい【貨幣】。きんせん【金銭】
　物の売り買いや、労働の代価としてやり取りする銅銭や紙幣。

· 도 : 이미 있는 어떤 것에 다른 것을 더하거나 포함함을 나타내는 조사.
　も
　既存の物事に他の物事を加えたり含ませたりするという意を表す助詞。

· 벌다 (どうし) : 일을 하여 돈을 얻거나 모으다.
　かせぐ【稼ぐ】。もうける【儲ける】
　仕事をして金を得たりためたりする。

· -ㄹ 수 있다 : 어떤 행동이나 상태가 가능함을 나타내는 표현.
　(ら)れる。ことができる
　ある行動や状態が可能であることを表す表現。

· -어서 : 이유나 근거를 나타내는 연결 어미.
　て。から。ので。ため。ゆえ【故】
　理由や根拠の意を表す「連結語尾」。

· 좋다 (けいようし) : 어떤 일이나 대상이 마음에 들고 만족스럽다.
　よい【良い・善い】。すきだ【好きだ】
　あることや対象が気に入って満足できる。

· -아요 : (두루높임으로) 어떤 사실을 서술하거나 질문. 명령. 권유함을 나타내는 종결 어미.
　ます。です。ますか。ですか。てください。
　(略待上称) ある事実を叙述したり質問、命令、勧誘する意を表す「終結語尾」。<じょじゅつ【叙述】>

< 대화(たいわ【対話】) > - 38

저는 지금부터 청소를 할게요.
저는 지금부터 청소를 할께요.
jeoneun jigeumbuteo cheongsoreul halgeyo.

그럼, 시우 씨가 청소하는 동안 저는 장을 보러 다녀올게요.
그럼, 시우 씨가 청소하는 동안 저는 장을 보러 다녀올께요.
geureom, siu ssiga cheongsohaneun dongan jeoneun jangeul boreo danyeoolgeyo.

< 설명(せつめい【説明】) / 번역(ほんやく【翻訳】) >

저+는 지금+부터 청소+를 <u>하+ㄹ게요</u>.
할게요

- 저 (だいめいし) : 말하는 사람이 듣는 사람에게 자신을 낮추어 가리키는 말.
  わたくし【私】
  目上の人に対して自分をへりくだっていう語。

- 는 : 문장 속에서 어떤 대상이 화제임을 나타내는 조사.
  は
  文の中で、ある対象が話題であることを表す助詞。

- 지금 (めいし) : 말을 하고 있는 바로 이때.
  いま【今】。ただいま【ただ今】
  話をしているこの瞬間。または即時に。

- 부터 : 어떤 일의 시작이나 처음을 나타내는 조사.
  から。より
  ある出来事の始まりや起点という意を表す助詞。

- 청소 (めいし) : 더럽고 지저분한 것을 깨끗하게 치움.
  せいそう【清掃】。そうじ【掃除】
  汚いものやゴミ、ほこりなどをきれいに取り去ること。

- 를 : 동작이 직접적으로 영향을 미치는 대상을 나타내는 조사.
  を
  動作が直接的に影響を及ぼす対象を表す助詞。

• 하다 (どうし) : 어떤 행동이나 동작, 활동 등을 행하다.
　する【為る】。やる【遣る】。なす【成す・為す】
　ある行動や動作、活動などを行う。

• -ㄹ게요 : (두루높임으로) 말하는 사람이 어떤 행동을 할 것을 듣는 사람에게 약속하거나 의지를 나타내
　　　　 는 표현.
　ます
　(略待上称) 話し手が聞き手に対してある行動をすると約束したり知らせたりする意を表す表現。

그럼, 시우 씨+가 청소하+[는 동안] 저+는 장+을 보+러 <u>다녀오+ㄹ게요</u>.
다녀올게요

• 그럼 (ふくし) : 앞의 내용을 받아들이거나 그 내용을 바탕으로 하여 새로운 주장을 할 때 쓰는 말.
　では
　前の内容を受け入れたり、その内容に基づいて新しい主張をしたりする時に用いる語。

• 시우 (めいし) : じんめい【人名】

• 씨 (めいし) : 그 사람을 높여 부르거나 이르는 말.
　し【氏】。さん
　その人を高めて呼んだり指していう語。

• 가 : 어떤 상태나 상황에 놓인 대상이나 동작의 주체를 나타내는 조사.
　が
　ある状態や状況に置かれた対象、または動作の主体を表す助詞。

• 청소하다 (どうし) : 더럽고 지저분한 것을 깨끗하게 치우다.
　せいそうする【清掃する】。そうじする【掃除する】
　汚いものやゴミ、ほこりなどをきれいに取り去る。

• -는 동안 : 앞에 오는 말이 나타내는 행동이나 상태가 계속되는 시간 만큼을 나타내는 표현.
　あいだ【間】。うち【内】
　前の言葉の表す行動や状態が続いている間という意を表す表現。

• 저 (だいめいし) : 말하는 사람이 듣는 사람에게 자신을 낮추어 가리키는 말.
　わたくし【私】
　目上の人に対して自分をへりくだっていう語。

• 는 : 문장 속에서 어떤 대상이 화제임을 나타내는 조사.
　は
　文の中で、ある対象が話題であることを表す助詞。

- **장 (めいし)** : 여러 가지 상품을 사고파는 곳.
 いちば【市場・市庭】。マーケット
 様々な物を売買する場所。

- **을** : 동작이 직접적으로 영향을 미치는 대상을 나타내는 조사.
 を
 動作が直接的に影響を及ぼす対象を表す助詞。

- **보다 (どうし)** : 시장에 가서 물건을 사다.
 かいものをする【買い物をする】
 市場へ行って品物を買う。

- **-러** : 가거나 오거나 하는 동작의 목적을 나타내는 연결 어미.
 …に
 行く、または来る動作の目的の意を表す「連結語尾」。

- **다녀오다 (どうし)** : 어떤 일을 하기 위해 갔다가 오다.
 いってくる【行って来る】
 何かをするために行って帰ってくる。

- **-ㄹ게요** : (두루높임으로) 말하는 사람이 어떤 행동을 할 것을 듣는 사람에게 약속하거나 의지를 나타내는 표현.
 ます
 (略待上称) 話し手が聞き手に対してある行動をすると約束したり知らせたりする意を表す表現。

< 대화(たいわ【対話】) > - 39

지우는 어디 갔어? 아까부터 안 보이네.
지우는 어디 가써? 아까부터 안 보이네.
jiuneun eodi gasseo? akkabuteo an boine.

글쎄, 급한 일이 있는 듯 뛰어가더라.
글쎄, 그판 이리 인는 듣 뛰어가더라.
geulsse, geupan iri inneun deut ttwieogadeora.

< 설명(せつめい【説明】) / 번역(ほんやく【翻訳】) >

지우+는 어디 가+았+어?
　　　　　　　갔어

아까+부터 안 보이+네.

・지우 (めいし) : じんめい【人名】

・는 : 문장 속에서 어떤 대상이 화제임을 나타내는 조사.
は
文の中で、ある対象が話題であることを表す助詞。

・어디 (だいめいし) : 모르는 곳을 가리키는 말.
どこ
知らない場所を指す語。

・가다 (どうし) : 한 곳에서 다른 곳으로 장소를 이동하다.
ゆく・いく【行く】。うつる【移る】
ある場所から他の場所へ移動する。

・-았- : 어떤 사건이 과거에 완료되었거나 그 사건의 결과가 현재까지 지속되는 상황을 나타내는 어미.
た。ている
ある出来事が過去に完了したことや、その出来事の結果が現在まで持続している状況を表す語尾。

・-어 : (두루낮춤으로) 어떤 사실을 서술하거나 물음, 명령, 권유를 나타내는 종결 어미.
のか。なさい。よう。ましょう
(略待下称) ある事実を叙述したり、質問・命令・勧誘の意を表す「終結語尾」。<とい【問い】>

- **아까 (めいし)** : 조금 전.
  さっき。さきほど【先程】。すこしまえ【少し前】
  今から少し前の時。

- **부터** : 어떤 일의 시작이나 처음을 나타내는 조사.
  から。より
  ある出来事の始まりや起点という意を表す助詞。

- **안 (ふくし)** : 부정이나 반대의 뜻을 나타내는 말.
  対訳語無し
  否定や反対の意を表す語。

- **보이다 (どうし)** : 눈으로 대상의 존재나 겉모습을 알게 되다.
  みえる【見える】
  目で対象の存在や見かけが分かるようになる。

- **-네** : (아주낮춤으로) 지금 깨달은 일에 대하여 말함을 나타내는 종결 어미.
  (だ)なあ。(だ)ね。(なの)か。(だ)よ
  (下称) その場で悟った事について述べるという意を表す「終結語尾」。

글쎄, 급하+ㄴ 일+이 있+[는 듯] 뛰어가+더라.
　　　급한

- **글쎄 (かんどうし)** : 상대방의 물음이나 요구에 대하여 분명하지 않은 태도를 나타낼 때 쓰는 말.
  さあ
  相手の質問や要求に対してはっきりしない態度を示す時にいう語。

- **급하다 (けいようし)** : 사정이나 형편이 빨리 처리해야 할 상태에 있다.
  いそぎだ【急ぎだ】
  事情や都合上、速く処理しなければならない状態にある。

- **-ㄴ** : 앞의 말이 관형어의 기능을 하게 만들고 현재의 상태를 나타내는 어미.
  た
  前の言葉に連体修飾語の機能を持たせ、現在の状態を表す「語尾」。

- **일 (めいし)** : 어떤 내용을 가진 상황이나 사실.
  こと【事】
  内容のある状況や事実。

- **이** : 어떤 상태나 상황의 대상이나 동작의 주체를 나타내는 조사.
  が
  ある状態・状況の対象や動作の主体を表す助詞。

・있다 (けいようし) : 어떤 일이 이루어지거나 벌어질 계획이다.
　ある【有る・在る】
　何かが行われたり発生したりする計画だ。

・-는 듯 : 뒤에 오는 말의 내용과 관련하여 짐작할 수 있거나 비슷하다고 여겨지는 상태나 상황을 나타
　　　　　낼 때 쓰는 표현.
　ように。みたいに。らしく
　後に述べる事柄と関連して、見当がついたり似ていると思われる状態や状況を表すのに用いる表現。

・뛰어가다 (どうし) : 어떤 곳으로 빨리 뛰어서 가다.
　はしっていく【走って行く】。かける【駆ける】。かけよる【駆け寄る】。かけつける【駆付ける】。
　とんでいく【飛んで行く】
　どこかに速く走って行く。

・-더라 : (아주낮춤으로) 말하는 이가 직접 경험하여 새롭게 알게 된 사실을 지금 전달함을 나타내는 종
　　　　결 어미.
　たよ。ていたよ
　(下称) 話し手が直接経験して新しく知った事実を今伝えるという意を表す「終結語尾」。

< 대화(たいわ【対話】) > - 40

지아 씨, 어디서 타는 듯한 냄새가 나요.
지아 씨, 어디서 타는 드탄 냄새가 나요.
jia ssi, eodiseo taneun deutan naemsaega nayo.

어머, 냄비를 불에 올려놓고 깜빡 잊어버렸네요.
어머, 냄비를 부레 올려노코 깜빡 이저버련네요.
eomeo, naembireul bure ollyeonoko kkamppak ijeobeoryeonneyo.

< 설명(せつめい【説明】) / 번역(ほんやく【翻訳】) >

지아 씨, 어디+서 <u>타+[는 듯하]+ㄴ</u> 냄새+가 <u>나+(아)요</u>.
타는 듯한   나요

- **지아 (めいし)** : じんめい【人名】

- **씨 (めいし)** : 그 사람을 높여 부르거나 이르는 말.
  し【氏】。さん
  その人を高めて呼んだり指していう語。

- **어디 (だいめいし)** : 정해져 있지 않거나 정확하게 말할 수 없는 어느 곳을 가리키는 말.
  どこか
  決まっていないか、はっきり言えない、ある場所を指す語。

- **서** : 앞말이 출발점의 뜻을 나타내는 조사.
  から。より
  前の言葉が起点であることを表す助詞。

- **타다 (どうし)** : 뜨거운 열을 받아 검은색으로 변할 정도로 지나치게 익다.
  こげる【焦げる】
  熱い熱を受けて、黒色になるほどに焼けすぎる。

- **-는 듯하다** : 앞에 오는 말의 내용을 추측함을 나타내는 표현.
  ようだ。みたいだ。らしい。とみえる【と見える】
  前の言葉の表す内容を推測するという意を表す表現。

- -ㄴ : 앞의 말이 관형어의 기능을 하게 만들고 현재의 상태를 나타내는 어미.
  た
  前の言葉に連体修飾語の機能を持たせ、現在の状態を表す「語尾」。

- 냄새 (めいし) : 코로 맡을 수 있는 기운.
  におい【匂い・臭い】
  鼻で感じられるもの。

- 가 : 어떤 상태나 상황에 놓인 대상이나 동작의 주체를 나타내는 조사.
  が
  ある状態や状況に置かれた対象、または動作の主体を表す助詞。

- 나다 (どうし) : 알아차릴 정도로 소리나 냄새 등이 드러나다.
  する
  音や臭いなどがおのずと感じられる。

- -아요 : (두루높임으로) 어떤 사실을 서술하거나 질문, 명령, 권유함을 나타내는 종결 어미.
  ます。です。ますか。ですか。てください。
  (略待上称) ある事実を叙述したり質問、命令、勧誘する意を表す「終結語尾」。<じょじゅつ【叙述】>

어머, 냄비+를 불+에 올려놓+고 깜빡 <u>잊어버리+었+네요</u>.
잊어버렸네요

- 어머 (かんどうし) : 주로 여자들이 예상하지 못한 일로 갑자기 놀라거나 감탄할 때 내는 소리.
  あら。まあ
  主に女性が、予想外のことにより驚いたり感心したりしたときに発する声。

- 냄비 (めいし) : 음식을 끓이는 데 쓰는, 솥보다 작고 뚜껑과 손잡이가 있는 그릇.
  なべ【鍋】
  食べ物を沸かすときに使う窯より小さく、蓋と取っ手のある容器。

- 를 : 동작이 직접적으로 영향을 미치는 대상을 나타내는 조사.
  を
  動作が直接的に影響を及ぼす対象を表す助詞。

- 불 (めいし) : 물질이 빛과 열을 내며 타는 것.
  ひ【火】
  物質が光と熱を出して燃えること。

- 에 : 앞말이 어떤 행위나 작용이 미치는 대상임을 나타내는 조사.
  に
  前の言葉が行為や作用が影響を及ぼす対象であることを表す助詞。

- **올려놓다 (どうし)** : 어떤 물건을 무엇의 위쪽에 옮겨다 두다.

  あげる【上げる・揚げる】。のせる【載せる】

  ある物を何かの上に移しておく。

- **-고** : 앞의 말이 나타내는 행동이나 그 결과가 뒤에 오는 행동이 일어나는 동안에 그대로 지속됨을 나타내는 연결 어미.

  て

  前の言葉の表す動作やその結果が、

  次にくる動作が行われる間にもそのまま持続されるという意を表す「連結語尾」。

- **깜빡 (ふくし)** : 기억이나 의식 등이 잠깐 흐려지는 모양.

  うっかり

  記憶や意識などが瞬間、ぼやけてしまうさま。

- **잊어버리다 (どうし)** : 기억해야 할 것을 한순간 전혀 생각해 내지 못하다.

  わすれる【忘れる】

  覚えておくべきことをまったく思い出さないでいる。

- **-었-** : 어떤 사건이 과거에 완료되었거나 그 사건의 결과가 현재까지 지속되는 상황을 나타내는 어미.

  た。ている

  ある出来事が過去に完了したことや、その出来事の結果が現在まで持続している状況を表す語尾。

- **-네요** : (두루높임으로) 말하는 사람이 직접 경험하여 새롭게 알게 된 사실에 대해 감탄함을 나타낼 때 쓰는 표현.

  ですね。ますね

  (略待上称) 話し手が直接経験して新しく知ったことについて感嘆する意を表すのに用いる表現。

< 대화(たいわ【対話】) > - 41

너 왜 저녁을 다 안 먹고 남겼니?
너 왜 저녀글 다 안 먹꼬 남견니?
neo wae jeonyeogeul da an meokgo namgyeonni?

저는 먹는 만큼 살이 쪄서 식사량을 줄여야겠어요.
저는 멍는 만큼 사리 쪄서 식싸량을 주려야게써요.
jeoneun meongneun mankeum sari jjeoseo siksaryangeul juryeoyagesseoyo.

< 설명(せつめい【説明】) / 번역(ほんやく【翻訳】) >

너 왜 저녁+을 다 안 먹+고 남기+었+니?
남겼니

• 너 (だいめいし) : 듣는 사람이 친구나 아랫사람일 때, 그 사람을 가리키는 말.
  おまえ【お前】。きみ【君】
  聞き手が友人か目下の人である場合、その聞き手をさす語。

• 왜 (ふくし) : 무슨 이유로. 또는 어째서.
  なぜ【何故】。どうして。なんで【何で】
  どういう理由で。また、何ゆえ。

• 저녁 (めいし) : 저녁에 먹는 밥.
  ゆうしょく【夕食】。ゆうはん【夕飯】
  夕方にとる食事。

• 을 : 동작이 직접적으로 영향을 미치는 대상을 나타내는 조사.
  を
  動作が直接的に影響を及ぼす対象を表す助詞。

• 다 (ふくし) : 남거나 빠진 것이 없이 모두.
  ぜんぶ【全部】。すべて【全て】。みな【皆】。のこらず【残らず】。もれなく
  残ったり、漏れたものがなく、全て。

• 안 (ふくし) : 부정이나 반대의 뜻을 나타내는 말.
  対訳語無し
  否定や反対の意を表す語。

- 먹다 (どうし) : 음식 등을 입을 통하여 배 속에 들여보내다.
  たべる【食べる】。くう【食う・喰う】。くらう【食らう】
  食べ物を口の中に入れて飲み込む。

- -고 : 앞의 말과 뒤의 말이 차례대로 일어남을 나타내는 연결 어미.
  て
  前の事柄と後の事柄が順次に起こるという意を表す「連結語尾」。

- 남기다 (どうし) : 다 쓰지 않고 나머지가 있게 하다.
  のこす【残す】。とりのこす【取り残す】。あます【余す】
  使い切らず、残るようにする。

- -었- : 어떤 사건이 과거에 완료되었거나 그 사건의 결과가 현재까지 지속되는 상황을 나타내는 어미.
  た。ている
  ある出来事が過去に完了したことや、その出来事の結果が現在まで持続している状況を表す語尾。

- -니 : (아주낮춤으로) 물음을 나타내는 종결 어미.
  か
  (下称) 質問の意を表す「終結語尾」。

저+는 먹+[는 만큼] 살+이 찌+어서 식사량+을 줄이+어야겠+어요.
쪄서   줄여야겠어요

- 저 (だいめいし) : 말하는 사람이 듣는 사람에게 자신을 낮추어 가리키는 말.
  わたくし【私】
  目上の人に対して自分をへりくだっていう語。

- 는 : 문장 속에서 어떤 대상이 화제임을 나타내는 조사.
  は
  文の中で、ある対象が話題であることを表す助詞。

- 먹다 (どうし) : 음식 등을 입을 통하여 배 속에 들여보내다.
  たべる【食べる】。くう【食う・喰う】。くらう【食らう】
  食べ物を口の中に入れて飲み込む。

- -는 만큼 : 뒤에 오는 말이 앞에 오는 말과 비례하거나 비슷한 정도 혹은 수량임을 나타내는 표현.
  だけ。ほど。くらい
  後に述べる事柄が前に述べる事柄と比例するか、ほぼ同じような程度や数量であるという意を表す表現。

- 살 (めいし) : 사람이나 동물의 몸에서 뼈를 둘러싸고 있는 부드러운 부분.
  にく【肉】
  人間や動物の体で骨を囲む柔らかい部分。

・이 : 어떤 상태나 상황의 대상이나 동작의 주체를 나타내는 조사.
　が
　ある状態・状況の対象や動作の主体を表す助詞。

・찌다 (どうし) : 몸에 살이 붙어 뚱뚱해지다.
　ふとる【太る】。にくがつく【肉が付く】
　体に肉が付いて太る。

・-어서 : 이유나 근거를 나타내는 연결 어미.
　て。から。ので。ため。ゆえ【故】
　理由や根拠の意を表す「連結語尾」。

・식사량 (めいし) : 음식을 먹는 양.
　しょくじりょう【食事量】
　食物を食べる量。

・을 : 동작이 직접적으로 영향을 미치는 대상을 나타내는 조사.
　を
　動作が直接的に影響を及ぼす対象を表す助詞。

・줄이다 (どうし) : 수나 양을 원래보다 적게 하다.
　へらす【減らす】。げんしょうさせる【減少させる】。さげる【下げる】
　物の数量を元の水準より少なくする。

・-어야겠- : 앞의 말이 나타내는 행동에 대한 강한 의지를 나타내거나 그 행동을 할 필요가 있음을 완곡
　　　　　　하게 말할 때 쓰는 표현.
　ないと。しようと
　前の言葉の表す行動に対する強い意志を表したり、
　その行動をする必要があることを婉曲にいうのに用いる表現。

・-어요 : (두루높임으로) 어떤 사실을 서술하거나 질문, 명령, 권유함을 나타내는 종결 어미.
　ます。です。ますか。ですか。てください
　(略待上称) ある事実を叙述したり質問、命令、勧誘する意を表す「終結語尾」。<じょじゅつ【叙述】>

< 대화(たいわ【対話】) > - 42

이 늦은 시간에 라면을 먹어?
이 느즌 시가네 라며늘 머거?
i neujeun sigane ramyeoneul meogeo?

야근하느라 저녁도 못 먹는 바람에 배고파 죽겠어.
야근하느라 저녁또 몯 멍는 바라메 배고파 죽께써.
yageunhaneura jeonyeokdo mot meongneun barame baegopa jukgesseo.

< 설명(せつめい【説明】) / 번역(ほんやく【翻訳】) >

이 늦+은 시간+에 라면+을 먹+어?

- **이 (かんけいし)** : 말하는 사람에게 가까이 있거나 말하는 사람이 생각하고 있는 대상을 가리킬 때 쓰는 말.
  この
  話し手の近くにあるか、話し手が考えている対象を指す語。

- **늦다 (けいようし)** : 적당한 때를 지나 있다. 또는 시기가 한창인 때를 지나 있다.
  おそい【遅い】
  適当な時期が過ぎている。また、盛期が過ぎている。

- **-은** : 앞의 말이 관형어의 기능을 하게 만들고 현재의 상태를 나타내는 어미.
  た。ている
  前の言葉に連体修飾語の機能を持たせ、現在の状態の意を表す語尾。

- **시간 (めいし)** : 어떤 일을 하도록 정해진 때. 또는 하루 중의 어느 한 때.
  じかん【時間】。とき【時】
  ある事を行うように定められた時。または、一日中のある時。

- **에** : 앞말이 시간이나 때임을 나타내는 조사.
  に
  前の言葉が時間や時期であることを表す助詞。

- **라면 (めいし)** : 기름에 튀겨 말린 국수와 가루 스프가 들어 있어서 물에 끓이기만 하면 간편하게 먹을 수 있는 음식.
  インスタントラーメン。そくせきラーメン【即席ラーメン】
  油で揚げた麺塊と粉末スープが入っていて熱湯に入れて煮るだけで簡単に食べられる料理。

- 을 : 동작이 직접적으로 영향을 미치는 대상을 나타내는 조사.
  を
  動作が直接的に影響を及ぼす対象を表す助詞。

- 먹다 (どうし) : 음식 등을 입을 통하여 배 속에 들여보내다.
  たべる【食べる】。くう【食う・喰う】。くらう【食らう】
  食べ物を口の中に入れて飲み込む。

- -어 : (두루낮춤으로) 어떤 사실을 서술하거나 물음, 명령, 권유를 나타내는 종결 어미.
  のか。なさい。よう。ましょう
  (略待下称) ある事実を叙述したり、質問・命令・勧誘の意を表す「終結語尾」。くとい【問い】

야근하+느라고 저녁+도 못 먹+[는 바람에] 배고프(배고프)+[아 죽]+겠+어.
배고파 죽겠어

- 야근하다 (どうし) : 퇴근 시간이 지나 밤늦게까지 일하다.
  ざんぎょうする【残業する】
  退勤する時刻を過ぎてからも残って夜遅くまで働く。

- -느라고 : 앞에 오는 말이 나타내는 행동이 뒤에 오는 말의 목적이나 원인이 됨을 나타내는 연결 어미.
  ために。ため
  前の言葉の表す行動が後にくる言葉の目的や原因になるという意を表す「連結語尾」。

- 저녁 (めいし) : 저녁에 먹는 밥.
  ゆうしょく【夕食】。ゆうはん【夕飯】
  夕方にとる食事。

- 도 : 극단적인 경우를 들어 다른 경우는 말할 것도 없음을 나타내는 조사.
  も。すら。さえ。まで
  極端な場合を例にあげて、他の場合は言うまでもないという意を表す助詞。

- 못 (ふくし) : 동사가 나타내는 동작을 할 수 없게.
  対訳語無し
  動詞が表す動作が不可能であるさま。

- 먹다 (どうし) : 음식 등을 입을 통하여 배 속에 들여보내다.
  たべる【食べる】。くう【食う・喰う】。くらう【食らう】
  食べ物を口の中に入れて飲み込む。

- -는 바람에 : 앞의 말이 나타내는 행동이나 상태가 뒤에 오는 말의 원인이나 이유가 됨을 나타내는 표현.
  はずみに。ひょうしに【拍子に】。ので。ため。せいで
  前に述べる事柄が後に述べる事柄の原因や理由になるという意を表す表現。

· **배고프다 (けいようし)** : 배 속이 빈 것을 느껴 음식이 먹고 싶다.
　くうふくだ【空腹だ】。おなかがすいている【お腹がすいている】
　空腹感を感じて食べ物を食べたい。

· **-아 죽다** : 앞의 말이 나타내는 상태의 정도가 매우 심함을 나타내는 표현.
　てたまらない。てしにそうだ【て死にそうだ】
　前の言葉の表す状態の程度が極めてひどいという意を表す表現。

· **-겠-** : 미래의 일이나 추측을 나타내는 어미.
　だろう
　未来の事や推量を表す語尾。

· **-어** : (두루낮춤으로) 어떤 사실을 서술하거나 물음, 명령, 권유를 나타내는 종결 어미.
　のか。なさい。よう。ましょう
　(略待下称) ある事実を叙述したり、質問・命令・勧誘の意を表す「終結語尾」。 **<じょじゅつ【叙述】>**

< 대화(たいわ【対話】) > - 43

겨울이 가면 봄이 오는 법이야. 힘들다고 포기하면 안 돼.
겨우리 가면 보미 오는 버비야. 힘들다고 포기하면 안 돼.
gyeouri gamyeon bomi oneun beobiya. himdeuldago pogihamyeon an dwae.

고마워. 네 말에 다시 힘이 나는 것 같아.
고마워. 네 마레 다시 히미 나는 걸 가타.
gomawo. ne mare dasi himi naneun geot gata.

< 설명(せつめい【説明】) / 번역(ほんやく【翻訳】) >

겨울+이 가+면 봄+이 오+[는 법이]+야.

힘들+다고 포기하+[면 안 되]+어.
　　　　　　포기하면 안 돼

- **겨울 (めいし)** : 네 계절 중의 하나로 가을과 봄 사이의 추운 계절.
  ふゆ【冬】。とうき【冬季】
  四季の中で最も寒く、秋と春の間の季節。

- **이** : 어떤 상태나 상황의 대상이나 동작의 주체를 나타내는 조사.
  が
  ある状態・状況の対象や動作の主体を表す助詞。

- **가다 (どうし)** : 시간이 지나거나 흐르다.
  ゆく・いく【行く】。たつ【経つ】
  時間が過ぎたり、流れたりする。

- **-면** : 뒤에 오는 말에 대한 근거나 조건이 됨을 나타내는 연결 어미.
  たら。なら。というなら
  後にくる事柄に対する根拠や条件になるという意を表す「連結語尾」。

- **봄 (めいし)** : 네 계절 중의 하나로 겨울과 여름 사이의 계절.
  はる【春】
  四季の一つで、冬と夏の間の季節。

- 이 : 어떤 상태나 상황의 대상이나 동작의 주체를 나타내는 조사.
  が
  ある状態・状況の対象や動作の主体を表す助詞。

- 오다 (どうし) : 어떤 때나 계절 등이 닥치다.
  くる【来る】。めぐってくる【巡ってくる】
  ある時・季節などに至る。

- -는 법이다 : 앞의 말이 나타내는 동작이나 상태가 이미 그렇게 정해져 있거나 그런 것이 당연하다는
  뜻을 나타내는 표현.
  ものだ
  前の言葉の表す動作や状態がすでに決められたものであるか、それが当然だという意を表す表現。

- -야 : (두루낮춤으로) 어떤 사실에 대하여 서술하거나 물음을 나타내는 종결 어미.
  だよ。なのよ
  (略待下称) ある事実について叙述したり質問する意を表す「終結語尾」。<じょじゅつ【叙述】>

- 힘들다 (けいようし) : 마음이 쓰이거나 수고가 되는 면이 있다.
  たいへんだ【大変だ】。むずかしい【難しい】
  気にかかることや、手間がかかるところがある。

- -다고 : 어떤 행위의 목적, 의도를 나타내거나 어떤 상황의 이유, 원인을 나타내는 연결 어미.
  といって
  ある行為の目的・意図、またはある状況の理由・原因の意を表す「連結語尾」。

- 포기하다 (どうし) : 하려던 일이나 생각을 중간에 그만두다.
  あきらめる【諦める】。ほうきする【放棄する】。ギブアップする
  しようとしていたことや考えなどを途中でやめる。

- -면 안 되다 : 어떤 행동이나 상태를 금지하거나 제한함을 나타내는 표현.
  てはいけない。てはならない。
  ある行動や状態を禁止したり制限するという意を表す表現。

- -어 : (두루낮춤으로) 어떤 사실을 서술하거나 물음, 명령, 권유를 나타내는 종결 어미.
  のか。なさい。よう。ましょう
  (略待下称) ある事実を叙述したり、質問・命令・勧誘の意を表す「終結語尾」。<めいれい【命令】>

고맙(고마우)+어.
　　고마워

너+의 말+에 다시 힘+이 나+[는 것 같]+아.
　　네

- **고맙다 (けいようし)** : 남이 자신을 위해 무엇을 해주어서 마음이 흐뭇하고 보답하고 싶다.
  ありがたい【有難い】
  他人が自分に何かしてくれたことに対して、嬉しく恩返ししたいと思う。

- **-어** : (두루낮춤으로) 어떤 사실을 서술하거나 물음. 명령. 권유를 나타내는 종결 어미.
  のか。なさい。よう。ましょう
  (略待下称) ある事実を叙述したり、質問・命令・勧誘の意を表す「終結語尾」。<じょじゅつ【叙述】>

- **너 (だいめいし)** : 듣는 사람이 친구나 아랫사람일 때, 그 사람을 가리키는 말.
  おまえ【お前】。きみ【君】
  聞き手が友人か目下の人である場合、その聞き手をさす語。

- **의** : 앞의 말이 뒤의 말에 대하여 소유, 소속, 소재, 관계, 기원, 주체의 관계를 가짐을 나타내는 조사.
  の
  前の言葉が後ろの言葉に対し、所有、所在、関係、起源、主体の関係を持つことを表す助詞。

- **말 (めいし)** : 생각이나 느낌을 표현하고 전달하는 사람의 소리.
  ことば【言葉】
  考えや感情を表現して伝える人の音声。

- **에** : 앞말이 어떤 일의 원인임을 나타내는 조사.
  に。で
  前の言葉が原因であることを表す助詞。

- **다시 (ふくし)** : 방법이나 목표 등을 바꿔서 새로이.
  さいど【再度】。もういちど【もう一度】
  方法や目標などを変えて新たに。

- **힘 (めいし)** : 용기나 자신감.
  ちから【力】
  勇気や自信。

- **이** : 어떤 상태나 상황의 대상이나 동작의 주체를 나타내는 조사.
  が
  ある状態・状況の対象や動作の主体を表す助詞。

- **나다 (どうし)** : 어떤 감정이나 느낌이 생기다.
  うまれる【生まれる】。おこる【起こる】
  ある感情や感じが生じる。

- **-는 것 같다** : 추측을 나타내는 표현.
  ようだ。らしい。みたいだ。とおもう【と思う】。ではないかとおもう【ではないかと思う】
  推測の意を表す表現。

• -아 : (두루낮춤으로) 어떤 사실을 서술하거나 물음, 명령, 권유를 나타내는 종결 어미.
  する。である。するのか。しなさい。しよう。しましょう
  (略待下称) ある事実を叙述したり質問・命令・勧誘の意を表す「終結語尾」。<じょじゅつ【叙述】>

< 대화(たいわ【対話】) > - 44

재는 도대체 여기 언제 온 거야?
재는 도대체 여기 언제 온 거야?
jyaeneun dodaeche yeogi eonje on geoya?

아까 네가 잠깐 조는 사이에 왔을걸.
아까 네가 잠깐 조는 사이에 와쓸껄.
akka nega jamkkan joneun saie wasseulgeol.

< 설명(せつめい【説明】) / 번역(ほんやく【翻訳】) >

재+는 도대체 여기 언제 오+[ㄴ 것(거)]+(이)+야?
온 거야

- 재 (しゅくやくご) : '저 아이'가 줄어든 말.
  あれ【彼】
  「저(あれ【彼】) 아이(だいさんしゃ【第三者】)」の略。

- 는 : 문장 속에서 어떤 대상이 화제임을 나타내는 조사.
  は
  文の中で、ある対象が話題であることを表す助詞。

- 도대체 (ふくし) : 아주 궁금해서 묻는 말인데.
  いったい【一体】
  本当に知りたくて尋ねるのですが。

- 여기 (だいめいし) : 말하는 사람에게 가까운 곳을 가리키는 말.
  ここ
  話し手に近い所をさしていう語。

- 언제 (ふくし) : 알지 못하는 어느 때에.
  いつ【何時】
  知らないある時に。

- 오다 (どうし) : 무엇이 다른 곳에서 이곳으로 움직이다.
  くる【来る】。ちかづく【近づく】。やってくる
  何かが他の場所からこちらの方へ動く。

• -ㄴ 것 : 명사가 아닌 것을 문장에서 명사처럼 쓰이게 하거나 '이다' 앞에 쓰일 수 있게 할 때 쓰는 표
　　　　현.
　こと。の。もの
　名詞でないものを文中で名詞化し、「이다」の前にくるようにするのに用いる表現。

• 이다 : 주어가 지시하는 대상의 속성이나 부류를 지정하는 뜻을 나타내는 서술격 조사.
　だ。である
　主語が指す対象の属性や部類を指定する意を表す叙述格助詞。

• -야 : (두루낮춤으로) 어떤 사실에 대하여 서술하거나 물음을 나타내는 종결 어미.
　だよ。なのよ
　(略待下称) ある事実について叙述したり質問する意を表す「終結語尾」。<とい【問い】>

아까 네+가 잠깐 졸(조)+[는 사이]+에 오+았+을걸.
조는 사이에　　　왔을걸

• 아까 (ふくし) : 조금 전에.
　さっき【先】。さきほど【先程】。せんこく【先刻】
　少し前に。

• 네 (だいめいし) : '너'에 조사 '가'가 붙을 때의 형태.
　おまえ【お前】。きみ【君】
　二人称代名詞「너」に主格助詞「가」があとにつく場合の形。

• 가 : 어떤 상태나 상황에 놓인 대상이나 동작의 주체를 나타내는 조사.
　が
　ある状態や状況に置かれた対象、または動作の主体を表す助詞。

• 잠깐 (ふくし) : 아주 짧은 시간 동안에.
　ちょっと【一寸・鳥渡】。すこし【少し】
　ごく短い間に。

• 졸다 (どうし) : 완전히 잠이 들지는 않으면서 자꾸 잠이 들려는 상태가 되다.
　いねむる【居眠る】。いねむりする【居眠りする】。うとうとする
　浅い眠りに落ちている状態になる。

• -는 사이 : 어떤 행동이나 상황이 일어나는 중간의 어느 짧은 시간을 나타내는 표현.
　あいだ・ま【間】。うち【内】
　ある行動や状況が起こる間の短い時間を表す表現。

• 에 : 앞말이 시간이나 때임을 나타내는 조사.
　に
　前の言葉が時間や時期であることを表す助詞。

· 오다 (どうし) : 무엇이 다른 곳에서 이곳으로 움직이다.
　くる【来る】。ちかづく【近づく】。やってくる
　何かが他の場所からこちらの方へ動く。

· -았- : 어떤 사건이 과거에 완료되었거나 그 사건의 결과가 현재까지 지속되는 상황을 나타내는 어미.
　た。ている
　ある出来事が過去に完了したことや、その出来事の結果が現在まで持続している状況を表す語尾。

· -을걸 : (두루낮춤으로) 미루어 짐작하거나 추측함을 나타내는 종결 어미.
　だろう。とおもう【と思う】
　(略待下称) 推し量ったり推測する意を表す「終結語尾」。

< 대화(たいわ【対話】) > - 45

오빠, 저 내일 친구들이랑 스키 타러 갈 거예요.
오빠, 저 내일 친구드리랑 스키 타러 갈 꺼예요.
oppa, jeo naeil chingudeurirang seuki tareo gal geoyeyo.

그래? 자칫하면 다칠 수 있으니까 조심해라.
그래? 자치타면 다칠 쑤 이쓰니까 조심해라.
geurae? jachitamyeon dachil su isseunikka josimhaera.

< 설명(せつめい【説明】) / 번역(ほんやく【翻訳】) >

오빠, 저 내일 친구+들+이랑 스키 타+러 가+[ㄹ 것(거)]+이+에요.
갈 거예요

- 오빠 (めいし) : 여자가 자기보다 나이 많은 남자를 다정하게 이르거나 부르는 말.
  対訳語無し
  女の人が自分より年上の男の人を親しみをこめて指したり呼ぶ語。

- 저 (だいめいし) : 말하는 사람이 듣는 사람에게 자신을 낮추어 가리키는 말.
  わたくし【私】
  目上の人に対して自分をへりくだっていう語。

- 내일 (ふくし) : 오늘의 다음 날에.
  あした【明日】
  今日の翌日に。

- 친구 (めいし) : 사이가 가까워 서로 친하게 지내는 사람.
  とも【友】。ともだち【友達】。ゆうじん【友人】。ほうゆう【朋友】
  関係が近くて、親しく交わっている人。

- 들 : '복수'의 뜻을 더하는 접미사.
  たち・ら【達】
  「複数」の意を付加する接尾辞。

- 이랑 : 어떤 일을 함께 하는 대상임을 나타내는 조사.
  と
  ある動作を一緒に行う対象であるという意を表す助詞。

• 스키 (めいし) : 눈 위로 미끄러져 가도록 나무나 플라스틱으로 만든 좁고 긴 기구.
　スキー
　雪上を滑走するために木やプラスチックで作った細長い板状の用具。

• 타다 (どうし) : 바닥이 미끄러운 곳에서 기구를 이용해 미끄러지다.
　すべる【滑る】
　地面が滑らかな所で器具を利用して滑走する。

• -러 : 가거나 오거나 하는 동작의 목적을 나타내는 연결 어미.
　…に
　行く、または来る動作の目的の意を表す「連結語尾」。

• 가다 (どうし) : 어떤 목적을 가지고 일정한 곳으로 움직이다.
　ゆく・いく【行く】
　ある目的で一定の場所に移動する。

• -ㄹ 것 : 명사가 아닌 것을 문장에서 명사처럼 쓰이게 하거나 '이다' 앞에 쓰일 수 있게 할 때 쓰는 표
　　　　현.
　こと。の。もの
　名詞でないものを文中で名詞化し、「이다」の前にくるようにするのに用いる表現。

• 이다 : 주어가 지시하는 대상의 속성이나 부류를 지정하는 뜻을 나타내는 서술격 조사.
　だ。である
　主語が指す対象の属性や部類を指定する意を表す叙述格助詞。

• -에요 : (두루높임으로) 어떤 사실을 서술하거나 질문함을 나타내는 종결 어미.
　ます。です。ますか。ですか
　(略待上称) ある事実を叙述したり質問する意を表す「終結語尾」。<じょじゅつ【叙述】>

그래?

자칫하+면 다치+[ㄹ 수 있]+으니까 조심하+여라.
　　　　　다칠 수 있으니까　　　조심해라

• 그래 (かんどうし) : 상대편의 말에 대한 감탄이나 가벼운 놀라움을 나타낼 때 쓰는 말.
　そう。うそ。それで
　相手の話に対する感嘆や軽い驚きを示す時にいう語。

• 자칫하다 (どうし) : 어쩌다가 조금 어긋나거나 잘못되다.
　ひょっとする
　思いがけなく、すこし狂ったり間違ったりする。

- -면 : 뒤에 오는 말에 대한 근거나 조건이 됨을 나타내는 연결 어미.
  たら。 なら。 というなら
  後にくる事柄に対する根拠や条件になるという意を表す「連結語尾」。

- 다치다 (どうし) : 부딪치거나 맞거나 하여 몸이나 몸의 일부에 상처가 생기다. 또는 상처가 생기게 하다.
  きずつく【傷付く】。 けがする【怪我する】。 ふしょうする【負傷する】
  ぶつかったり殴られたりして体や体の一部に傷を負う。 また、傷を負わせる。

- -ㄹ 수 있다 : 어떤 행동이나 상태가 가능함을 나타내는 표현.
  (ら)れる。 ことができる
  ある行動や状態が可能であることを表す表現。

- -으니까 : 뒤에 오는 말에 대하여 앞에 오는 말이 원인이나 근거, 전제가 됨을 강조하여 나타내는 연결 어미.
  から。 ので。 ため。 ゆえ【故】
  後にくる事柄に対して前の事柄がその原因や根拠・前提になることを強調していう「連結語尾」。

- 조심하다 (どうし) : 좋지 않은 일을 겪지 않도록 말이나 행동 등에 주의를 하다.
  つつしむ【慎む】。 きをつける【気を付ける】
  悪いことが起こらないように、言葉や行動に注意する。

- -여라 : (아주낮춤으로) 명령을 나타내는 종결 어미.
  しろ。 せよ。 なさい
  (下称) 命令の意を表す「終結語尾」。

< 대화(たいわ【対話】) > - 46

우산이 없는데 어떻게 하지?
우사니 엄는데 어떠케 하지?
usani eomneunde eotteoke haji?

그냥 비를 맞는 수밖에 없지, 뭐. 뛰어.
그냥 비를 만는 수바께 업찌, 뭐. 뛰어.
geunyang bireul manneun subakke eopji, mwo. ttwieo.

< 설명(せつめい【説明】) / 번역(ほんやく【翻訳】) >

우산+이 없+는데 어떻게 하+지?

- **우산 (めいし)** : 긴 막대 위에 지붕 같은 막을 펼쳐서 비가 올 때 손에 들고 머리 위를 가리는 도구.
  かさ【傘】
  長い棒の上に屋根のような幕を広げて、雨が降る時に頭上に差しかざす道具。

- **이** : 어떤 상태나 상황의 대상이나 동작의 주체를 나타내는 조사.
  が
  ある状態・状況の対象や動作の主体を表す助詞。

- **없다 (けいようし)** : 어떤 물건을 가지고 있지 않거나 자격이나 능력 등을 갖추지 않은 상태이다.
  もたない【持たない】
  ある物を持っていないか、資格・能力などを備えていない状態だ。

- **-는데** : 뒤의 말을 하기 위하여 그 대상과 관련이 있는 상황을 미리 말함을 나타내는 연결 어미.
  が。けど
  何かを言うための前置きとして、それと関連した状況を前もって述べるという意を表す「連結語尾」。

- **어떻게 (ふくし)** : 어떤 방법으로. 또는 어떤 방식으로.
  どうして。どうやって。どのように
  どんな方法で。また、どんな方式で。

- **하다 (どうし)** : 어떤 방식으로 행위를 이루다.
  する【為る】。やる【遣る】
  ある方式で何かを行う。

・-지 : (두루낮춤으로) 말하는 사람이 듣는 사람에게 친근함을 나타내며 물을 때 쓰는 종결 어미.
だろう。よね。かな
(略待下称) 話し手が聞き手に親しみを表明しながら尋ねるのに用いる「終結語尾」。

그냥 비+를 맞+[는 수밖에 없]+지, 뭐.

뛰+어.

・**그냥 (ふくし)** : 그런 모양으로 그대로 계속하여.
そのまま
そのまま続けて。

・**비 (めいし)** : 높은 곳에서 구름을 이루고 있던 수증기가 식어서 뭉쳐 떨어지는 물방울.
あめ【雨】
高いところで雲をつくっていた水蒸気が冷えて、一塊になって落ちてくる水滴。

・**를** : 동작이 직접적으로 영향을 미치는 대상을 나타내는 조사.
を
動作が直接的に影響を及ぼす対象を表す助詞。

・**맞다 (どうし)** : 내리는 눈이나 비 등이 닿는 것을 그대로 받다.
あたる【当たる】。ぬれる【濡れる】
雪や雨などの作用をそのまま受ける。

・**-는 수밖에 없다** : 그것 말고는 다른 방법이나 가능성이 없음을 나타내는 표현.
しかない
それ以外には何の方法も可能性もないという意を表す表現。

・**-지** : (두루낮춤으로) 말하는 사람이 자신에 대한 이야기나 자신의 생각을 친근하게 말할 때 쓰는 종결 어미.
よ。だろう
(略待下称) 話し手が自分に関する話や自分の考えを親しみをこめて述べるのに用いる「終結語尾」。

・**뭐 (かんどうし)** : 더 이상 여러 말 할 것 없다는 뜻으로 어떤 사실을 체념하여 받아들이며 하는 말.
まあ
これ以上言っても仕方ないという意味で、ある事実について諦めて受け入れる時にいう語。

・**뛰다 (どうし)** : 발을 재빠르게 움직여 빨리 나아가다.
はしる【走る】。かける【駆ける】
足を素早く動かして前へ進む。

• -어 : (두루낮춤으로) 어떤 사실을 서술하거나 물음, 명령, 권유를 나타내는 종결 어미.

　の か 。 な さ い 。 よ う 。 ま し ょ う

　(略待下称) ある事実を叙述したり、質問・命令・勧誘の意を表す「終結語尾」。 <めいれい【命令】>

< 대화(たいわ【対話】) > - 47

지우는 성격이 참 좋은 것 같아요.
지우는 성껴기 참 조은 걷 가타요.
jiuneun seonggyeogi cham joeun geot gatayo.

맞아요. 걔는 아무리 일이 바빠도 인상 한 번 찌푸리는 적이 없어요.
마자요. 걔는 아무리 이리 바빠도 인상 한 번 찌푸리는 저기 업써요.
majayo. gyaeneun amuri iri bappado insang han beon jjipurineun jeogi eopseoyo.

< 설명(せつめい【説明】) / 번역(ほんやく【翻訳】) >

지우+는 성격+이 참 좋+[은 것 같]+아요.

- **지우 (めいし)** : じんめい【人名】

- **는** : 문장 속에서 어떤 대상이 화제임을 나타내는 조사.
  は
  文の中で、ある対象が話題であることを表す助詞。

- **성격 (めいし)** : 개인이 가지고 있는 고유한 성질이나 품성.
  せいかく【性格】
  その人の持つ固有の性質や品性。

- **이** : 어떤 상태나 상황의 대상이나 동작의 주체를 나타내는 조사.
  が
  ある状態・状況の対象や動作の主体を表す助詞。

- **참 (ふくし)** : 사실이나 이치에 조금도 어긋남이 없이 정말로.
  ほんとうに【本当に】。じつに【実に】。とても。まことに【誠に】
  事実や道理に照らし合わせて、ちっとも食い違いがない様子。

- **좋다 (けいようし)** : 성격 등이 원만하고 착하다.
  よい【良い・善い】。やさしい【優しい】
  性格などが円満で善良である。

- **-은 것 같다** : 추측을 나타내는 표현.
  ようだ。みたいだ。らしい。とみえる【たと見える】
  推測の意を表す表現。

• -아요 : (두루높임으로) 어떤 사실을 서술하거나 질문, 명령, 권유함을 나타내는 종결 어미.
ます。です。ますか。ですか。てください。
(略待上称) ある事実を叙述したり質問、命令、勧誘する意を表す「終結語尾」。<じょじゅつ【叙述】>

맞+아요.

걔+는 아무리 일+이 <u>바쁘(바뻐)+아도</u> 인상 한 번 찌푸리+[는 적이 없]+어요.
바빠도

• 맞다 (どうし) : 그렇거나 옳다.
あう【合う】
そうである。また、正しい。

• -아요 : (두루높임으로) 어떤 사실을 서술하거나 질문, 명령, 권유함을 나타내는 종결 어미.
ます。です。ますか。ですか。てください。
(略待上称) ある事実を叙述したり質問、命令、勧誘する意を表す「終結語尾」。<じょじゅつ【叙述】>

• 걔 (しゅくやくご) : '그 아이'가 줄어든 말.
あいつ。あのこ【あの子】。そいつ。【その子】
「그(その) 아이(だいさんしゃ)」の縮約形。

• 는 : 문장 속에서 어떤 대상이 화제임을 나타내는 조사.
は
文の中で、ある対象が話題であることを表す助詞。

• 아무리 (ふくし) : 정도가 매우 심하게.
いくら【幾ら】。どんなに
程度が甚だしく。

• 일 (めいし) : 무엇을 이루려고 몸이나 정신을 사용하는 활동. 또는 그 활동의 대상.
しごと【仕事】
何かを成すために体や精神を使う活動。また、その活動の対象。

• 이 : 어떤 상태나 상황의 대상이나 동작의 주체를 나타내는 조사.
が
ある状態・状況の対象や動作の主体を表す助詞。

• 바쁘다 (けいようし) : 할 일이 많거나 시간이 없어서 다른 것을 할 여유가 없다.
いそがしい【忙しい】。せわしい【忙しい】
すべきことが多かったり時間がなかったりして、他のことをする余裕がない。

- -아도 : 앞에 오는 말을 가정하거나 인정하지만 뒤에 오는 말에는 관계가 없거나 영향을 끼치지 않음을 나타내는 연결 어미.
  ても
  前の事柄を仮定したり認めたりするものの、
  後の事柄とは関係がないかそれに影響を及ぼさないという意を表す「連結語尾」。

- 인상 (めいし) : 사람 얼굴의 생김새.
  にんそう【人相】。ようぼう【容貌】
  人の顔つき。

- 한 (かんけいし) : 하나의.
  いち【一】
  1の。

- 번 (めいし) : 일의 횟수를 세는 단위.
  かい【回】。ど【度】
  物事の回数を数える単位。

- 찌푸리다 (どうし) : 얼굴의 근육이나 눈살 등을 몹시 찡그리다.
  しかめる【顰める】。しかめっつらになる【しかめっ面になる】
  顔の筋肉や眉のあたりなどを非常にしかめる。

- -는 적이 없다 : 앞의 말이 나타내는 동작이 진행되거나 그 상태가 나타나는 때가 없음을 나타내는 표현.
  ことがない
  前の言葉の表す動作が行われることも、そういう状態になることもないという意を表す表現。

- -어요 : (두루높임으로) 어떤 사실을 서술하거나 질문, 명령, 권유함을 나타내는 종결 어미.
  ます。です。ますか。ですか。てください
  (略待上称) ある事実を叙述したり質問、命令、勧誘する意を表す「終結語尾」。<じょじゅつ【叙述】>

< 대화(たいわ【対話】) > - 48

명절에 한복 입어 본 적 있어요?
명저레 한복 이버 본 적 이써요?
myeongjeore hanbok ibeo bon jeok isseoyo?

그럼요. 어렸을 때 부모님하고 고향에 내려가면서 입었었죠.
그러묘. 어려쓸 때 부모님하고 고향에 내려가면서 이버썯쬬.
geureomyo. eoryeosseul ttae bumonimhago gohyange naeryeogamyeonseo ibeosseotjyo.

< 설명(せつめい【説明】) / 번역(ほんやく【翻訳】) >

명절+에 한복 입+[어 보]+[ㄴ 적 있]+어요?
입어 본 적 있어요

• **명절 (めいし)** : 설이나 추석 등 해마다 일정하게 돌아와 전통적으로 즐기거나 기념하는 날.
   しゅくさいじつ【祝祭日】。 せっく【節句】
   旧正月や「チュソク(旧暦の盆休み)」など、毎年めぐってきて、伝統的に楽しみ記念する日。

• **에** : 앞말이 시간이나 때임을 나타내는 조사.
   に
   前の言葉が時間や時期であることを表す助詞。

• **한복 (めいし)** : 한국의 전통 의복.
   ハンボク【韓服】
   韓国の伝統衣装。

• **입다 (どうし)** : 옷을 몸에 걸치거나 두르다.
   きる【着る・著る】。 はく【穿く】
   衣類などを身につける。

• **-어 보다** : 앞의 말이 나타내는 행동을 이전에 경험했음을 나타내는 표현.
   たことがある
   前の言葉の表す行動を以前に経験したという意を表す表現。

• **-ㄴ 적 있다** : 앞의 말이 나타내는 동작이 일어나거나 그 상태가 나타난 때가 있음을 나타내는 표현.
   ことがある
   前の言葉の表す動作が行われることも、そういう状態になることもあるという意を表す表現。

- -어요 : (두루높임으로) 어떤 사실을 서술하거나 질문, 명령, 권유함을 나타내는 종결 어미.
  ます。です。ますか。ですか。てください
  (略待上称) ある事実を叙述したり質問、命令、勧誘する意を表す「終結語尾」。<しつもん【質問】>

그럼+요.

<u>어리+었+[을 때]</u> 부모님+하고 고향+에 내려가+면서 입+었었+죠.
  어렸을 때

- **그럼 (かんどうし)** : 말할 것도 없이 당연하다는 뜻으로 대답할 때 쓰는 말.
  そうだとも。そうとも。もちろん。たしかに【確かに】
  言うまでもなく当然だという意味で答える時にいう語。

- **요** : 높임의 대상인 상대방에게 존대의 뜻을 나타내는 조사.
  です。ですね
  敬う対象である相手に尊敬の意を表す助詞。

- **어리다 (けいようし)** : 나이가 적다.
  おさない【幼い】
  年齢が低い。

- **-었-** : 사건이 과거에 일어났음을 나타내는 어미.
  た
  出来事が過去にあったという意を表す語尾。

- **-을 때** : 어떤 행동이나 상황이 일어나는 동안이나 그 시기 또는 그러한 일이 일어난 경우를 나타내는 표현.
  とき【時】。ころ【頃】
  ある行動や状況が起こっている間やその時期、またそのようなことが起こった場合を表す表現。

- **부모님 (めいし)** : (높이는 말로) 부모.
  ごりょうしん【ご両親】
  両親を敬っていう語。

- **하고** : 어떤 일을 함께 하는 대상임을 나타내는 조사.
  と
  動作をともにする相手を表す助詞。

- **고향 (めいし)** : 태어나서 자란 곳.
  ふるさと・こきょう【故郷】。きょうり【郷里】。くに【国】
  生まれ育った土地。

· 에 : 앞말이 목적지이거나 어떤 행위의 진행 방향임을 나타내는 조사.
　に。へ
　前の言葉が目的地であったり、ある行為の進行方向であったりすることを表す助詞。

· 내려가다 (どうし) : 도심이나 중심지에서 지방으로 가다.
　くだる【下る】
　都心や中心地から地方へ行く。

· -면서 : 두 가지 이상의 동작이나 상태가 함께 일어남을 나타내는 연결 어미.
　ながら
　二つ以上の動作や状態が共に起こるという意を表す「連結語尾」。

· 입다 (どうし) : 옷을 몸에 걸치거나 두르다.
　きる【着る・著る】。はく【穿く】
　衣類などを身につける。

· -었었- : 현재와 비교하여 다르거나 현재로 이어지지 않는 과거의 사건을 나타내는 어미.
　た。ていた
　現在と比べて異なっているか、現在まで続いていない過去の出来事を表す語尾。

· -죠 : (두루높임으로) 말하는 사람이 자신에 대한 이야기나 자신의 생각을 친근하게 말할 때 쓰는 종결
　　　어미.
　ますよ。ですよ。でしょう
　(略待上称) 話し手が自分に関する話や自分の考えを親しみをこめて述べるのに用いる「終結語尾」。

< 대화(たいわ【対話】) > - 49

왜 이렇게 늦었어? 한참 기다렸잖아.
왜 이러케 느저써? 한참 기다렫짜나.
wae ireoke neujeosseo? hancham gidaryeotjana.

미안해, 오후에도 이렇게 차가 막히는 줄 몰랐어.
미안해, 오후에도 이러케 차가 마키는 줄 몰라써.
mianhae, ohuedo ireoke chaga makineun jul mollasseo.

< 설명(せつめい【説明】) / 번역(ほんやく【翻訳】) >

왜 이렇+게 늦+었+어?

한참 기다리+었+잖아.
　　　기다렸잖아

- 왜 (ふくし) : 무슨 이유로. 또는 어째서.
  なぜ【何故】。どうして。なんで【何で】
  どういう理由で。また、何ゆえ。

- 이렇다 (けいようし) : 상태, 모양, 성질 등이 이와 같다.
  こうだ
  状態・模様・性質などがこのようである。

- -게 : 앞의 말이 뒤에서 가리키는 일의 목적이나 결과, 방식, 정도 등이 됨을 나타내는 연결 어미.
  …く。…に。ように。ほど
  前の事柄が後の事柄の目的・結果・方法・程度などになるという意を表す「連結語尾」。

- 늦다 (どうし) : 정해진 때보다 지나다.
  おくれる【遅れる】。ちこくする【遅刻する】。まにあわない【間に合わない】
  決まった時を過ぎる。

- -었- : 어떤 사건이 과거에 완료되었거나 그 사건의 결과가 현재까지 지속되는 상황을 나타내는 어미.
  た。ている
  ある出来事が過去に完了したことや、その出来事の結果が現在まで持続している状況を表す語尾。

• -어 : (두루낮춤으로) 어떤 사실을 서술하거나 물음. 명령. 권유를 나타내는 종결 어미.
　の**か**。**なさい**。**よう**。**ましょう**
　(略待下称) ある事実を叙述したり、質問・命令・勧誘の意を表す「終結語尾」。<**とい**【問い】>

• 한참 (**めいし**) : 시간이 꽤 지나는 동안.
　しばらく【暫く・姑く】。**とうぶん**【当分】。**ながいあいだ**【長い間】
　長い時間を隔てているさま。

• 기다리다 (**どうし**) : 사람. 때가 오거나 어떤 일이 이루어질 때까지 시간을 보내다.
　まつ【待つ】
　人や時期が来たり、あることが行われたりするまで時間を過ごす。

• -었- : 어떤 사건이 과거에 완료되었거나 그 사건의 결과가 현재까지 지속되는 상황을 나타내는 어미.
　た。**ている**
　ある出来事が過去に完了したことや、その出来事の結果が現在まで持続している状況を表す語尾。

• -잖아 : (두루낮춤으로) 어떤 상황에 대해 말하는 사람이 상대방에게 확인하거나 정정해 주듯이 말함을
　　　　 나타내는 표현.
　じゃないか。**ではないか**
　(略待下称) ある状況について話し手が相手に確認、または訂正するように述べるという意を表す表現。

미안하+여.
　미안해

오후+에+도 이렇+게 차+가 막히+[는 줄] 모르(몰ㄹ)+았+어.
　　　　　　　　　　　　　　　몰랐어

• 미안하다 (**けいようし**) : 남에게 잘못을 하여 마음이 편치 못하고 부끄럽다.
　すまない【済まない】。**もうしわけない**【申し訳ない】
　間違いをおかして、心が安らかでなく恥ずかしい。

• -여 : (두루낮춤으로) 어떤 사실을 서술하거나 물음. 명령. 권유를 나타내는 종결 어미.
　の か。**なさい**。**よう**。**ましょう**
　(略待下称) ある事実を叙述したり、質問・命令・勧誘の意を表す「終結語尾」。<**じょじゅつ**【叙述】>

• 오후 (**めいし**) : 정오부터 해가 질 때까지의 동안.
　ごご【午後】
　正午から日没までの時間。

- 에 : 앞말이 시간이나 때임을 나타내는 조사.
  に
  前の言葉が時間や時期であることを表す助詞。

- 도 : 일반적이지 않은 경우나 의외의 경우를 강조함을 나타내는 조사.
  も。すら。さえ。まで
  一般的でない場合や意外な場合を強調する意を表す助詞。

- **이렇다 (けいようし)** : 상태, 모양, 성질 등이 이와 같다.
  こうだ
  状態・模様・性質などがこのようである。

- -게 : 앞의 말이 뒤에서 가리키는 일의 목적이나 결과, 방식, 정도 등이 됨을 나타내는 연결 어미.
  …く。…に。ように。ほど
  前の事柄が後の事柄の目的・結果・方法・程度などになるという意を表す「連結語尾」。

- **차 (めいし)** : 바퀴가 달려 있어 사람이나 짐을 실어 나르는 기관.
  くるま【車】
  車輪がついていて、人や荷物を運ぶ機関。

- 가 : 어떤 상태나 상황에 놓인 대상이나 동작의 주체를 나타내는 조사.
  が
  ある状態や状況に置かれた対象、または動作の主体を表す助詞。

- **막히다 (どうし)** : 길에 차가 많아 차가 제대로 가지 못하게 되다.
  こむ【込む】。じゅうたいする【渋滞する】
  道路に車が多くて、なかなか進まなくなる。

- -는 줄 : 어떤 사실이나 상태에 대해 알고 있거나 모르고 있음을 나타내는 표현.
  対訳語無し
  ある事実や状態について知っているか、知らないという意を表す表現。

- **모르다 (どうし)** : 사람이나 사물, 사실 등을 알지 못하거나 이해하지 못하다.
  しらない【知らない】。わからない【分からない】
  人・物・事実などを知らない、または分からない。

- -았- : 어떤 사건이 과거에 완료되었거나 그 사건의 결과가 현재까지 지속되는 상황을 나타내는 어미.
  た。ている
  ある出来事が過去に完了したことや、その出来事の結果が現在まで持続している状況を表す語尾。

- -어 : (두루낮춤으로) 어떤 사실을 서술하거나 물음, 명령, 권유를 나타내는 종결 어미.
  のか。なさい。よう。ましょう
  (略待下称) ある事実を叙述したり、質問・命令・勧誘の意を表す「終結語尾」。<じょじゅつ【叙述】>

< 대화(たいわ【対話】) > - 50

지아 씨, 하던 일은 다 됐어요?
지아 씨, 하던 이른 다 돼써요?
jia ssi, hadeon ireun da dwaesseoyo?

네, 잠깐만요. 지금 마무리하는 중이에요.
네, 잠깐마뇨. 지금 마무리하는 중이에요.
ne, jamkkanmanyo. jigeum mamurihaneun jungieyo.

< 설명(せつめい【説明】) / 번역(ほんやく【翻訳】) >

지아 씨, 하+던 일+은 다 <u>되+었+어요</u>?
됐어요

- **지아 (めいし)** : じんめい【人名】

- **씨 (めいし)** : 그 사람을 높여 부르거나 이르는 말.
  し【氏】。さん
  その人を高めて呼んだり指していう語。

- **하다 (どうし)** : 어떤 행동이나 동작, 활동 등을 행하다.
  する【為る】。やる【遣る】。なす【成す・為す】
  ある行動や動作、活動などを行う。

- **-던** : 앞의 말이 관형어의 기능을 하게 만들고 사건이나 동작이 과거에 완료되지 않고 중단되었음을 나
  타내는 어미.
  …かけた。…かけの。ていた
  前の言葉に連体修飾語の機能を持たせ、
  出来事や動作が過去に完了せずに中断されたという意を表す語尾。

- **일 (めいし)** : 무엇을 이루려고 몸이나 정신을 사용하는 활동. 또는 그 활동의 대상.
  しごと【仕事】
  何かを成すために体や精神を使う活動。また、その活動の対象。

- **은** : 문장 속에서 어떤 대상이 화제임을 나타내는 조사.
  は
  文章の中である対象が話題であることを表す助詞。

· **다** (ふくし) : 남거나 빠진 것이 없이 모두.
　ぜんぶ【全部】。すべて【全て】。みな【皆】。のこらず【残らず】。もれなく
　残ったり、漏れたものがなく、全て。

· **되다** (どうし) : 어떤 사물이나 현상이 생겨나거나 만들어지다.
　できあがる【出来上がる】。しあがる【仕上がる】
　ある物や現象が生じたり作られたりする。

· **-었-** : 어떤 사건이 과거에 완료되었거나 그 사건의 결과가 현재까지 지속되는 상황을 나타내는 어미.
　た。ている
　ある出来事が過去に完了したことや、その出来事の結果が現在まで持続している状況を表す語尾。

· **-어요** : (두루높임으로) 어떤 사실을 서술하거나 질문, 명령, 권유함을 나타내는 종결 어미.
　ます。です。ますか。ですか。てください
　(略待上称) ある事実を叙述したり質問、命令、勧誘する意を表す「終結語尾」。<しつもん【質問】>

네, 잠깐+만+요.

지금 마무리하+[는 중이]+에요.

· **네** (かんどうし) : 윗사람의 물음이나 명령 등에 긍정하여 대답할 때 쓰는 말.
　はい。ええ
　目上の人からの質問や命令などに肯定の返事をする時にいう語。

· **잠깐** (めいし) : 아주 짧은 시간 동안.
　ちょっと【一寸・鳥渡】。すこし【少し】。つかのま【束の間】
　ごく短い間。

· **만** : 무엇을 강조하는 뜻을 나타내는 조사.
　ばかり。だけ。のみ。さえ
　何かを強調するという意を表す助詞。

· **요** : 높임의 대상인 상대방에게 존대의 뜻을 나타내는 조사.
　です。ですね
　敬う対象である相手に尊敬の意を表す助詞。

· **지금** (ふくし) : 말을 하고 있는 바로 이때에. 또는 그 즉시에.
　いま【今】。ただいま【ただ今】
　話をしているこの瞬間。

· **마무리하다 (どうし)** : 일을 끝내다.

　しあげる【仕上げる】

　仕事を終える。

· **-는 중이다** : 어떤 일이 진행되고 있음을 나타내는 표현.

　ている。とちゅうだ【途中だ】。つつある

　ある出来事が進行中であるという意を表す表現。

· **-에요** : (두루높임으로) 어떤 사실을 서술하거나 질문함을 나타내는 종결 어미.

　ます。です。ますか。ですか

　(略待上称) ある事実を叙述したり質問する意を表す「終結語尾」。 <**じょじゅつ【叙述】**>

< 대화(たいわ【対話】) > - 51

추워? 내 옷 벗어 줄까?
추워? 내 옫 버서 줄까?
chuwo? nae ot beoseo julkka?

괜찮아. 너도 추위를 많이 타는데 괜히 멋있는 척하지 않아도 돼.
괜차나. 너도 추위를 마니 타는데 괜히 머신는 처카지 아나도 돼.
gwaenchana. neodo chuwireul mani taneunde gwaenhi meosinneun cheokaji anado dwae.

< 설명(せつめい【説明】) / 번역(ほんやく【翻訳】) >

춥(추우)+어?
　　추워

나+의 옷 벗+[어 주]+ㄹ까?
내　　　벗어 줄까

- 춥다 (けいようし) : 몸으로 느끼기에 기온이 낮다.
　さむい【寒い】
　身体で感じるに気温が低い。

- -어 : (두루낮춤으로) 어떤 사실을 서술하거나 물음, 명령, 권유를 나타내는 종결 어미.
　のか。なさい。よう。ましょう
　(略待下称) ある事実を叙述したり、質問・命令・勧誘の意を表す「終結語尾」。 <とい【問い】>

- 나 (だいめいし) : 말하는 사람이 친구나 아랫사람에게 자기를 가리키는 말.
　わたし【私】。ぼく【僕】。おれ【俺】。じぶん【自分】
　話し手が友人や目下の人に対し、自分をさす語。

- 의 : 앞의 말이 뒤의 말에 대하여 소유, 소속, 소재, 관계, 기원, 주체의 관계를 가짐을 나타내는 조사.
　の
　前の言葉が後ろの言葉に対し、所有、所在、関係、起源、主体の関係を持つことを表す助詞。

- 옷 (めいし) : 사람의 몸을 가리고 더위나 추위 등으로부터 보호하며 멋을 내기 위하여 입는 것.
　ふく【服】。ころも【衣】。いふく【衣服】。いしょう【衣装】
　体にまとって、暑さや寒さなどから体を保護し、お洒落をするために着るもの。

· **벗다 (どうし)** : 사람이 몸에 지닌 물건이나 옷 등을 몸에서 떼어 내다.
　ぬぐ【脱ぐ】。はずす【外す】
　身につけていた物や服などを取り去る。

· **-어 주다** : 남을 위해 앞의 말이 나타내는 행동을 함을 나타내는 표현.
　てやる。てあげる。てくれる
　他人のために前の言葉の表す行動をするという意を表す表現。

· **-ㄹ까** : (두루낮춤으로) 듣는 사람의 의사를 물을 때 쓰는 종결 어미.
　ようか
　(略待下称) 話し手の考えや推量を表したり相手の意思を尋ねるのに用いる「終結語尾」。

괜찮+아.

너+도 추위+를 많이 타+는데 괜히 멋있+[는 척하]+[지 않]+[아도 되]+어.
멋있는 척하지 않아도 돼

· **괜찮다 (けいようし)** : 별 문제가 없다.
　だいじょうぶだ【大丈夫だ】
　特に問題がない。

· **-아** : (두루낮춤으로) 어떤 사실을 서술하거나 물음, 명령, 권유를 나타내는 종결 어미.
　する。である。するのか。しなさい。しよう。しましょう
　(略待下称) ある事実を叙述したり質問・命令・勧誘の意を表す「終結語尾」。<じょじゅつ【叙述】>

· **너 (だいめいし)** : 듣는 사람이 친구나 아랫사람일 때, 그 사람을 가리키는 말.
　おまえ【お前】。きみ【君】
　聞き手が友人か目下の人である場合、その聞き手をさす語。

· **도** : 이미 있는 어떤 것에 다른 것을 더하거나 포함함을 나타내는 조사.
　も
　既存の物事に他の物事を加えたり含ませたりするという意を表す助詞。

· **추위 (めいし)** : 주로 겨울철의 추운 기운이나 추운 날씨.
　さむさ【寒さ】
　主に冬季の冷たい気運や寒い程度。

· **를** : 동작이 직접적으로 영향을 미치는 대상을 나타내는 조사.
　を
　動作が直接的に影響を及ぼす対象を表す助詞。

- **많이** (ふくし) : 수나 양, 정도 등이 일정한 기준보다 넘게.
  おおく【多く】。たくさん【沢山】。かずおおく【数多く】。ゆたかに【豊かに】
  数や量、程度などが一定の基準を超えて。

- **타다** (どうし) : 날씨나 계절의 영향을 쉽게 받다.
  よわい【弱い】
  天候や季節の影響を受けやすい。

- **-는데** : 뒤의 말을 하기 위하여 그 대상과 관련이 있는 상황을 미리 말함을 나타내는 연결 어미.
  が。けど
  何かを言うための前置きとして、それと関連した状況を前もって述べるという意を表す「連結語尾」。

- **괜히** (ふくし) : 특별한 이유나 실속이 없게.
  わけもなく。りゆうもなく【理由もなく】
  特別な理由や実利なく。

- **멋있다** (けいようし) : 매우 좋거나 훌륭하다.
  すてきだ【素敵だ】。かっこいい【格好いい】。りっぱだ【立派だ】
  とても良くてすばらしい。

- **-는 척하다** : 실제로 그렇지 않은데도 어떤 행동이나 상태를 거짓으로 꾸밈을 나타내는 표현.
  ふりをする
  実際はそうでないのに、ある行動や状態を偽るという意を表す表現。

- **-지 않다** : 앞의 말이 나타내는 행위나 상태를 부정하는 뜻을 나타내는 표현.
  ない。くない。ではない
  前の言葉の表す行為や状態を否定する意を表す表現。

- **-아도 되다** : 어떤 행동에 대한 허락이나 허용을 나타낼 때 쓰는 표현.
  てもいい
  ある行動に対する許可や許容を表すのに用いる表現。

- **-어** : (두루낮춤으로) 어떤 사실을 서술하거나 물음, 명령, 권유를 나타내는 종결 어미.
  のか。なさい。よう。ましょう
  (略待下称) ある事実を叙述したり、質問・命令・勧誘の意を表す「終結語尾」。 **<じょじゅつ【叙述】>**

< 대화(たいわ【対話】) > - 52

어제 친구들이 너 몰래 생일 파티를 준비해서 깜짝 놀랐다면서?
어제 친구드리 너 몰래 생일 파티를 준비해서 깜짝 놀랃따면서?
eoje chingudeuri neo mollae saengil patireul junbihaeseo kkamjjak nollatdamyeonseo?

사실은 미리 눈치를 챘었는데 그래도 놀라는 체했지.
사시른 미리 눈치를 채썬는데 그래도 놀라는 체핻찌.
sasireun miri nunchireul chaesseonneunde geuraedo nollaneun chehaetji.

< 설명(せつめい【説明】) / 번역(ほんやく【翻訳】) >

어제 친구+들+이 너 몰래 생일 파티+를 <u>준비하+여서</u> 깜짝 <u>놀라+았+다면서</u>?
　　　　　　　　　　　　　　　　　　　　준비해서　　　　　놀랐다면서

- **어제 (ふくし)** : 오늘의 하루 전날에.
  きのう【昨日】
  今日の一日前の日に。

- **친구 (めいし)** : 사이가 가까워 서로 친하게 지내는 사람.
  とも【友】。ともだち【友達】。ゆうじん【友人】。ほうゆう【朋友】
  関係が近くて、親しく交わっている人。

- **들** : '복수'의 뜻을 더하는 접미사.
  たち・ら【達】
  「複数」の意を付加する接尾辞。

- **이** : 어떤 상태나 상황의 대상이나 동작의 주체를 나타내는 조사.
  が
  ある状態・状況の対象や動作の主体を表す助詞。

- **너 (だいめいし)** : 듣는 사람이 친구나 아랫사람일 때, 그 사람을 가리키는 말.
  おまえ【お前】。きみ【君】
  聞き手が友人か目下の人である場合、その聞き手をさす語。

- **몰래 (ふくし)** : 남이 알지 못하게.
  ひそかに【密かに】。こっそり。ひとしれず【人知れず】
  人に知られないように。

· **생일 (めいし)** : 사람이 세상에 태어난 날.
　たんじょうび【誕生日】。せいじつ【生日】
　人の生まれた日。

· **파티 (めいし)** : 친목을 도모하거나 무엇을 기념하기 위한 잔치나 모임.
　パーティー
　社交のための、または何かを記念するための宴会や集まり。

· **를** : 동작이 직접적으로 영향을 미치는 대상을 나타내는 조사.
　を
　動作が直接的に影響を及ぼす対象を表す助詞。

· **준비하다 (どうし)** : 미리 마련하여 갖추다.
　じゅんびする【準備する】。よういする【用意する】
　前もって必要なものを揃えておく。

· **-여서** : 이유나 근거를 나타내는 연결 어미.
　て。から。ので。ため。ゆえ【故】
　理由や根拠の意を表す「連結語尾」。

· **깜짝 (ふくし)** : 갑자기 놀라는 모양.
　びっくり
　急に驚くさま。

· **놀라다 (どうし)** : 뜻밖의 일을 당하거나 무서워서 순간적으로 긴장하거나 가슴이 뛰다.
　おどろく【驚く】。びっくりする
　意外なことに出くわしたり怖かったりして、瞬間的に緊張したり胸がどきどきしたりする。

· **-았-** : 사건이 과거에 일어났음을 나타내는 어미.
　た
　出来事が過去にあったという意を表す語尾。

· **-다면서** : (두루낮춤으로) 말하는 사람이 들어서 아는 사실을 확인하여 물음을 나타내는 종결 어미.
　そうだね。だってな
　(略待下称) 聞いて知った事実について聞き手に確認を要求するのに用いる「終結語尾」。

사실+은 미리 눈치+를 채+었었+는데 그러+어도 놀라+[는 체하]+였+지.
　　　　　　　　　　　챘었는데　　　그래도　　　놀라는 체했지

· **사실 (めいし)** : 겉으로 드러나지 않은 일을 솔직하게 말할 때 쓰는 말.
　じじつ【事実】。じつ【実】。ほんとう【本当】
　表には現れていないことを率直に言うのに用いる語。

• 은 : 문장 속에서 어떤 대상이 화제임을 나타내는 조사.
 は
 文章の中である対象が話題であることを表す助詞。

• 미리 (ふくし) : 어떤 일이 있기 전에 먼저.
 あらかじめ【予め】。まえもって【前もって】
 何かが始まる前に。

• 눈치 (めいし) : 상대가 말하지 않아도 그 사람의 마음이나 일의 상황을 이해하고 아는 능력.
 かん【勘】。センス。きてん【機転・気転】
 相手が言わなくても、その人の気持ちや状況が分かる能力。

• 를 : 동작이 직접적으로 영향을 미치는 대상을 나타내는 조사.
 を
 動作が直接的に影響を及ぼす対象を表す助詞。

• 채다 (どうし) : 사정이나 형편을 재빨리 미루어 헤아리거나 깨닫다.
 きづく【気付く】。かんづく【勘付く・感付く】
 事情や具合などを直観的に推察したり悟る。

• -었었- : 현재와 비교하여 다르거나 현재로 이어지지 않는 과거의 사건을 나타내는 어미.
 た。ていた
 現在と比べて異なっているか、現在まで続いていない過去の出来事を表す語尾。

• -는데 : 뒤의 말을 하기 위하여 그 대상과 관련이 있는 상황을 미리 말함을 나타내는 연결 어미.
 が。けど
 何かを言うための前置きとして、それと関連した状況を前もって述べるという意を表す「連結語尾」。

• 그러다 (どうし) : 앞에서 일어난 일이나 말한 것과 같이 그렇게 하다.
 対訳語無し
 先に起こったことや言ったことのように、そうする。

• -어도 : 앞에 오는 말을 가정하거나 인정하지만 뒤에 오는 말에는 관계가 없거나 영향을 끼치지 않음을
     나타내는 연결 어미.
 ても。たって
 前の事柄を仮定したり認めたりするものの、
 後の事柄とは関係がないかそれに影響を及ぼさないという意を表す「連結語尾」。

• 놀라다 (どうし) : 뜻밖의 일을 당하거나 무서워서 순간적으로 긴장하거나 가슴이 뛰다.
 おどろく【驚く】。びっくりする
 意外なことに出くわしたり怖かったりして、瞬間的に緊張したり胸がどきどきしたりする。

• -는 체하다 : 실제로 그렇지 않은데도 어떤 행동이나 상태를 거짓으로 꾸밈을 나타내는 표현.
 ふりをする
 実際はそうでないのに、ある行動や状態を偽るという意を表す表現。

• -였- : 사건이 과거에 일어났음을 나타내는 어미.

た

出来事が過去に発生したという意を表す語尾。

• -지 : (두루낮춤으로) 말하는 사람이 자신에 대한 이야기나 자신의 생각을 친근하게 말할 때 쓰는 종결
어미.

よ。だろう

(略待下称) 話し手が自分に関する話や自分の考えを親しみをこめて述べるのに用いる「終結語尾」。

< 대화(たいわ【対話】) > - 53

영화를 보는 것이 취미라고 하셨는데 영화를 자주 보세요?
영화를 보는 거시 취미라고 하션는데 영화를 자주 보세요?
yeonghwareul boneun geosi chwimirago hasyeonneunde yeonghwareul jaju boseyo?

일주일에 한 편 이상 보니까 자주 보는 편이죠.
일쭈이레 한 편 이상 보니까 자주 보는 펴니죠.
iljuire han pyeon isang bonikka jaju boneun pyeonijyo.

< 설명(せつめい【説明】) / 번역(ほんやく【翻訳】) >

영화+를 보+[는 것]+이 취미+(이)+라고 하+시+었+는데 영화+를 자주 보+세요?
　　　　　　　　　 취미라고　　　　하셨는데

- 영화 (めいし) : 일정한 의미를 갖고 움직이는 대상을 촬영하여 영사기로 영사막에 비추어서 보게 하는
　　　　　　종합 예술.
  えいが【映画】
  一定の意味を持って動く対象を撮影し、映写機を利用してスクリーンに映し出して見せる総合芸術。

- 를 : 동작이 직접적으로 영향을 미치는 대상을 나타내는 조사.
  を
  動作が直接的に影響を及ぼす対象を表す助詞。

- 보다 (どうし) : 눈으로 대상을 즐기거나 감상하다.
  みる【観る】。かんしょうする【観賞する】。けんぶつする【見物する】。たのしむ【楽しむ】
  目で対象を楽しんだり観賞したりする。

- -는 것 : 명사가 아닌 것을 문장에서 명사처럼 쓰이게 하거나 '이다' 앞에 쓰일 수 있게 할 때 쓰는 표
　　　　　현.
  こと。の。もの
  名詞でないものを文中で名詞化し、「いだ」の前にくるようにするのに用いる表現。

- 이 : 어떤 상태나 상황의 대상이나 동작의 주체를 나타내는 조사.
  が
  ある状態・状況の対象や動作の主体を表す助詞。

• **취미 (めいし)** : 좋아하여 재미로 즐겨서 하는 일.
　しゅみ【趣味】
　好きで楽しみとしてしている事柄。

• **이다** : 주어가 지시하는 대상의 속성이나 부류를 지정하는 뜻을 나타내는 서술격 조사.
　だ。である
　主語が指す対象の属性や部類を指定する意を表す叙述格助詞。

• **-라고** : 다른 사람에게서 들은 내용을 간접적으로 전달하거나 주어의 생각, 의견 등을 나타내는 표현.
　と
　他人から聞いた話の内容を間接的に伝えたり主語の考えや意見などを述べるという意を表す表現。

• **하다 (どうし)** : 무엇에 대해 말하다.
　する【為る】
　何かについて言う。

• **-시-** : 어떤 동작이나 상태의 주체를 높이는 뜻을 나타내는 어미.
　お…になる。ご…になる
　ある動作や状態の主体を敬う意を表す語尾。

• **-었-** : 사건이 과거에 일어났음을 나타내는 어미.
　た
　出来事が過去にあったという意を表す語尾。

• **-는데** : 뒤의 말을 하기 위하여 그 대상과 관련이 있는 상황을 미리 말함을 나타내는 연결 어미.
　が。けど
　何かを言うための前置きとして、それと関連した状況を前もって述べるという意を表す「連結語尾」。

• **영화 (めいし)** : 일정한 의미를 갖고 움직이는 대상을 촬영하여 영사기로 영사막에 비추어서 보게 하는
　　　　　　　　　종합 예술.
　えいが【映画】
　一定の意味を持って動く対象を撮影し、映写機を利用してスクリーンに映し出して見せる総合芸術。

• **를** : 동작이 직접적으로 영향을 미치는 대상을 나타내는 조사.
　を
　動作が直接的に影響を及ぼす対象を表す助詞。

• **자주 (ふくし)** : 같은 일이 되풀이되는 간격이 짧게.
　よく【良く・能く・善く】。たびたび【度度】。しょっちゅう
　同じことが繰り返される間隔が短いさま。

• **보다 (どうし)** : 눈으로 대상을 즐기거나 감상하다.
　みる【観る】。かんしょうする【観賞する】。けんぶつする【見物する】。たのしむ【楽しむ】
　目で対象を楽しんだり観賞したりする。

・-세요 : (두루높임으로) 설명, 의문, 명령, 요청의 뜻을 나타내는 종결 어미.
　ます。です。ますか。ですか。てください
　(略待上称) 説明・疑問・命令・要請の意を表す「終結語尾」。<しつもん【質問】>

일주일+에 한 편 이상 보+니까 자주 보+[는 편이]+죠.

・일주일 (めいし) : 월요일부터 일요일까지 칠 일. 또는 한 주일.
　いっしゅう【一週】。いっしゅうかん【一週間】
　月曜日から日曜日までの7日間。また、一週の間。

・에 : 앞말이 기준이 되는 대상이나 단위임을 나타내는 조사.
　に
　前の言葉が基準になる対象や単位であることを表す助詞。

・한 (かんけいし) : 하나의.
　いち【一】
　1の。

・편 (めいし) : 책이나 문학 작품, 또는 영화나 연극 등을 세는 단위.
　へん【編】
　書物や文学作品、または映画や演劇などを数えるのに用いる単位。

・이상 (めいし) : 수량이나 정도가 일정한 기준을 포함하여 그보다 많거나 나은 것.
　いじょう【以上・已上】
　数量や程度が一定の基準を含んで、それを上回ること。

・보다 (どうし) : 눈으로 대상을 즐기거나 감상하다.
　みる【観る】。かんしょうする【観賞する】。けんぶつする【見物する】。たのしむ【楽しむ】
　目で対象を楽しんだり観賞したりする。

・-니까 : 뒤에 오는 말에 대하여 앞에 오는 말이 원인이나 근거, 전제가 됨을 강조하여 나타내는 연결 어미.
　から。ので。ため。て
　後にくる事柄に対して前の事柄が原因や根拠・前提になることを強調していう「連結語尾」。

・자주 (ふくし) : 같은 일이 되풀이되는 간격이 짧게.
　よく【良く・能く・善く】。たびたび【度度】。しょっちゅう
　同じことが繰り返される間隔が短いさま。

・보다 (どうし) : 눈으로 대상을 즐기거나 감상하다.
　みる【観る】。かんしょうする【観賞する】。けんぶつする【見物する】。たのしむ【楽しむ】
　目で対象を楽しんだり観賞したりする。

• -는 편이다 : 어떤 사실을 단정적으로 말하기보다는 대체로 어떤 쪽에 가깝다거나 속한다고 말할 때 쓰
　　　　　　는 표현.

　ほうだ【方だ】。けいこうがある【傾向がる】
　ある事実について断定して述べるより、だいたいそういう傾向がある、
　またはその方に属すると述べるのに用いる表現。

• -죠 : (두루높임으로) 말하는 사람이 자신에 대한 이야기나 자신의 생각을 친근하게 말할 때 쓰는 종결
　　　어미.

　ますよ。ですよ。でしょう
　(略待上称)話し手が自分に関する話や自分の考えを親しみをこめて述べるのに用いる「終結語尾」。

< 대화(たいわ【対話】) > - 54

지아 씨, 이번 대회 우승을 축하합니다.
지아 씨, 이번 대회 우승을 추카함니다.
jia ssi, ibeon daehoe useungeul chukahamnida.

고맙습니다. 제가 음악을 계속하는 한 이 우승의 감격은 잊지 못할 것입니다.
고맙씀니다. 제가 으마글 계소카는 한 이 우승의(우승에) 감겨근 읻찌 모탈 꺼심니다.
gomapseumnida. jega eumageul gyesokaneun han i useungui(useunge) gamgyeogeun itji motal
geosimnida.

< 설명(せつめい【説明】) / 번역(ほんやく【翻訳】) >

지아 씨, 이번 대회 우승+을 축하하+ㅂ니다.
축하합니다

・지아 (めいし) : じんめい【人名】

・씨 (めいし) : 그 사람을 높여 부르거나 이르는 말.
 し【氏】。さん
 その人を高めて呼んだり指していう語。

・이번 (めいし) : 곧 돌아올 차례. 또는 막 지나간 차례.
 こんど【今度】。こんかい【今回】。このたび【この度】
 すぐ行われる順序にある事柄。または、行われたばかりの事柄。

・대회 (めいし) : 여러 사람이 실력이나 기술을 겨루는 행사.
 たいかい【大会】
 多くの人が実力や技量を競う催し。

・우승 (めいし) : 경기나 시합에서 상대를 모두 이겨 일 위를 차지함.
 ゆうしょう【優勝】
 競技・試合などで相手をすべて破って一位になること。

・을 : 동작이 직접적으로 영향을 미치는 대상을 나타내는 조사.
 を
 動作が直接的に影響を及ぼす対象を表す助詞。

- **축하하다 (どうし)** : 남의 좋은 일에 대하여 기쁜 마음으로 인사하다.
  しゅくがする【祝賀する】。いわう【祝う】
  人のめでたい事についてうれしい気持ちを込めてあいさつする。

- **-ㅂ니다** : (아주높임으로) 현재의 동작이나 상태, 사실을 정중하게 설명함을 나타내는 종결 어미.
  ます。です
  (上称) 現在の動作や状態、事実を丁寧に説明する意を表す「終結語尾」。

고맙+습니다.

제+가 음악+을 계속하+[는 한]

이 우승+의 감격+은 잊+[지 못하]+[ㄹ 것]+이+ㅂ니다.
잊지 못할 것입니다

- **고맙다 (けいようし)** : 남이 자신을 위해 무엇을 해주어서 마음이 흐뭇하고 보답하고 싶다.
  ありがたい【有難い】
  他人が自分に何かしてくれたことに対して、嬉しく恩返ししたいと思う。

- **-습니다** : (아주높임으로) 현재의 동작이나 상태, 사실을 정중하게 설명함을 나타내는 종결 어미.
  ます。です
  (上称) 現在の動作や状態、事実を丁寧に説明する意を表す「終結語尾」。

- **제 (だいめいし)** : 말하는 사람이 자신을 낮추어 가리키는 말인 '저'에 조사 '가'가 붙을 때의 형태.
  わたくし【私】
  話し手が自分をへりくだっていう語である「저」に助詞「가」がつく時の形。

- **가** : 어떤 상태나 상황에 놓인 대상이나 동작의 주체를 나타내는 조사.
  が
  ある状態や状況に置かれた対象、または動作の主体を表す助詞。

- **음악 (めいし)** : 목소리나 악기로 박자와 가락이 있게 소리 내어 생각이나 감정을 표현하는 예술.
  おんがく【音楽】
  声や楽器で、拍子とリズムを用いて音を出し、考えや感情を表現する芸術。

- **을** : 동작이 직접적으로 영향을 미치는 대상을 나타내는 조사.
  を
  動作が直接的に影響を及ぼす対象を表す助詞。

•계속하다 (どうし) : 끊지 않고 이어 나가다.
　つづける【続ける】。けいぞくする【継続する】。れんぞくする【連続する】。じぞくする【持続する】
　絶つことなく続けていく。

•-는 한 : 앞에 오는 말이 뒤의 행위나 상태에 대해 전제나 조건이 됨을 나타내는 표현.
　かぎり【限り】
　前にくる言葉が後にくる行為や状態に対して前提や条件になるという意を表す表現。

•이 (かんけいし) : 말하는 사람에게 가까이 있거나 말하는 사람이 생각하고 있는 대상을 가리킬 때 쓰는
　　　　　　　　　　말.
　この
　話し手の近くにあるか、話し手が考えている対象を指す語。

•우승 (めいし) : 경기나 시합에서 상대를 모두 이겨 일 위를 차지함.
　ゆうしょう【優勝】
　競技・試合などで相手をすべて破って一位になること。

•의 : 앞의 말이 뒤의 말에 대하여 속성이나 수량을 한정하거나 같은 자격임을 나타내는 조사.
　の
　前の言葉が後ろの言葉に対し、属性や数量を限定したり同格であることを表したりする助詞。

•감격 (めいし) : 마음에 깊이 느끼어 매우 감동함. 또는 그 감동.
　かんげき【感激】
　心に深く感じられて大変感動すること。また、その感動。

•은 : 강조의 뜻을 나타내는 조사.
　は
　強調の意を表す助詞。

•잊다 (どうし) : 한번 알았던 것을 기억하지 못하거나 기억해 내지 못하다.
　わすれる【忘れる】
　覚えていたことが思い出せなくなる。

•-지 못하다 : 앞의 말이 나타내는 행동을 할 능력이 없거나 주어의 의지대로 되지 않음을 나타내는 표
　　　　　　　현.
　（ら）れない。えない【得ない】。ことができない
　前の言葉の表す行動をする能力に欠けていたり主語の意志通りにはならないという意を表す表現。

•-ㄹ 것 : 명사가 아닌 것을 문장에서 명사처럼 쓰이게 하거나 '이다' 앞에 쓰일 수 있게 할 때 쓰는 표
　　　　　현.
　こと。の。もの
　名詞でないものを文中で名詞化し、「이다」の前にくるようにするのに用いる表現。

• 이다 : 주어가 지시하는 대상의 속성이나 부류를 지정하는 뜻을 나타내는 서술격 조사.
　だ。である
　主語が指す対象の属性や部類を指定する意を表す叙述格助詞。

• -ㅂ니다 : (아주높임으로) 현재의 동작이나 상태, 사실을 정중하게 설명함을 나타내는 종결 어미.
　ます。です
　(上称) 現在の動作や状態、事実を丁寧に説明する意を表す「終結語尾」。

< 대화(たいわ【対話】) > - 55

지아 씨, 영화 홍보는 어떻게 되고 있어요?
지아 씨, 영화 홍보는 어떠케 되고 이써요?
jia ssi, yeonghwa hongboneun eotteoke doego isseoyo?

길거리 홍보 활동을 벌이는 한편 관객을 초대해서 무료 시사회를 하기로 했어요.
길꺼리 홍보 활동을 버리는 한편 관개글 초대해서 무료 시사회를 하기로 해써요.
gilgeori hongbo hwaldongeul beorineun hanpyeon gwangaegeul chodaehaeseo muryo
sisahoereul hagiro haesseoyo.

< 설명(せつめい【説明】) / 번역(ほんやく【翻訳】) >

지아 씨, 영화 홍보+는 어떻게 되+[고 있]+어요?

• 지아 (めいし) : じんめい【人名】

• 씨 (めいし) : 그 사람을 높여 부르거나 이르는 말.
し【氏】。さん
その人を高めて呼んだり指していう語。

• 영화 (めいし) : 일정한 의미를 갖고 움직이는 대상을 촬영하여 영사기로 영사막에 비추어서 보게 하는
종합 예술.
えいが【映画】
一定の意味を持って動く対象を撮影し、映写機を利用してスクリーンに映し出して見せる総合芸術。

• 홍보 (めいし) : 널리 알림. 또는 그 소식.
こうほう【広報】
広く知らせること。また、そのお知らせ。

• 는 : 문장 속에서 어떤 대상이 화제임을 나타내는 조사.
は
文の中で、ある対象が話題であることを表す助詞。

• 어떻게 (ふくし) : 어떤 방법으로. 또는 어떤 방식으로.
どうして。どうやって。どのように
どんな方法で。また、どんな方式で。

· **되다 (どうし)** : 일이 잘 이루어지다.
　うまくいく【うまく行く】
　物事がうまく進む。

· **-고 있다** : 앞의 말이 나타내는 행동이 계속 진행됨을 나타내는 표현.
　ている
　前の言葉の表す行動が引き続き行われるという意を表す表現。

· **-어요** : (두루높임으로) 어떤 사실을 서술하거나 질문, 명령, 권유함을 나타내는 종결 어미.
　ます。です。ますか。ですか。てください
　(略待上称) ある事実を叙述したり質問、命令、勧誘する意を表す「終結語尾」。<しつもん【質問】>

길거리 홍보 활동+을 벌이+[는 한편]

관객+을 초대하+여서 무료 시사회+를 하+[기로 하]+였+어요.
　　　　초대해서　　　　　　　　　하기로 했어요

· **길거리 (めいし)** : 사람이나 차가 다니는 길.
　とおり【通り】。がいとう【街頭】。まち【街】
　人や車が通行する道。

· **홍보 (めいし)** : 널리 알림. 또는 그 소식.
　こうほう【広報】
　広く知らせること。また、そのお知らせ。

· **활동 (めいし)** : 어떤 일에서 좋은 결과를 거두기 위해 힘씀.
　かつどう【活動】
　あることで、良い成果をあげるために頑張ること。

· **을** : 동작이 직접적으로 영향을 미치는 대상을 나타내는 조사.
　を
　動作が直接的に影響を及ぼす対象を表す助詞。

· **벌이다 (どうし)** : 일을 계획하여 시작하거나 펼치다.
　くりひろげる【繰り広げる】。おこす【起こす】。おこす【興す】
　事を計画して始めたり展開したりする。

· **-는 한편** : 앞의 말이 나타내는 일을 하는 동시에 다른 쪽에서 또 다른 일을 함을 나타내는 표현.
　いっぽう【一方】
　前の言葉の表す事をすると同時に、一方では別の事をするという意を表す表現。

• **관객 (めいし)** : 운동 경기, 영화, 연극, 음악회, 무용 공연 등을 구경하는 사람.
  かんきゃく【観客】。かんしゅう【観衆】
  スポーツ試合、映画、演劇、音楽会、舞踊公演などを鑑賞する人。

• **을** : 동작이 직접적으로 영향을 미치는 대상을 나타내는 조사.
  を
  動作が直接的に影響を及ぼす対象を表す助詞。

• **초대하다 (どうし)** : 다른 사람에게 어떤 자리, 모임, 행사 등에 와 달라고 요청하다.
  しょうたいする【招待する】。まねく【招く】。よぶ【呼ぶ】
  催し・会・行事などに来てくれるように客を招く。

• **-여서** : 앞의 말과 뒤의 말이 순차적으로 일어남을 나타내는 연결 어미.
  て。てから
  前の事柄と後の事柄が順次に起こるという意を表す「連結語尾」。

• **무료 (めいし)** : 요금이 없음.
  むりょう【無料】。むだい【無代】。ただ
  料金がないこと。

• **시사회 (めいし)** : 영화나 광고 등을 일반에게 보이기 전에 몇몇 사람들에게 먼저 보이고 평가를 받기
                    위한 모임.
  ししゃかい【試写会】
  映画や広告などを一般に公開する前に、前もって数人に見せて評価を受けるための集まり。

• **를** : 동작이 직접적으로 영향을 미치는 대상을 나타내는 조사.
  を
  動作が直接的に影響を及ぼす対象を表す助詞。

• **하다 (どうし)** : 어떤 행동이나 동작, 활동 등을 행하다.
  する【為る】。やる【遣る】。なす【成す・為す】
  ある行動や動作、活動などを行う。

• **-기로 하다** : 앞의 말이 나타내는 행동을 할 것을 결심하거나 약속함을 나타내는 표현.
  ことにする
  前の言葉の表す行動をすることを決心したり約束するという意を表す表現。

• **-였-** : 어떤 사건이 과거에 완료되었거나 그 사건의 결과가 현재까지 지속되는 상황을 나타내는 어미.
  た。ている
  ある出来事が過去に完了したことや、その出来事の結果が現在まで持続している状況を表す語尾。

• **-어요** : (두루높임으로) 어떤 사실을 서술하거나 질문, 명령, 권유함을 나타내는 종결 어미.
  ます。です。ますか。ですか。てください
  (略待上称) ある事実を叙述したり質問、命令、勧誘する意を表す「終結語尾」。<じょじゅつ【叙述】>

< 대화(たいわ【対話】) > - 56

왜 절뚝거리면서 걸어요?
왜 절뚝꺼리면서 거러요?
wae jeolttukgeorimyeonseo georeoyo?

예전에 교통사고로 다리를 다쳤는데 평소에 괜찮다가도 비만 오면 다시 아파요.
예저네 교통사고로 다리를 다천는데 평소에 괜찬다가도 비만 오면 다시 아파요.
yejeone gyotongsagoro darireul dacheonneunde pyeongsoe gwaenchantagado biman omyeon dasi apayo.

< 설명(せつめい【説明】) / 번역(ほんやく【翻訳】) >

왜 절뚝거리+면서 걷(걸)+어요?
걸어요

- **왜** (ふくし) : 무슨 이유로. 또는 어째서.
  なぜ【何故】。どうして。なんで【何で】
  どういう理由で。また、何ゆえ。

- **절뚝거리다** (どうし) : 한쪽 다리가 짧거나 다쳐서 자꾸 중심을 잃고 절다.
  ひきずる【引き摺る】。びっこをひく【跛を引く】。はこうする【跛行する】
  片足が短かったり片足にけがをしたりして、歩く時に釣り合いがとれない。

- **-면서** : 두 가지 이상의 동작이나 상태가 함께 일어남을 나타내는 연결 어미.
  ながら
  二つ以上の動作や状態が共に起こるという意を表す「連結語尾」。

- **걷다** (どうし) : 바닥에서 발을 번갈아 떼어 옮기면서 움직여 위치를 옮기다.
  あるく【歩く】
  地面から足を交互に離して動きながら位置を変える。

- **-어요** : (두루높임으로) 어떤 사실을 서술하거나 질문, 명령, 권유함을 나타내는 종결 어미.
  ます。です。ますか。ですか。てください
  (略待上称) ある事実を叙述したり質問、命令、勧誘する意を表す「終結語尾」。<しつもん【質問】>

예전+에 교통사고+로 다리+를 <u>다치+었+는데</u> 평소+에 괜찮+다가도
다쳤는데

비+만 오+면 다시 <u>아프(아프)+아요</u>.
아파요

- **예전 (めいし)** : 꽤 시간이 흐른 지난날.
  むかし【昔】。ひとむかし【一昔】。ずっとまえ【ずっと前】。ずっといぜん【ずっと以前】
  かなり時間が経過した昔のこと。

- **에** : 앞말이 시간이나 때임을 나타내는 조사.
  に
  前の言葉が時間や時期であることを表す助詞。

- **교통사고 (めいし)** : 자동차나 기차 등이 다른 교통 기관과 부딪치거나 사람을 치는 사고.
  こうつうじこ【交通事故】
  自動車や汽車などが他の交通機関と衝突したり歩行者を跳ねたりして起こる事故。

- **로** : 어떤 일의 원인이나 이유를 나타내는 조사.
  で。によって。から
  ある出来事の原因や理由を表す助詞。

- **다리 (めいし)** : 사람이나 동물의 몸통 아래에 붙어, 서고 걷고 뛰는 일을 하는 신체 부위.
  あし【足・脚】
  人間や動物の胴体の下について、立ったり歩いたり走ったりする機能を行う身体部位。

- **를** : 동작이 직접적으로 영향을 미치는 대상을 나타내는 조사.
  を
  動作が直接的に影響を及ぼす対象を表す助詞。

- **다치다 (どうし)** : 부딪치거나 맞거나 하여 몸이나 몸의 일부에 상처가 생기다. 또는 상처가 생기게 하다.
  きずつく【傷付く】。けがする【怪我する】。ふしょうする【負傷する】
  ぶつかったり殴られたりして体や体の一部に傷を負う。また、傷を負わせる。

- **-었-** : 사건이 과거에 일어났음을 나타내는 어미.
  た
  出来事が過去にあったという意を表す語尾。

- **-는데** : 뒤의 말을 하기 위하여 그 대상과 관련이 있는 상황을 미리 말함을 나타내는 연결 어미.
  が。けど
  何かを言うための前置きとして、それと関連した状況を前もって述べるという意を表す「連結語尾」。

• **평소 (めいし)** : 특별한 일이 없는 보통 때.
  へいそ【平素】。ふだん【普段】。つねひごろ【常日頃】
  特別なことのない、普通の時。

• **에** : 앞말이 시간이나 때임을 나타내는 조사.
  に
  前の言葉が時間や時期であることを表す助詞。

• **괜찮다 (けいようし)** : 별 문제가 없다.
  だいじょうぶだ【大丈夫だ】
  特に問題がない。

• **-다가도** : 앞의 말이 나타내는 행위나 상태가 다른 행위나 상태로 쉽게 바뀜을 나타내는 표현.
  とちゅうでも【途中でも】。ても。でも
  前の言葉の表す行為や状態が別の行為や状態に変わりやすいという意を表す表現。

• **비 (めいし)** : 높은 곳에서 구름을 이루고 있던 수증기가 식어서 뭉쳐 떨어지는 물방울.
  あめ【雨】
  高いところで雲をつくっていた水蒸気が冷えて、一塊になって落ちてくる水滴。

• **만** : 앞의 말이 어떤 것에 대한 조건임을 나타내는 조사.
  だけ。のみ
  前の言葉が何かについての条件であるという意を表す助詞。

• **오다 (どうし)** : 비, 눈 등이 내리거나 추위 등이 닥치다.
  ふる【降る】。やってくる
  雨・雪などが降るか、寒さなどがおとずれる。

• **-면** : 뒤에 오는 말에 대한 근거나 조건이 됨을 나타내는 연결 어미.
  たら。なら。というなら
  後にくる事柄に対する根拠や条件になるという意を表す「連結語尾」。

• **다시 (ふくし)** : 같은 말이나 행동을 반복해서 또.
  また【又】。ふたたび【再び】。もういちど【もう一度】。さらに
  同じ言葉や行動を繰り返してまた。

• **아프다 (けいようし)** : 다치거나 병이 생겨 통증이나 괴로움을 느끼다.
  いたい【痛い】。びょうきになる【病気になる】。いたむ【痛む】
  怪我をしたり病気になったりして、痛みや苦しみを覚える。

• **-아요** : (두루높임으로) 어떤 사실을 서술하거나 질문, 명령, 권유함을 나타내는 종결 어미.
  ます。です。ますか。ですか。てください。
  (略待上称) ある事実を叙述したり質問、命令、勧誘する意を表す「終結語尾」。<じょじゅつ【叙述】>

< 대화(たいわ【対話】) > - 57

한국어를 잘하게 된 방법이 뭐니?
한구거를 잘하게 된 방버비 뭐니?
hangugeoreul jalhage doen bangbeobi mwoni?

한국 음악을 좋아해서 많이 듣다 보니까 한국어를 잘하게 됐어.
한국 으마글 조아해서 마니 듣따 보니까 한구거를 잘하게 돼써.
hanguk eumageul joahaeseo mani deutda bonikka hangugeoreul jalhage dwaesseo.

< 설명(せつめい【説明】) / 번역(ほんやく【翻訳】) >

한국어+를 잘하+[게 되]+ㄴ 방법+이 뭐+(이)+니?
　　　　　 잘하게 된　　　　　 뭐니

- **한국어 (めいし)** : 한국에서 사용하는 말.
  かんこくご【韓国語】
  韓国で話されている言語。

- **를** : 동작이 직접적으로 영향을 미치는 대상을 나타내는 조사.
  を
  動作が直接的に影響を及ぼす対象を表す助詞。

- **잘하다 (どうし)** : 익숙하고 솜씨가 있게 하다.
  できる【出来る】。うまい【上手い・巧い】
  熟練して、腕前がいい。

- **-게 되다** : 앞의 말이 나타내는 상태나 상황이 됨을 나타내는 표현.
  ようになる。ことになる
  前の言葉の表す状態や状況になるという意を表す表現。

- **-ㄴ** : 앞의 말이 관형어의 기능을 하게 만들고 사건이나 동작이 완료되어 그 상태가 유지되고 있음을
  나타내는 어미.
  た。ている
  前の言葉に連体修飾語の機能を持たせ、
  出来事や動作が完了してその状態が続いているという意を表す語尾。

- **방법 (めいし)** : 어떤 일을 해 나가기 위한 수단이나 방식.
  ほうほう【方法】
  物事を解決するための手段や方式。

- **이** : 어떤 상태나 상황의 대상이나 동작의 주체를 나타내는 조사.
  が
  ある状態・状況の対象や動作の主体を表す助詞。

- **뭐 (だいめいし)** : 모르는 사실이나 사물을 가리키는 말.
  なん・なに【何】
  知らない事実・事物を指す語。

- **이다** : 주어가 지시하는 대상의 속성이나 부류를 지정하는 뜻을 나타내는 서술격 조사.
  だ。である
  主語が指す対象の属性や部類を指定する意を表す叙述格助詞。

- **-니** : (아주낮춤으로) 물음을 나타내는 종결 어미.
  か
  (下称) 質問の意を表す「終結語尾」。

한국 음악+을 <u>좋아하</u>+여서 많이 <u>듣</u>+[다(가) 보]+니까
　　　　　　 좋아해서　　　　　　　**듣다 보니까**

한국어+를 <u>잘하</u>+[게 되]+었+어.
　　　　　　 잘하게 됐어

- **한국 (めいし)** : 아시아 대륙의 동쪽에 있는 나라. 한반도와 그 부속 섬들로 이루어져 있으며, 대한민국 이라고도 부른다. 1950년에 일어난 육이오 전쟁 이후 휴전선을 사이에 두고 국토가 둘로 나뉘었다. 언어는 한국어이고, 수도는 서울이다.
  かんこく【韓国】
  アジア大陸の東側にある国。韓半島とその周囲の島礁から構成されていて、
  大韓民国 (テハンミングク) とも呼ばれている。1950年に起きた韓国戦争以降、
  休戦ラインを挟んで南北に分断されている。主要言語は韓国語で、首都はソウル。

- **음악 (めいし)** : 목소리나 악기로 박자와 가락이 있게 소리 내어 생각이나 감정을 표현하는 예술.
  おんがく【音楽】
  声や楽器で、拍子とリズムを用いて音を出し、考えや感情を表現する芸術。

- **을** : 동작이 직접적으로 영향을 미치는 대상을 나타내는 조사.
  を
  動作が直接的に影響を及ぼす対象を表す助詞。

• 좋아하다 (どうし) : 무엇에 대하여 좋은 느낌을 가지다.
　このむ【好む】。すきだ【好きだ】
　何かに対し、良い感情を持つ。

• -여서 : 이유나 근거를 나타내는 연결 어미.
　て。から。ので。ため。ゆえ【故】
　理由や根拠の意を表す「連結語尾」。

• 많이 (ふくし) : 수나 양, 정도 등이 일정한 기준보다 넘게.
　おおく【多く】。たくさん【沢山】。かずおおく【数多く】。ゆたかに【豊かに】
　数や量、程度などが一定の基準を超えて。

• 듣다 (どうし) : 귀로 소리를 알아차리다.
　きく【聞く・聴く】
　耳で音を感じ取る。

• -다가 보다 : 앞에 오는 말이 나타내는 행동을 하는 과정에서 뒤에 오는 말이 나타내는 사실을 새로 깨닫게 됨을 나타내는 표현.
　ていてきづく【ていて気づく】。てみてわかる【てみて分かる】
　前の言葉の表す行動をしているうちに後の言葉の表す事実に新しく気づくという意を表す表現。

• -니까 : 뒤에 오는 말에 대하여 앞에 오는 말이 원인이나 근거, 전제가 됨을 강조하여 나타내는 연결 어미.
　から。ので。ため。て
　後にくる事柄に対して前の事柄が原因や根拠・前提になることを強調していう「連結語尾」。

• 한국어 (めいし) : 한국에서 사용하는 말.
　かんこくご【韓国語】
　韓国で話されている言語。

• 를 : 동작이 직접적으로 영향을 미치는 대상을 나타내는 조사.
　を
　動作が直接的に影響を及ぼす対象を表す助詞。

• 잘하다 (どうし) : 익숙하고 솜씨가 있게 하다.
　できる【出来る】。うまい【上手い・巧い】
　熟練して、腕前がいい。

• -게 되다 : 앞의 말이 나타내는 상태나 상황이 됨을 나타내는 표현.
　ようになる。ことになる
　前の言葉の表す状態や状況になるという意を表す表現。

• -었- : 어떤 사건이 과거에 완료되었거나 그 사건의 결과가 현재까지 지속되는 상황을 나타내는 어미.
　た。ている
　ある出来事が過去に完了したことや、その出来事の結果が現在まで持続している状況を表す語尾。

• -어 : (두루낮춤으로) 어떤 사실을 서술하거나 물음, 명령, 권유를 나타내는 종결 어미.
    의か。なさい。よう。ましょう
    (略待下称) ある事実を叙述したり、質問・命令・勧誘の意を表す「終結語尾」。 <じょじゅつ【叙述】>

< 대화(たいわ【対話】) > - 58

너 이 영화 봤어?
너 이 영화 봐써?
neo i yeonghwa bwasseo?

나는 못 보고 우리 형이 봤는데 내용이 엄청 슬프다고 그러더라.
나는 몯 보고 우리 형이 봔는데 내용이 엄청 슬프다고 그러더라.
naneun mot bogo uri hyeongi bwanneunde naeyongi eomcheong seulpeudago geureodeora.

< 설명(せつめい【説明】) / 번역(ほんやく【翻訳】) >

너 이 영화 <u>보+았+어</u>?
봤어

· 너 (だいめいし) : 듣는 사람이 친구나 아랫사람일 때, 그 사람을 가리키는 말.
  おまえ【お前】。きみ【君】
  聞き手が友人か目下の人である場合、その聞き手をさす語。

· 이 (かんけいし) : 말하는 사람에게 가까이 있거나 말하는 사람이 생각하고 있는 대상을 가리킬 때 쓰는 말.
  この
  話し手の近くにあるか、話し手が考えている対象を指す語。

· 영화 (めいし) : 일정한 의미를 갖고 움직이는 대상을 촬영하여 영사기로 영사막에 비추어서 보게 하는 종합 예술.
  えいが【映画】
  一定の意味を持って動く対象を撮影し、映写機を利用してスクリーンに映し出して見せる総合芸術。

· 보다 (どうし) : 눈으로 대상을 즐기거나 감상하다.
  みる【観る】。かんしょうする【観賞する】。けんぶつする【見物する】。たのしむ【楽しむ】
  目で対象を楽しんだり観賞したりする。

· -았- : 어떤 사건이 과거에 완료되었거나 그 사건의 결과가 현재까지 지속되는 상황을 나타내는 어미.
  た。ている
  ある出来事が過去に完了したことや、その出来事の結果が現在まで持続している状況を表す語尾。

• -어 : (두루낮춤으로) 어떤 사실을 서술하거나 물음, 명령, 권유를 나타내는 종결 어미.
  のか。なさい。よう。ましょう
  (略待下称) ある事実を叙述したり、質問・命令・勧誘の意を表す「終結語尾」。 <とい【問い】>

나+는 못 보+고 우리 형+이 보+았+는데 내용+이 엄청 슬프+다고 그러+더라.
봤는데

• 나 (だいめいし) : 말하는 사람이 친구나 아랫사람에게 자기를 가리키는 말.
  わたし【私】。ぼく【僕】。おれ【俺】。じぶん【自分】
  話し手が友人や目下の人に対し、自分をさす語。

• 는 : 어떤 대상이 다른 것과 대조됨을 나타내는 조사.
  は
  ある対象が他のものと対照されることを表す助詞。

• 못 (ふくし) : 동사가 나타내는 동작을 할 수 없게.
  対訳語無し
  動詞が表す動作が不可能であるさま。

• 보다 (どうし) : 눈으로 대상을 즐기거나 감상하다.
  みる【観る】。かんしょうする【観賞する】。けんぶつする【見物する】。たのしむ【楽しむ】
  目で対象を楽しんだり観賞したりする。

• -고 : 두 가지 이상의 대등한 사실을 나열할 때 쓰는 연결 어미.
  て
  二つ以上の対等な事柄を並べ立てるのに用いる「連結語尾」。

• 우리 (だいめいし) : 말하는 사람이 자기보다 높지 않은 사람에게 자기와 관련된 것을 친근하게 나타낼 때 쓰는 말.
  わたし【私】
  話し手が自分より高くない人に自分に関することを親しんでいう語。

• 형 (めいし) : 남자가 형제나 친척 형제들 중에서 자기보다 나이가 많은 남자를 이르거나 부르는 말.
  あに【兄】。あにき【兄貴】
  男の人がきょうだいや親戚のきょうだいのうち、自分より年上の男の人を指したり呼ぶ語。

• 이 : 어떤 상태나 상황의 대상이나 동작의 주체를 나타내는 조사.
  が
  ある状態・状況の対象や動作の主体を表す助詞。

• 보다 (どうし) : 눈으로 대상을 즐기거나 감상하다.
  みる【観る】。かんしょうする【観賞する】。けんぶつする【見物する】。たのしむ【楽しむ】
  目で対象を楽しんだり観賞したりする。

• -았- : 어떤 사건이 과거에 완료되었거나 그 사건의 결과가 현재까지 지속되는 상황을 나타내는 어미.
 た。ている
 ある出来事が過去に完了したことや、その出来事の結果が現在まで持続している状況を表す語尾。

• -는데 : 뒤의 말을 하기 위하여 그 대상과 관련이 있는 상황을 미리 말함을 나타내는 연결 어미.
 が。けど
 何かを言うための前置きとして、それと関連した状況を前もって述べるという意を表す「連結語尾」。

• 내용 (めいし) : 말, 글, 그림, 영화 등의 줄거리. 또는 그것들로 전하고자 하는 것.
 ないよう【内容】。いみ【意味】
 言葉・文章・絵・映画などのあらすじ。または、伝えようとする事柄。

• 이 : 어떤 상태나 상황의 대상이나 동작의 주체를 나타내는 조사.
 が
 ある状態・状況の対象や動作の主体を表す助詞。

• 엄청 (ふくし) : 양이나 정도가 아주 지나치게.
 はなはだしく【甚だしく】。すごく【凄く】
 量や程度が度を越えて。

• 슬프다 (けいようし) : 눈물이 날 만큼 마음이 아프고 괴롭다.
 かなしい【悲しい・哀しい】
 涙が出るほど心が痛んでつらい。

• -다고 : 다른 사람에게서 들은 내용을 간접적으로 전달하거나 주어의 생각, 의견 등을 나타내는 표현.
 と
 他人から聞いた話の内容を間接的に伝えたり主語の考えや意見などを述べるという意を表す表現。

• 그러다 (どうし) : 그렇게 말하다.
 対訳語無し
 そう言う。

• -더라 : (아주낮춤으로) 말하는 이가 직접 경험하여 새롭게 알게 된 사실을 지금 전달함을 나타내는 종
　　　　　결 어미.
 たよ。ていたよ
 (下称) 話し手が直接経験して新しく知った事実を今伝えるという意を表す「終結語尾」。

< 대화(たいわ【対話】) > - 59

뭘 만들기에 이렇게 냄새가 좋아요?
뭘 만들기에 이러케 냄새가 조아요?
mwol mandeulgie ireoke naemsaega joayo?

지우가 입맛이 없다길래 이것저것 만드는 중이에요.
지우가 임마시 업따길래 이걷쩌걷 만드는 중이에요.
jiuga immasi eopdagillae igeotjeogeot mandeuneun jungieyo.

< 설명(せつめい【説明】) / 번역(ほんやく【翻訳】) >

뭐+를 만들+기에 이렇+게 냄새+가 좋+아요?
뭘

- 뭐 (だいめいし) : 모르는 사실이나 사물을 가리키는 말.
  なん・なに【何】
  知らない事実・事物を指す語。

- 를 : 동작이 직접적으로 영향을 미치는 대상을 나타내는 조사.
  を
  動作が直接的に影響を及ぼす対象を表す助詞。

- 만들다 (どうし) : 힘과 기술을 써서 없던 것을 생기게 하다.
  つくる【作る】。したてる【仕立てる】。こしらえる【拵える】。せいぞうする【製造する】。
  せいさくする【製作する】
  力や技術を使って、存在しなかったものを生じさせる。

- -기에 : 뒤에 오는 말의 원인이나 근거를 나타내는 연결 어미.
  から。ので。ため
  後にくる事柄の原因や根拠を述べる意を表す「連結語尾」。

- 이렇다 (けいようし) : 상태, 모양, 성질 등이 이와 같다.
  こうだ
  状態・模様・性質などがこのようである。

- -게 : 앞의 말이 뒤에서 가리키는 일의 목적이나 결과, 방식, 정도 등이 됨을 나타내는 연결 어미.
  …く。…に。ように。ほど
  前の事柄が後の事柄の目的・結果・方法・程度などになるという意を表す「連結語尾」。

· 냄새 (めいし) : 코로 맡을 수 있는 기운.
におい【匂い・臭い】
鼻で感じられるもの。

· 가 : 어떤 상태나 상황에 놓인 대상이나 동작의 주체를 나타내는 조사.
が
ある状態や状況に置かれた対象、または動作の主体を表す助詞。

· 좋다 (けいようし) : 어떤 일이나 대상이 마음에 들고 만족스럽다.
よい【良い・善い】。すきだ【好きだ】
あることや対象が気に入って満足できる。

· -아요 : (두루높임으로) 어떤 사실을 서술하거나 질문, 명령, 권유함을 나타내는 종결 어미.
ます。です。ますか。ですか。てください。
(略待上称) ある事実を叙述したり質問、命令、勧誘する意を表す「終結語尾」。<しつもん【質問】>

지우+가 입맛+이 없+다길래 이것저것 만들(만드)+[는 중이]+에요.
만드는 중이에요

· 지우 (めいし) : じんめい【人名】

· 가 : 어떤 상태나 상황에 놓인 대상이나 동작의 주체를 나타내는 조사.
が
ある状態や状況に置かれた対象、または動作の主体を表す助詞。

· 입맛 (めいし) : 음식을 먹을 때 입에서 느끼는 맛. 또는 음식을 먹고 싶은 욕구.
くちあたり【口当たり】。しょくよく【食欲】
物を食べる時、口で感じる味。または、食べたくなる欲求。

· 이 : 어떤 상태나 상황의 대상이나 동작의 주체를 나타내는 조사.
が
ある状態・状況の対象や動作の主体を表す助詞。

· 없다 (けいようし) : 어떤 사실이나 현상이 현실로 존재하지 않는 상태이다.
ない【無い】
事実・現象が現実として存在しない状態だ。

· -다길래 : 뒤 내용의 이유나 근거로 다른 사람에게 들은 사실을 말할 때 쓰는 표현.
というから【と言うから】。というので【と言うので】
後の内容の理由や根拠として、他人から聞いた事実を述べるのに用いる表現。

- 이것저것 (めいし) : 분명하게 정해지지 않은 여러 가지 사물이나 일.
  あれこれ【彼此・彼是】。あれやこれや【彼や此れや】
  特に決まっていない、いろいろな物事。

- 만들다 (どうし) : 힘과 기술을 써서 없던 것을 생기게 하다.
  つくる【作る】。したてる【仕立てる】。こしらえる【拵える】。せいぞうする【製造する】。
  せいさくする【製作する】
  力や技術を使って、存在しなかったものを生じさせる。

- -는 중이다 : 어떤 일이 진행되고 있음을 나타내는 표현.
  ている。とちゅうだ【途中だ】。つつある
  ある出来事が進行中であるという意を表す表現。

- -에요 : (두루높임으로) 어떤 사실을 서술하거나 질문함을 나타내는 종결 어미.
  ます。です。ますか。ですか
  (略待上称) ある事実を叙述したり質問する意を表す「終結語尾」。<じょじゅつ【叙述】>

< 대화(たいわ【対話】) > - 60

설명서를 아무리 봐도 무슨 말인지 잘 모르겠죠?
설명서를 아무리 봐도 무슨 마린지 잘 모르겔죠?
seolmyeongseoreul amuri bwado museun marinji jal moreugetjyo?

그래도 자꾸 읽다 보니 조금씩 이해가 되던걸요.
그래도 자꾸 익따 보니 조금씩 이해가 되던거료.
geuraedo jakku ikda boni jogeumssik ihaega doedeongeoryo.

< 설명(せつめい【説明】) / 번역(ほんやく【翻訳】) >

설명서+를 아무리 <u>보+아도</u> 무슨 <u>말+이+ㄴ지</u> 잘 모르+겠+죠?
　　　　　　　　봐도　　　　　　　말인지

- 설명서 (めいし) : 일이나 사물의 내용, 이유, 사용법 등을 설명한 글.
  せつめいしょ【説明書】
  物事の内容・理由・使用法などを説明した文。

- 를 : 동작이 직접적으로 영향을 미치는 대상을 나타내는 조사.
  を
  動作が直接的に影響を及ぼす対象を表す助詞。

- 아무리 (ふくし) : 비록 그렇다 하더라도.
  いくら【幾ら】。どんなに
  たとえそうであっても。

- 보다 (どうし) : 책이나 신문, 지도 등의 글자나 그림, 기호 등을 읽고 내용을 이해하다.
  みる【見る】。よむ【読む】
  本・新聞・地図などの字・絵・記号などを読んで、内容を理解する。

- -아도 : 앞에 오는 말을 가정하거나 인정하지만 뒤에 오는 말에는 관계가 없거나 영향을 끼치지 않음을
  　　　　나타내는 연결 어미.
  ても
  前の事柄を仮定したり認めたりするものの、
  後の事柄とは関係がないかそれに影響を及ぼさないという意を表す「連結語尾」。

- 무슨 (かんけいし) : 확실하지 않거나 잘 모르는 일, 대상, 물건 등을 물을 때 쓰는 말.
  なに【何】。なんの。どの。どのような。どういう
  確実でないか、よく知らないこと、対象、ものなどを聞く時に使う語。

- 말 (めいし) : 단어나 구나 문장.
  ことば【言葉】
  単語や句や文章。

- 이다 : 주어가 지시하는 대상의 속성이나 부류를 지정하는 뜻을 나타내는 서술격 조사.
  だ。である
  主語が指す対象の属性や部類を指定する意を表す叙述格助詞。

- -ㄴ지 : 뒤에 오는 말의 내용에 대한 막연한 이유나 판단을 나타내는 연결 어미.
  だろうか
  次にくる事柄に関する漠然とした理由や判断の意を表す「連結語尾」。

- 잘 (ふくし) : 분명하고 정확하게.
  よく。きちんと
  きちんと正確に。

- 모르다 (どうし) : 사람이나 사물, 사실 등을 알지 못하거나 이해하지 못하다.
  しらない【知らない】。わからない【分からない】
  人・物・事実などを知らない、または分からない。

- -겠- : 미래의 일이나 추측을 나타내는 어미.
  だろう
  未来の事や推量を表す語尾。

- -죠 : (두루높임으로) 말하는 사람이 듣는 사람에게 친근함을 나타내며 물을 때 쓰는 종결 어미.
  ますか。ですか。でしょうか
  (略待上称) 話し手が聞き手に親しみを表明しながら尋ねるのに用いる「終結語尾」。

그렇+어도 자꾸 읽+[다(가) 보]+니 조금씩 이해+가 되+던걸요.
　그래도　　　　　　　읽다 보니

- 그렇다 (けいようし) : 상태, 모양, 성질 등이 그와 같다.
  そのとおりだ
  状態、形、性質などがそれと同じである。

- -어도 : 앞에 오는 말을 가정하거나 인정하지만 뒤에 오는 말에는 관계가 없거나 영향을 끼치지 않음을
  나타내는 연결 어미.
  ても。たって
  前の事柄を仮定したり認めたりするものの、
  後の事柄とは関係がないかそれに影響を及ぼさないという意を表す「連結語尾」。

- 자꾸 (ふくし) : 여러 번 계속하여.
  しきりに【頻りに】。ひっきりなしに【引っ切り無しに】
  何度も繰り返して。

- 읽다 (どうし) : 글을 보고 뜻을 알다.
  よむ【読む】
  文章を見て、意味を理解する。

- -다가 보다 : 앞에 오는 말이 나타내는 행동을 하는 과정에서 뒤에 오는 말이 나타내는 사실을 새로 깨
  닫게 됨을 나타내는 표현.
  ていてきづく【ていて気づく】。てみてわかる【てみて分かる】
  前の言葉の表す行動をしているうちに後の言葉の表す事実に新しく気づくという意を表す表現。

- -니 : 뒤에 오는 말에 대하여 앞에 오는 말이 원인이나 근거, 전제가 됨을 나타내는 연결 어미.
  から。ので。ため。ゆえ【故】
  後にくる事柄に対して前の事柄が原因や根拠・前提になるという意を表す「連結語尾」。

- 조금씩 (ふくし) : 적은 정도로 계속해서.
  すこしずつ【少しずつ】。じょじょに【徐々に】
  わずかな程度で続くさま。

- 이해 (めいし) : 무엇이 어떤 것인지를 앎. 또는 무엇이 어떤 것이라고 받아들임.
  りかい【理解】。りょうかい【了解】
  物事について正しく分かること。また、納得すること。

- 가 : 어떤 상태나 상황에 놓인 대상이나 동작의 주체를 나타내는 조사.
  が
  ある状態や状況に置かれた対象、または動作の主体を表す助詞。

- 되다 (どうし) : 어떠한 심리적인 상태에 있다.
  なる
  ある心理的な状態にある。

- -던걸요 : (두루높임으로) 과거의 사실에 대한 자기 생각이나 주장을 설명하듯 말하거나 그 근거를 댈
  때 쓰는 표현.
  たんですよ。でしたよ。たものを
  (略待上称)
  過去の事実についての自分の考えや主張を説明するように述べたりその根拠を示すのに用いる表現。

< 대화(たいわ【対話】) > - 61

저는 이번에 개봉한 영화가 재미있던데요.
저는 이버네 개봉한 영화가 재미읻떤데요.
jeoneun ibeone gaebonghan yeonghwaga jaemiitdeondeyo.

그래도 원작이 더 재미있지 않나요?
그래도 원자기 더 재미읻찌 안나요?
geuraedo wonjagi deo jaemiitji annayo?

< 설명(せつめい【説明】) / 번역(ほんやく【翻訳】) >

저+는 이번+에 <u>개봉하+ㄴ</u> 영화+가 재미있+던데요.
개봉한

- **저** (だいめいし) : 말하는 사람이 듣는 사람에게 자신을 낮추어 가리키는 말.
  わたくし【私】
  目上の人に対して自分をへりくだっていう語。

- **는** : 문장 속에서 어떤 대상이 화제임을 나타내는 조사.
  は
  文の中で、ある対象が話題であることを表す助詞。

- **이번** (めいし) : 곧 돌아올 차례. 또는 막 지나간 차례.
  こんど【今度】。こんかい【今回】。このたび【この度】
  すぐ行われる順序にある事柄。または、行われたばかりの事柄。

- **에** : 앞말이 시간이나 때임을 나타내는 조사.
  に
  前の言葉が時間や時期であることを表す助詞。

- **개봉하다** (どうし) : 새 영화를 처음으로 상영하다.
  かいふうする【開封する】
  新しい映画を初めて上映する。

• -ㄴ : 앞의 말이 관형어의 기능을 하게 만들고 사건이나 동작이 완료되어 그 상태가 유지되고 있음을 나타내는 어미.

　た。ている

　前の言葉に連体修飾語の機能を持たせ、

　出来事や動作が完了してその状態が続いているという意を表す語尾。

• 영화 (めいし) : 일정한 의미를 갖고 움직이는 대상을 촬영하여 영사기로 영사막에 비추어서 보게 하는 종합 예술.

　えいが【映画】

　一定の意味を持って動く対象を撮影し、映写機を利用してスクリーンに映し出して見せる総合芸術。

• 가 : 어떤 상태나 상황에 놓인 대상이나 동작의 주체를 나타내는 조사.

　が

　ある状態や状況に置かれた対象、または動作の主体を表す助詞。

• 재미있다 (けいようし) : 즐겁고 유쾌한 느낌이 있다.

　おもしろい【面白い】。おもしろおかしい【面白おかしい】。おかしい【可笑しい】

　楽しくて愉快な気持である。

• -던데요 : (두루높임으로) 과거에 직접 경험한 사실을 전달하여 듣는 사람의 반응을 기대함을 나타내는 표현.

　たんです。でしたよ

　(略待上称) 過去に直接経験した事実を伝え、聞き手の反応を期待するという意を表す表現。

그렇+어도 원작+이 더 재미있+[지 않]+나요?

그래도

• 그렇다 (けいようし) : 상태, 모양, 성질 등이 그와 같다.

　そのとおりだ

　状態、形、性質などがそれと同じである。

• -어도 : 앞에 오는 말을 가정하거나 인정하지만 뒤에 오는 말에는 관계가 없거나 영향을 끼치지 않음을 나타내는 연결 어미.

　ても。たって

　前の事柄を仮定したり認めたりするものの、

　後の事柄とは関係がないかそれに影響を及ぼさないという意を表す「連結語尾」。

• 원작 (めいし) : 연극이나 영화의 대본으로 만들거나 다른 나라 말로 고치기 전의 원래 작품.

　げんさく【原作】

　演劇や映画の脚本にしたり翻訳したりする前の、元の作品。

· 이 : 어떤 상태나 상황의 대상이나 동작의 주체를 나타내는 조사.
  が
  ある状態・状況の対象や動作の主体を表す助詞。

· 더 (ふくし) : 비교의 대상이나 어떤 기준보다 정도가 크게. 그 이상으로.
  もっと。いっそう【一層】。ずっと。さらに
  比較の対象やある基準よりその度が強まるさま。また、それ以上に。

· 재미있다 (けいようし) : 즐겁고 유쾌한 느낌이 있다.
  おもしろい【面白い】。おもしろおかしい【面白おかしい】。おかしい【可笑しい】
  楽しくて愉快な気持である。

· -지 않다 : 앞의 말이 나타내는 행위나 상태를 부정하는 뜻을 나타내는 표현.
  ない。くない。ではない
  前の言葉の表す行為や状態を否定する意を表す表現。

· -나요 : (두루높임으로) 앞의 내용에 대해 상대방에게 물어볼 때 쓰는 표현.
  ですか。ますか
  (略待上称) 前の内容について相手に尋ねるのに用いる表現。

< 대화(たいわ【対話】) > - 62

이 집 강아지가 밤마다 너무 짖어서 저희가 잠을 잘 못 자요.
이 집 강아지가 밤마다 너무 지저서 저히가 자믈 잘 몯 자요.
i jip gangajiga bammada neomu jijeoseo jeohiga jameul jal mot jayo.

정말 죄송합니다. 못 짖도록 하는데도 그게 쉽지가 않네요.
정말 죄송함니다. 몯 짇또록 하는데도 그게 쉽찌가 안네요.
jeongmal joesonghamnida. mot jitdorok haneundedo geuge swipjiga anneyo.

< 설명(せつめい【説明】) / 번역(ほんやく【翻訳】) >

이 집 강아지+가 밤+마다 너무 짖+어서 저희+가 잠+을 잘 못 자+(아)요.
　　　　　　　　　　　　　　　　　　　　　　　　　　　　자요

· 이 (かんけいし) : 말하는 사람에게 가까이 있거나 말하는 사람이 생각하고 있는 대상을 가리킬 때 쓰는
　　　　　　　　　　말.
　　この
　　話し手の近くにあるか、話し手が考えている対象を指す語。

· 집 (めいし) : 사람이나 동물이 추위나 더위 등을 막고 그 속에 들어 살기 위해 지은 건물.
　　いえ【家】。す【巣】
　　人や動物が寒さや暑さなどを避けて、その中で住むために作った物。

· 강아지 (めいし) : 개의 새끼.
　　こいぬ【子犬】。いぬころ【犬ころ】
　　犬の子。

· 가 : 어떤 상태나 상황에 놓인 대상이나 동작의 주체를 나타내는 조사.
　　が
　　ある状態や状況に置かれた対象、または動作の主体を表す助詞。

· 밤 (めいし) : 해가 진 후부터 다음 날 해가 뜨기 전까지의 어두운 동안.
　　よる【夜】
　　日が暮れた後から翌日日が昇る前までの暗い間。

· 마다 : 하나하나 빠짐없이 모두의 뜻을 나타내는 조사.
　　たびに。ごとに。おきに。つど【都度】
　　一つ一つもれなくすべての意を表す助詞。

- 너무 (ふくし) : 일정한 정도나 한계를 훨씬 넘어선 상태로.
  あまりに
  一定の程度や限界をはるかに超えた状態で。

- 짖다 (どうし) : 개가 크게 소리를 내다.
  ほえる【吠える】
  犬が大声で鳴く。

- -어서 : 이유나 근거를 나타내는 연결 어미.
  て。から。ので。ため。ゆえ【故】
  理由や根拠の意を表す「連結語尾」。

- 저희 (だいめいし) : 말하는 사람이 자기보다 높은 사람에게 자기를 포함한 여러 사람들을 가리키는 말.
  わたくしたち【私達】。じぶんたち【自分達】
  話し手が目上の人に自分を含めた複数の人を指していう語。

- 가 : 어떤 상태나 상황에 놓인 대상이나 동작의 주체를 나타내는 조사.
  が
  ある状態や状況に置かれた対象、または動作の主体を表す助詞。

- 잠 (めいし) : 눈을 감고 몸과 정신의 활동을 멈추고 한동안 쉬는 상태.
  ねむり【眠り】。すいみん【睡眠】
  目を閉じて体と精神の活動を止め、しばらく休んでいる状態。

- 을 : 서술어의 명사형 목적어임을 나타내는 조사.
  を
  述語の名詞形目的語であることを表す助詞。

- 잘 (ふくし) : 충분히 만족스럽게.
  じゅうぶんに【十分に】。おもうぞんぶん【思う存分】
  十分に満足に。

- 못 (ふくし) : 동사가 나타내는 동작을 할 수 없게.
  対訳語無し
  動詞が表す動作が不可能であるさま。

- 자다 (どうし) : 눈을 감고 몸과 정신의 활동을 멈추고 한동안 쉬는 상태가 되다.
  ねむる【眠る】。ねる【寝る】
  目を閉じて体と精神の活動を止め、しばらく休んでいる状態になる。

- -아요 : (두루높임으로) 어떤 사실을 서술하거나 질문, 명령, 권유함을 나타내는 종결 어미.
  ます。です。ますか。ですか。てください。
  (略待上称) ある事実を叙述したり質問、命令、勧誘する意を表す「終結語尾」。<じょじゅつ【叙述】>

정말 <u>죄송하</u>+ㅂ니다.
　　　　죄송합니다

못 짖+[도록 하]+는데도 <u>그것(그거)</u>+이 쉽+[지+가 않]+네요.
　　　　　　　　　그게

• 정말 (ふくし) : 거짓이 없이 진짜로.
　ほんとうに・ほんとに【本当】。じつに【実に】。しんに【真に】
　うそでないさま。

• 죄송하다 (けいようし) : 죄를 지은 것처럼 몹시 미안하다.
　もうしわけない【申し訳ない・申訳ない】
　罪を犯したかのように、たいへんすまない。

• -ㅂ니다 : (아주높임으로) 현재의 동작이나 상태, 사실을 정중하게 설명함을 나타내는 종결 어미.
　ます。です
　(上称) 現在の動作や状態、事実を丁寧に説明する意を表す「終結語尾」。

• 못 (ふくし) : 동사가 나타내는 동작을 할 수 없게.
　対訳語無し
　動詞が表す動作が不可能であるさま。

• 짖다 (どうし) : 개가 크게 소리를 내다.
　ほえる【吠える】
　犬が大声で鳴く。

• -도록 하다 : 남에게 어떤 행동을 하도록 시키거나 물건이 어떤 작동을 하게 만듦을 나타내는 표현.
　ようにする。させる
　人にある行動をさせたり物を作動させたりするという意を表す表現。

• -는데도 : 앞에 오는 말이 나타내는 상황에 상관없이 뒤에 오는 말이 나타내는 상황이 일어남을 나타내
　　　　　는 표현.
　のに
　前にくる言葉の表す状況とは関係なく、後にくる言葉の表す状況が起こるという意を表す表現。

• 그것 (だいめいし) : 앞에서 이미 이야기한 대상을 가리키는 말.
　それ。あれ
　前に話で話題になった対象をさす語。

• 이 : 어떤 상태나 상황의 대상이나 동작의 주체를 나타내는 조사.
　が
　ある状態・状況の対象や動作の主体を表す助詞。

· **쉽다 (けいようし)** : 하기에 힘들거나 어렵지 않다.

　かんたんだ【簡単だ】。よういだ【容易だ】。たやすい【容易い】

　行うのに大変だったり、困難だったりしない。

· **-지 않다** : 앞의 말이 나타내는 행위나 상태를 부정하는 뜻을 나타내는 표현.

　ない。くない。ではない

　前の言葉の表す行為や状態を否定する意を表す表現。

· **가** : 앞의 말을 강조하는 뜻을 나타내는 조사.

　対訳語無し

　直前の語を強調する意を表す助詞。

· **-네요** : (두루높임으로) 말하는 사람이 직접 경험하여 새롭게 알게 된 사실에 대해 감탄함을 나타낼 때
　　　　　쓰는 표현.

　ですね。ますね

　(略待上称) 話し手が直接経験して新しく知ったことについて感嘆する意を表すのに用いる表現。

< 대화(たいわ【対話】) > - 63

메일 보냈습니다. 확인 좀 부탁 드립니다.
메일 보낸씀니다. 화긴 좀 부탁 드림니다.
meil bonaetseumnida. hwagin jom butak deurimnida.

네. 보내 주신 자료를 검토하고 다시 연락 드리도록 하겠습니다.
네. 보내 주신 자료를 검토하고 다시 열락 드리도록 하겠씀니다.
ne. bonae jusin jaryoreul geomtohago dasi yeollak deuridorok hagetseumnida.

< 설명(せつめい【説明】) / 번역(ほんやく【翻訳】) >

메일 <u>보내+었+습니다</u>.
　　　　보냈습니다

확인 좀 부탁 <u>드리+ㅂ니다</u>.
　　　　　　드립니다

• **메일 (めいし)** : 인터넷이나 통신망으로 주고받는 편지.
　メール
　インターネットや通信網を利用してやり取りするメール。

• **보내다 (どうし)** : 내용이 전달되게 하다.
　おくる【送る】
　内容が伝わるようにする。

• **-었-** : 어떤 사건이 과거에 완료되었거나 그 사건의 결과가 현재까지 지속되는 상황을 나타내는 어미.
　た。ている
　ある出来事が過去に完了したことや、その出来事の結果が現在まで持続している状況を表す語尾。

• **-습니다** : (아주높임으로) 현재의 동작이나 상태, 사실을 정중하게 설명함을 나타내는 종결 어미.
　ます。です
　(上称) 現在の動作や状態、事実を丁寧に説明する意を表す「終結語尾」。

• **확인 (めいし)** : 틀림없이 그러한지를 알아보거나 인정함.
　かくにん【確認】
　確かであるかどうかを調べてみたり、認めたりすること。

- 좀 (ふくし) : 주로 부탁이나 동의를 구할 때 부드러운 느낌을 주기 위해 넣는 말.
  ちょっと【一寸・鳥渡】
  主に頼んだり同意を得たりする時、雰囲気をやわらかくするためにいう語。

- 부탁 (めいし) : 어떤 일을 해 달라고 하거나 맡김.
  たのみ【頼み】。おねがい【お願い】。いらい【依頼】
  何かをしてほしいと伝えて願うこと。また、ゆだねること。

- 드리다 (どうし) : 윗사람에게 어떤 말을 하거나 인사를 하다.
  もうしあげる【申し上げる】
  目上の人に何かを言ったり挨拶をしたりする。

- -ㅂ니다 : (아주높임으로) 현재의 동작이나 상태, 사실을 정중하게 설명함을 나타내는 종결 어미.
  ます。です
  (上称) 現在の動作や状態、事実を丁寧に説明する意を表す「終結語尾」。

네.

보내+[(어) 주]+시+ㄴ 자료+를 검토하+고 다시 연락 드리+[도록 하]+겠+습니다.
　　보내 주신

- 네 (かんどうし) : 윗사람의 물음이나 명령 등에 긍정하여 대답할 때 쓰는 말.
  はい。ええ
  目上の人からの質問や命令などに肯定の返事をする時にいう語。

- 보내다 (どうし) : 내용이 전달되게 하다.
  おくる【送る】
  内容が伝わるようにする。

- -어 주다 : 남을 위해 앞의 말이 나타내는 행동을 함을 나타내는 표현.
  てやる。てあげる。てくれる
  他人のために前の言葉の表す行動をするという意を表す表現。

- -시- : 어떤 동작이나 상태의 주체를 높이는 뜻을 나타내는 어미.
  お…になる。ご…になる
  ある動作や状態の主体を敬う意を表す語尾。

- -ㄴ : 앞의 말이 관형어의 기능을 하게 만들고 사건이나 동작이 완료되어 그 상태가 유지되고 있음을 나타내는 어미.
  た。ている
  前の言葉に連体修飾語の機能を持たせ、
  出来事や動作が完了してその状態が続いているという意を表す語尾。

・자료 (めいし) : 연구나 조사를 하는 데 기본이 되는 재료.
　しりょう【資料】。データ
　研究・調査の基本となる材料。

・를 : 동작이 직접적으로 영향을 미치는 대상을 나타내는 조사.
　を
　動作が直接的に影響を及ぼす対象を表す助詞。

・검토하다 (どうし) : 어떤 사실이나 내용을 자세히 따져서 조사하고 분석하다.
　けんとうする【検討する】
　ある事実や内容を詳細に調べて分析する。

・-고 : 앞의 말과 뒤의 말이 차례대로 일어남을 나타내는 연결 어미.
　て
　前の事柄と後の事柄が順次に起こるという意を表す「連結語尾」。

・다시 (ふくし) : 다음에 또.
　また【又】。こんど【今度】
　別の機会に。

・연락 (めいし) : 어떤 사실을 전하여 알림.
　れんらく【連絡】
　ある事実を伝えて知らせること。

・드리다 (どうし) : 윗사람에게 어떤 말을 하거나 인사를 하다.
　もうしあげる【申し上げる】
　目上の人に何かを言ったり挨拶をしたりする。

・-도록 하다 : 말하는 사람이 어떤 행위를 할 것이라는 의지나 다짐을 나타내는 표현.
　ようにする
　ある行為をしようと思う話し手自身の意志や決心を表す表現。

・-겠- : 완곡하게 말하는 태도를 나타내는 어미.
　対訳語無し
　婉曲に述べる態度を表す語尾。

・-습니다 : (아주높임으로) 현재의 동작이나 상태, 사실을 정중하게 설명함을 나타내는 종결 어미.
　ます。です
　(上称) 現在の動作や状態、事実を丁寧に説明する意を表す「終結語尾」。

< 대화(たいわ【対話】) > - 64

이제 아홉 신데 벌써 자려고?
이제 아홉 신데 벌써 자려고?
ije ahop sinde beolsseo jaryeogo?

시험 기간에 도서관 자리 잡기가 어려워서 내일 일찍 일어나려고요.
시험 기가네 도서관 자리 잡끼가 어려워서 내일 일찍 이러나려고요.
siheom gigane doseogwan jari japgiga eoryeowoseo naeil iljjik ireonaryeogoyo.

< 설명(せつめい【説明】) / 번역(ほんやく【翻訳】) >

이제 아홉 <u>시+(이)+ㄴ데</u> 벌써 자+려고?
신데

- **이제 (ふくし)** : 말하고 있는 바로 이때에.
  ただいま【只今・唯今】
  言っている瞬間に。

- **아홉 (かんけいし)** : 여덟에 하나를 더한 수의.
  きゅう・く【九】
  8に1を足した数の。

- **시 (めいし)** : 하루를 스물넷으로 나누었을 때 그 하나를 나타내는 시간의 단위.
  じ【時】
  一日を24に分けた時、そのうち一つを表す時間の単位。

- **이다** : 주어가 지시하는 대상의 속성이나 부류를 지정하는 뜻을 나타내는 서술격 조사.
  だ。である
  主語が指す対象の属性や部類を指定する意を表す叙述格助詞。

- **-ㄴ데** : 뒤의 말을 하기 위하여 그 대상과 관련이 있는 상황을 미리 말함을 나타내는 연결 어미.
  (だ)が。(だ)けど
  何かを言うための前置きとして、それと関連した状況を前もって述べるという意を表す「連結語尾」。

- **벌써 (ふくし)** : 생각보다 빠르게.
  もう。もはや。いつのまにか【いつの間にか】
  思ったより早く。

- 자다 (どうし) : 눈을 감고 몸과 정신의 활동을 멈추고 한동안 쉬는 상태가 되다.
  ねむる【眠る】。ねる【寝る】
  目を閉じて体と精神の活動を止め、しばらく休んでいる状態になる。

- -려고 : (두루낮춤으로) 어떤 주어진 상황에 대하여 의심이나 반문을 나타내는 종결 어미.
  ようとするのか。つもりか
  (略待下称) ある状況に対する不審や反問の意を表す「終結語尾」。

시험 기간+에 도서관 자리 잡+기+가 <u>어렵(어려우)+어서</u>
어려워서

내일 일찍 일어나+려고요.

- 시험 (めいし) : 문제, 질문, 실제의 행동 등의 일정한 절차에 따라 지식이나 능력을 검사하고 평가하는 일.
  しけん【試験】。こうし【考試】。こうさ【考査】。テスト
  問題・質問・実際の行動などの一定の手続きに従って、知識や能力を検査し評価すること。

- 기간 (めいし) : 어느 일정한 때부터 다른 일정한 때까지의 동안.
  きかん【期間】
  ある一定の時から、他の一定の時に至るまでの間。

- 에 : 앞말이 시간이나 때임을 나타내는 조사.
  に
  前の言葉が時間や時期であることを表す助詞。

- 도서관 (めいし) : 책과 자료 등을 많이 모아 두고 사람들이 빌려 읽거나 공부를 할 수 있게 마련한 시설.
  としょかん【図書館】
  本や資料などを多く集めておいて、人々が借りて読んだり勉強できるようにした施設。

- 자리 (めいし) : 사람이 앉을 수 있도록 만들어 놓은 곳.
  せき【席】。ざせき【座席】
  人が座れるようにしておいたところ。

- 잡다 (どうし) : 자리, 방향, 시기 등을 정하다.
  とる【採る】。する【為る】
  席、方向、時期などを決める。

- -기 : 앞의 말이 명사의 기능을 하게 하는 어미.
  こと
  前の言葉を名詞化する語尾。

• 가 : 어떤 상태나 상황에 놓인 대상이나 동작의 주체를 나타내는 조사.
　が
　ある状態や状況に置かれた対象、または動作の主体を表す助詞。

• **어렵다 (けいようし)** : 하기가 복잡하거나 힘이 들다.
　むずかしい【難しい】
　行うのが複雑だったり、困難だったりする。

• -어서 : 이유나 근거를 나타내는 연결 어미.
　て。から。ので。ため。ゆえ【故】
　理由や根拠の意を表す「連結語尾」。

• 내일 (ふくし) : 오늘의 다음 날에.
　あした【明日】
　今日の翌日に。

• 일찍 (ふくし) : 정해진 시간보다 빠르게.
　はやめに【早めに】。はやく【早く】
　決まった時間より早い時間に。

• 일어나다 (どうし) : 잠에서 깨어나다.
　おきる【起きる】
　目を覚ます。

• -려고요 : (두루높임으로) 어떤 행동을 할 의도나 욕망을 가지고 있음을 나타내는 표현.
　しようとおもって【しようと思って】
　(略待上称) ある行動をする意図や欲望があるという意を 表す表現。

< 대화(たいわ【対話】) > - 65

나 지금 마트에 가려고 하는데 혹시 필요한 거 있니?
나 지금 마트에 가려고 하는데 혹씨 피료한 거 인니?
na jigeum mateue garyeogo haneunde hoksi piryohan geo inni?

그럼 오는 길에 휴지 좀 사다 줄래?
그럼 오는 기레 휴지 좀 사다 줄래?
geureom oneun gire hyuji jom sada jullae?

< 설명(せつめい【説明】) / 번역(ほんやく【翻訳】) >

나 지금 마트+에 가+[려고 하]+는데 혹시 필요하+[ㄴ 것(거)] 있+니?
　　　　　　　　　　　　　　　　　　　　필요한 거

- 나 (だいめいし) : 말하는 사람이 친구나 아랫사람에게 자기를 가리키는 말.
  わたし【私】。ぼく【僕】。おれ【俺】。じぶん【自分】
  話し手が友人や目下の人に対し、自分をさす語。

- 지금 (ふくし) : 말을 하고 있는 바로 이때에. 또는 그 즉시에.
  いま【今】。ただいま【ただ今】
  話をしているこの瞬間。

- 마트 (めいし) : 각종 생활용품을 판매하는 대형 매장.
  マート
  各種生活用品を販売する大型の売場。

- 에 : 앞말이 목적지이거나 어떤 행위의 진행 방향임을 나타내는 조사.
  に。へ
  前の言葉が目的地であったり、ある行為の進行方向であったりすることを表す助詞。

- 가다 (どうし) : 한 곳에서 다른 곳으로 장소를 이동하다.
  ゆく・いく【行く】。うつる【移る】
  ある場所から他の場所へ移動する。

- -려고 하다 : 앞의 말이 나타내는 행동을 할 의도나 의향이 있음을 나타내는 표현.
  しようとする
  前の言葉の表す行動をする意図や意向があるという意を表す表現。

- **-는데** : 뒤의 말을 하기 위하여 그 대상과 관련이 있는 상황을 미리 말함을 나타내는 연결 어미.
  が。けど
  何かを言うための前置きとして、それと関連した状況を前もって述べるという意を表す「連結語尾」。

- **혹시 (ふくし)** : 그러리라 생각하지만 분명하지 않아 말하기를 망설일 때 쓰는 말.
  もしかして【若しかして】。もしかしたら【若しかしたら】。もしかすると【若しかすると】。ひょっとして
  そうであろうと思うものの、はっきりしていなくて言い渋る時に用いる語。

- **필요하다 (けいようし)** : 꼭 있어야 하다.
  ひつようだ【必要だ】
  必ず要する。

- **-ㄴ 것** : 명사가 아닌 것을 문장에서 명사처럼 쓰이게 하거나 '이다' 앞에 쓰일 수 있게 할 때 쓰는 표현.
  こと。の。もの
  名詞でないものを文中で名詞化し、「이다」の前にくるようにするのに用いる表現。

- **있다 (けいようし)** : 사람, 동물, 물체 등이 존재하는 상태이다.
  いる【居る】
  人、動物、物体などが存在する。

- **-니** : (아주낮춤으로) 물음을 나타내는 종결 어미.
  か
  (下称) 質問の意を表す「終結語尾」。

그럼 오+[는 길에] 휴지 좀 사+(아)다 주+ㄹ래?
　　　　　　　　　　　사다　　　줄래

- **그럼 (ふくし)** : 앞의 내용을 받아들이거나 그 내용을 바탕으로 하여 새로운 주장을 할 때 쓰는 말.
  では
  前の内容を受け入れたり、その内容に基づいて新しい主張をしたりする時に用いる語。

- **오다 (どうし)** : 무엇이 다른 곳에서 이곳으로 움직이다.
  くる【来る】。ちかづく【近づく】。やってくる
  何かが他の場所からこちらの方へ動く。

- **-는 길에** : 어떤 일을 하는 도중이나 기회임을 나타내는 표현.
  ついでに。とちゅうで【途中で】
  ある動作をする途中、あるいはその機会であるという意を表す表現。

- **휴지 (めいし)** : 더러운 것을 닦는 데 쓰는 얇은 종이.
  ちりがみ【ちり紙】
  汚れを落とすときに用いる薄い紙。

• **좀 (ふくし)** : 주로 부탁이나 동의를 구할 때 부드러운 느낌을 주기 위해 넣는 말.

   ちょっと【一寸・鳥渡】

   主に頼んだり同意を得たりする時、雰囲気をやわらかくするためにいう語。

• **사다 (どうし)** : 돈을 주고 어떤 물건이나 권리 등을 자기 것으로 만들다.

   かう【買う】。こうにゅうする【購入する】

   金を払って品物や権利などを自分のものにする。

• **-아다** : 어떤 행동을 한 뒤 그 행동의 결과를 가지고 뒤의 말이 나타내는 행동을 이어 함을 나타내는
          연결 어미.

   て。てから

   ある行動をしてからその行動の結果をもって後に述べる行動を続けてするという意を表す「連結語尾」。

• **주다 (どうし)** : 물건 등을 남에게 건네어 가지거나 쓰게 하다.

   あたえる【与える】。やる【遣る】。くれる【呉れる】。あげる【上げる】

   物などを他人に渡して持たせたり使わせたりする。

• **-ㄹ래** : (두루낮춤으로) 앞으로 어떤 일을 하려고 하는 자신의 의사를 나타내거나 그 일에 대하여 듣는
          사람의 의사를 물어봄을 나타내는 종결 어미.

   よ。か

   (略待下称) これから何かをしようとする自分の意思を表したり、

   それについての聞き手の意思を尋ねる意を表す「終結語尾」。

< 대화(たいわ【対話】) > - 66

오늘 회의 몇 시부터 시작하지?
오늘 회이 몇 시부터 시자카지?
oneul hoei myeot sibuteo sijakaji?

지금 시작하려고 하니까 빨리 준비하고 와.
지금 시자카려고 하니까 빨리 준비하고 와.
jigeum sijakaryeogo hanikka ppalli junbihago wa.

< 설명(せつめい【説明】) / 번역(ほんやく【翻訳】) >

오늘 회의 몇 시+부터 시작하+지?

- 오늘 (めいし) : 지금 지나가고 있는 이날.
  きょう【今日】。ほんじつ【本日】
  今過ごしているこの日。

- 회의 (めいし) : 여럿이 모여 의논함. 또는 그런 모임.
  かいぎ【会議】
  何人もの人が集まって議論すること。また、その会合。

- 몇 (かんけいし) : 잘 모르는 수를 물을 때 쓰는 말.
  いく【幾】
  不明や不定の数量を問うのに用いる語。

- 시 (めいし) : 하루를 스물넷으로 나누었을 때 그 하나를 나타내는 시간의 단위.
  じ【時】
  一日を24に分けた時、そのうち一つを表す時間の単位。

- 부터 : 어떤 일의 시작이나 처음을 나타내는 조사.
  から。より
  ある出来事の始まりや起点という意を表す助詞。

- 시작하다 (どうし) : 어떤 일이나 행동의 처음 단계를 이루거나 이루게 하다.
  はじめる【始める】。てがける【手掛ける】。おこす【起す】
  ある事や行動の初めの段階になったり、すること。また、そのような段階。

• -지 : (두루낮춤으로) 말하는 사람이 듣는 사람에게 친근함을 나타내며 물을 때 쓰는 종결 어미.
だろう。よね。かな
(略待下称) 話し手が聞き手に親しみを表明しながら尋ねるのに用いる「終結語尾」。

지금 시작하+[려고 하]+니까 빨리 준비하+고 오+아.
와

• 지금 (ふくし) : 말을 하고 있는 바로 이때에. 또는 그 즉시에.
いま【今】。ただいま【ただ今】
話をしているこの瞬間。

• 시작하다 (どうし) : 어떤 일이나 행동의 처음 단계를 이루거나 이루게 하다.
はじめる【始める】。てがける【手掛ける】。おこす【起す】
ある事や行動の初めの段階になったり、すること。また、そのような段階。

• -려고 하다 : 앞의 말이 나타내는 일이 곧 일어날 것 같거나 시작될 것임을 나타내는 표현.
しようとする。そうだ
前の言葉の表す事態が今にも起こるか始まる様子であるという意を表す表現。

• -니까 : 뒤에 오는 말에 대하여 앞에 오는 말이 원인이나 근거, 전제가 됨을 강조하여 나타내는 연결 어미.
から。ので。ため。て
後にくる事柄に対して前の事柄が原因や根拠・前提になることを強調していう「連結語尾」。

• 빨리 (ふくし) : 걸리는 시간이 짧게.
はやく【早く】
かかる時間が短く。

• 준비하다 (どうし) : 미리 마련하여 갖추다.
じゅんびする【準備する】。よういする【用意する】
前もって必要なものを揃えておく。

• -고 : 앞의 말과 뒤의 말이 차례대로 일어남을 나타내는 연결 어미.
て
前の事柄と後の事柄が順次に起こるという意を表す「連結語尾」。

• 오다 (どうし) : 무엇이 다른 곳에서 이곳으로 움직이다.
くる【来る】。ちかづく【近づく】。やってくる
何かが他の場所からこちらの方へ動く。

• -아 : (두루낮춤으로) 어떤 사실을 서술하거나 물음, 명령, 권유를 나타내는 종결 어미.
する。である。するのか。しなさい。しよう。しましょう
(略待下称) ある事実を叙述したり質問・命令・勧誘の意を表す「終結語尾」。<めいれい【命令】>

< 대화(たいわ【対話】) > - 67

장마도 끝났으니 이제 정말 더워지려나 봐.
장마도 끈나쓰니 이제 정말 더워지려나 봐.
jangmado kkeunnasseuni ije jeongmal deowojiryeona bwa.

맞아. 오늘 아침에 걸어오는데 땀이 줄줄 나더라.
마자. 오늘 아치메 거러오는데 따미 줄줄 나더라.
maja. oneul achime georeooneunde ttami juljul nadeora.

< 설명(せつめい【説明】) / 번역(ほんやく【翻訳】) >

장마+도 끝나+았+으니 이제 정말 더워지+[려나 보]+아.
　　　　끝났으니　　　　　　　　더워지려나 봐

- **장마 (めいし)** : 여름철에 여러 날 계속해서 비가 오는 현상이나 날씨. 또는 그 비.
  つゆ【梅雨・黴雨】
  夏に数日にかけて雨が降り続く現象や天気。また、その雨。

- **도** : 이미 있는 어떤 것에 다른 것을 더하거나 포함함을 나타내는 조사.
  も
  既存の物事に他の物事を加えたり含ませたりするという意を表す助詞。

- **끝나다 (どうし)** : 정해진 기간이 모두 지나가다.
  おわる【終わる】。すむ【済む】。きれる【切れる】。あける【開ける】
  決まった期間が過ぎる。

- **-았-** : 어떤 사건이 과거에 완료되었거나 그 사건의 결과가 현재까지 지속되는 상황을 나타내는 어미.
  た。ている
  ある出来事が過去に完了したことや、その出来事の結果が現在まで持続している状況を表す語尾。

- **-으니** : 뒤에 오는 말에 대하여 앞에 오는 말이 원인이나 근거, 전제가 됨을 나타내는 연결 어미.
  から。ので。ため。ゆえ【故】
  後にくる事柄に対して前の事柄がその原因や根拠・前提になるという意を表す「連結語尾」。

- **이제 (ふくし)** : 지금부터 앞으로.
  これから【此れから】
  今から以後。

• 정말 (ふくし) : 거짓이 없이 진짜로.
　ほんとうに・ほんとに【本当】。じつに【実に】。しんに【真に】
　うそでないさま。

• 더워지다 (どうし) : 온도가 올라가다. 또는 그로 인해 더위나 뜨거움을 느끼다.
　あつくなる【暑くなる】。あつくなる【熱くなる】。ねっする【熱する】
　温度が上がる。また、それによってあつさを感じる。

• -려나 보다 : 앞의 말이 나타내는 일이 일어날 것이라고 추측함을 나타내는 표현.
　そうだ。つもりらしい
　前の言葉の表す事態がまもなく起こるだろうという推測の意を表す表現。

• -아 : (두루낮춤으로) 어떤 사실을 서술하거나 물음, 명령, 권유를 나타내는 종결 어미.
　する。である。するのか。しなさい。しよう。しましょう
　(略待下称) ある事実を叙述したり質問・命令・勧誘の意を表す「終結語尾」。<じょじゅつ【叙述】>

맞+아.

오늘 아침+에 걸어오+는데 땀+이 줄줄 나+더라.

• 맞다 (どうし) : 그렇거나 옳다.
　あう【合う】
　そうである。また、正しい。

• -아 : (두루낮춤으로) 어떤 사실을 서술하거나 물음, 명령, 권유를 나타내는 종결 어미.
　する。である。するのか。しなさい。しよう。しましょう
　(略待下称) ある事実を叙述したり質問・命令・勧誘の意を表す「終結語尾」。<じょじゅつ【叙述】>

• 오늘 (めいし) : 지금 지나가고 있는 이날.
　きょう【今日】。ほんじつ【本日】
　今過ごしているこの日。

• 아침 (めいし) : 날이 밝아올 때부터 해가 떠올라 하루의 일이 시작될 때쯤까지의 시간.
　あさ【朝】
　夜が明けて日が昇り一日が始まる頃までの時間。

• 에 : 앞말이 시간이나 때임을 나타내는 조사.
　に
　前の言葉が時間や時期であることを表す助詞。

· **걸어오다 (どうし)** : 목적지를 향하여 다리를 움직여서 이동하여 오다.
  あるいてくる【歩いてくる】。あゆんでくる【歩んでくる】
  目的地に向かって、足を動かして移ってくる。

· **-는데** : 뒤의 말을 하기 위하여 그 대상과 관련이 있는 상황을 미리 말함을 나타내는 연결 어미.
  が。けど
  何かを言うための前置きとして、それと関連した状況を前もって述べるという意を表す「連結語尾」。

· **땀 (めいし)** : 덥거나 몸이 아프거나 긴장을 했을 때 피부를 통해 나오는 짭짤한 맑은 액체.
  あせ【汗】
  暑い時や体調を崩したり緊張したりした時に皮膚から分泌されるややしょっぱい液体。

· **이** : 어떤 상태나 상황의 대상이나 동작의 주체를 나타내는 조사.
  が
  ある状態・状況の対象や動作の主体を表す助詞。

· **줄줄 (ふくし)** : 굵은 물줄기 등이 계속 흐르는 소리. 또는 그 모양.
  ざあざあ。だらだら。どくどく
  太い水の筋が絶え間なく流れる音。また、その様子。

· **나다 (どうし)** : 몸에서 땀, 피, 눈물 등이 흐르다.
  でる【出る】
  体から汗や血、涙などが流れる。

· **-더라** : (아주낮춤으로) 말하는 이가 직접 경험하여 새롭게 알게 된 사실을 지금 전달함을 나타내는 종결 어미.
  たよ。ていたよ
  (下称) 話し手が直接経験して新しく知った事実を今伝えるという意を表す「終結語尾」。

< 대화(たいわ【対話】) > - 68

나는 아내를 위해서 대신 죽을 수도 있을 것 같아.
나는 아내를 위해서 대신 주글 쑤도 이쓸 껃 가타.
naneun anaereul wihaeseo daesin jugeul sudo isseul geot gata.

네가 아내를 정말 사랑하는구나.
네가 아내를 정말 사랑하는구나.
nega anaereul jeongmal saranghaneunguna.

< 설명(せつめい【説明】) / 번역(ほんやく【翻訳】) >

나+는 아내+[를 위해서] 대신 죽+[을 수+도 있]+[을 것 같]+아.

- 나 (だいめいし) : 말하는 사람이 친구나 아랫사람에게 자기를 가리키는 말.
  わたし【私】。ぼく【僕】。おれ【俺】。じぶん【自分】
  話し手が友人や目下の人に対し、自分をさす語。

- 는 : 문장 속에서 어떤 대상이 화제임을 나타내는 조사.
  は
  文の中で、ある対象が話題であることを表す助詞。

- 아내 (めいし) : 결혼하여 남자의 짝이 된 여자.
  つま【妻】。かない【家内】。にょうぼう【女房】
  結婚して男性の配偶者になった女性。

- 를 위해서 : 어떤 대상에게 이롭게 하거나 어떤 목표나 목적을 이루려고 함을 나타내는 표현.
  のために【の為に】
  ある対象に利益を与えたり、ある目標や目的を成し遂げようとするという意を表す表現。

- 대신 (めいし) : 어떤 대상이 맡던 구실을 다른 대상이 새로 맡음. 또는 그렇게 새로 맡은 대상.
  かわり【代わり】
  ある対象の役割を他の対象が新たに引き受けること。また、新たに引き受けた対象。

- 죽다 (どうし) : 생물이 생명을 잃다.
  しぬ【死ぬ】。しぼうする【死亡する】。かれる【枯れる】
  生物が生命を失う。

- -을 수 있다 : 어떤 행동이나 상태가 가능함을 나타내는 표현.
  (ら)れる。ことができる
  ある行動や状態が可能であることを表す表現。

- 도 : 극단적인 경우를 들어 다른 경우는 말할 것도 없음을 나타내는 조사.
  も。すら。さえ。まで
  極端な場合を例にあげて、他の場合は言うまでもないという意を表す助詞。

- -을 것 같다 : 추측을 나타내는 표현.
  ようだ。そうだ。らしい。みたいだ
  推測の意を表す表現。

- -아 : (두루낮춤으로) 어떤 사실을 서술하거나 물음, 명령, 권유를 나타내는 종결 어미.
  する。である。するのか。しなさい。しよう。しましょう
  (略待下称) ある事実を叙述したり質問・命令・勧誘の意を表す「終結語尾」。<じょじゅつ【叙述】>

네+가 아내+를 정말 사랑하+는구나.

- 네 (だいめいし) : '너'에 조사 '가'가 붙을 때의 형태.
  おまえ【お前】。きみ【君】
  二人称代名詞「너」に主格助詞「가」があとにつく場合の形。

- 가 : 어떤 상태나 상황에 놓인 대상이나 동작의 주체를 나타내는 조사.
  が
  ある状態や状況に置かれた対象、または動作の主体を表す助詞。

- 아내 (めいし) : 결혼하여 남자의 짝이 된 여자.
  つま【妻】。かない【家内】。にょうぼう【女房】
  結婚して男性の配偶者になった女性。

- 를 : 동작이 직접적으로 영향을 미치는 대상을 나타내는 조사.
  を
  動作が直接的に影響を及ぼす対象を表す助詞。

- 정말 (ふくし) : 거짓이 없이 진짜로.
  ほんとうに・ほんとに【本当】。じつに【実に】。しんに【真に】
  うそでないさま。

- 사랑하다 (どうし) : 상대에게 성적으로 매력을 느껴 열렬히 좋아하다.
  あいする【愛する】。こいする【恋する】
  相手に性的な魅力を感じて、熱烈に恋い慕う。

• -는구나 : (아주낮춤으로) 새롭게 알게 된 사실에 어떤 느낌을 실어 말함을 나타내는 종결 어미.

(だ) ね。 (だ) よね。 (だ) なあ

(下称) 新しく知った事実に何らかの感情をこめて述べるという意を表す「終結語尾」。

< 대화(たいわ【対話】) > - 69

이 약은 하루에 몇 번이나 먹어야 하나요?
이 야근 하루에 멷 버니나 머거야 하나요?
i yageun harue myeot beonina meogeoya hanayo?

아침저녁으로 두 번만 드시면 됩니다.
아침저녀그로 두 번만 드시면 됩니다.
achimjeonyeogeuro du beonman deusimyeon doemnida.

< 설명(せつめい【説明】) / 번역(ほんやく【翻訳】) >

이 약+은 하루+에 몇 번+이나 먹+[어야 하]+나요?

- 이 (かんけいし) : 말하는 사람에게 가까이 있거나 말하는 사람이 생각하고 있는 대상을 가리킬 때 쓰는 말.
  この
  話し手の近くにあるか、話し手が考えている対象を指す語。

- 약 (めいし) : 병이나 상처 등을 낫게 하거나 예방하기 위하여 먹거나 바르거나 주사하는 물질.
  くすり【薬】
  病気や傷などの治癒や予防に、飲んだり塗ったり注射したりする物質。

- 은 : 문장 속에서 어떤 대상이 화제임을 나타내는 조사.
  は
  文章の中である対象が話題であることを表す助詞。

- 하루 (めいし) : 밤 열두 시부터 다음 날 밤 열두 시까지의 스물네 시간.
  いちにち【一日】
  午前零時から午後12時までの24時間。

- 에 : 앞말이 기준이 되는 대상이나 단위임을 나타내는 조사.
  に
  前の言葉が基準になる対象や単位であることを表す助詞。

- 몇 (かんけいし) : 잘 모르는 수를 물을 때 쓰는 말.
  いく【幾】
  不明や不定の数量を問うのに用いる語。

- 번 (めいし) : 일의 횟수를 세는 단위.
  かい【回】。ど【度】
  物事の回数を数える単位。

- 이나 : 수량이나 정도를 대강 짐작할 때 쓰는 조사.
  くらい・ぐらい【位】
  おおよその分量・程度を表す助詞。

- 먹다 (どうし) : 약을 입에 넣어 삼키다.
  のむ【飲む】。ふくようする【服用する】
  薬を口の中に入れて飲み込む。

- -어야 하다 : 앞에 오는 말이 어떤 일을 하거나 어떤 상황에 이르기 위한 의무적인 행동이거나 필수적인 조건임을 나타내는 표현.
  ないといけない。ないとならない。なければいけない。なければならない。ねばならない
  前にくる言葉が、ある事をしたりある状況になるための義務的な行動、
  または必須条件であるという意を表す表現。

- -나요 : (두루높임으로) 앞의 내용에 대해 상대방에게 물어볼 때 쓰는 표현.
  ですか。ますか
  (略待上称) 前の内容について相手に尋ねるのに用いる表現。

아침저녁+으로 두 번+만 들(드)+시+[면 되]+ㅂ니다.
드시면 됩니다

- 아침저녁 (めいし) : 아침과 저녁.
  あさゆう【朝夕】
  朝と夕方。

- 으로 : 시간을 나타내는 조사.
  に
  時間を表す助詞。

- 두 (かんけいし) : 둘의.
  に【二】。ふたつ【二つ】
  二つの。

- 번 (めいし) : 일의 횟수를 세는 단위.
  かい【回】。ど【度】
  物事の回数を数える単位。

- 만 : 다른 것은 제외하고 어느 것을 한정함을 나타내는 조사.
  だけ。のみ
  他の物事は除き、特定の物事に限定するという意を表す助詞。

- 들다 (どうし) : (높임말로) 먹다.
  めしあがる【召し上がる】
  「食べる」の尊敬語。

- -시- : 어떤 동작이나 상태의 주체를 높이는 뜻을 나타내는 어미.
  お…になる。ご…になる
  ある動作や状態の主体を敬う意を表す語尾。

- -면 되다 : 조건이 되는 어떤 행동을 하거나 어떤 상태만 갖추어지면 문제가 없거나 충분함을 나타내는
          표현.
  ばいい。といい
  条件になるある行動をするかある状態さえそろえば何も問題ない、
  あるいはそれで十分であるという意を表す表現。

- -ㅂ니다 : (아주높임으로) 현재의 동작이나 상태, 사실을 정중하게 설명함을 나타내는 종결 어미.
  ます。です
  (上称) 現在の動作や状態、事実を丁寧に説明する意を表す「終結語尾」。

< 대화(たいわ【対話】) > - 70

다음부터는 수업 시간에 떠들면 안 돼.
다음부터는 수업 시가네 떠들면 안 돼.
daeumbuteoneun sueop sigane tteodeulmyeon an dwae.

네, 선생님. 다음부터는 절대 떠들지 않을게요.
네, 선생님. 다음부터는 절대 떠들지 아늘께요.
ne, seonsaengnim. daeumbuteoneun jeoldae tteodeulji aneulgeyo.

< 설명(せつめい【説明】) / 번역(ほんやく【翻訳】) >

다음+부터+는 수업 시간+에 떠들+[면 안 되]+어.
떠들면 안 돼

- **다음 (めいし)** : 이번 차례의 바로 뒤.
  つぎ【次】
  今回のすぐ後。

- **부터** : 어떤 일의 시작이나 처음을 나타내는 조사.
  から。より
  ある出来事の始まりや起点という意を表す助詞。

- **는** : 어떤 대상이 다른 것과 대조됨을 나타내는 조사.
  は
  ある対象が他のものと対照されることを表す助詞。

- **수업 (めいし)** : 교사가 학생에게 지식이나 기술을 가르쳐 줌.
  じゅぎょう【授業】
  教師が生徒・学生に知識や技術を教えること。

- **시간 (めいし)** : 어떤 일이 시작되어 끝날 때까지의 동안.
  じかん【時間】
  ある事が始まって終わるまでの間。

- **에** : 앞말이 시간이나 때임을 나타내는 조사.
  に
  前の言葉が時間や時期であることを表す助詞。

・**떠들다 (どうし)** : 큰 소리로 시끄럽게 말하다.
　さわぐ【騒ぐ】
　大声でうるさく言う。

・**-면 안 되다** : 어떤 행동이나 상태를 금지하거나 제한함을 나타내는 표현.
　てはいけない。てはならない。
　ある行動や状態を禁止したり制限するという意を表す表現。

・**-어** : (두루낮춤으로) 어떤 사실을 서술하거나 물음, 명령, 권유를 나타내는 종결 어미.
　のか。なさい。よう。ましょう
　(略待下称) ある事実を叙述したり、質問・命令・勧誘の意を表す「終結語尾」。 <めいれい【命令】>

네, 선생님.

다음+부터+는 절대 떠들+[지 않]+을게요.

・**네 (かんどうし)** : 윗사람의 물음이나 명령 등에 긍정하여 대답할 때 쓰는 말.
　はい。ええ
　目上の人からの質問や命令などに肯定の返事をする時にいう語。

・**선생님 (めいし)** : (높이는 말로) 학생을 가르치는 사람.
　せんせい【先生】
　生徒を教える人を敬っていう語。

・**다음 (めいし)** : 이번 차례의 바로 뒤.
　つぎ【次】
　今回のすぐ後。

・**부터** : 어떤 일의 시작이나 처음을 나타내는 조사.
　から。より
　ある出来事の始まりや起点という意を表す助詞。

・**는** : 어떤 대상이 다른 것과 대조됨을 나타내는 조사.
　は
　ある対象が他のものと対照されることを表す助詞。

・**절대 (ふくし)** : 어떤 경우라도 반드시.
　ぜったい【絶対】
　どんなことがあっても必ず。

・**떠들다 (どうし)** : 큰 소리로 시끄럽게 말하다.
　さわぐ【騒ぐ】
　大声でうるさく言う。

・**-지 않다** : 앞의 말이 나타내는 행위나 상태를 부정하는 뜻을 나타내는 표현.
　ない。くない。ではない
　前の言葉の表す行為や状態を否定する意を表す表現。

・**-을게요** : (두루높임으로) 말하는 사람이 어떤 행동을 할 것을 듣는 사람에게 약속하거나 의지를 나타내
　　　　　　는 표현.
　ます
　(略待上称) 話し手が聞き手に対してある行動をすると約束したり知らせる意を表す表現。

< 대화(たいわ【対話】) > - 71

엄마, 할머니 댁은 아직 멀었어요?
엄마, 할머니 대근 아직 머러써요?
eomma, halmeoni daegeun ajik meoreosseoyo?

아냐. 다 와 가. 삼십 분만 더 가면 되니까 조금만 참아.
아냐. 다 와 가. 삼십 분만 더 가면 되니까 조금만 차마.
anya. da wa ga. samsip bunman deo gamyeon doenikka jogeumman chama.

< 설명(せつめい【説明】) / 번역(ほんやく【翻訳】) >

엄마, 할머니 댁+은 아직 멀+었+어요?

- **엄마 (めいし)** : 격식을 갖추지 않아도 되는 상황에서 어머니를 이르거나 부르는 말.
  ママ。おかあちゃん【お母ちゃん】
  くだけた場面で母親を指したり呼ぶ語。

- **할머니 (めいし)** : 아버지의 어머니, 또는 어머니의 어머니를 이르거나 부르는 말.
  おばあさん【御祖母さん】。そぼ・ばば【祖母】
  父または母の母親を指したり呼ぶ語。

- **댁 (めいし)** : (높이는 말로) 남의 집이나 가정.
  おたく【お宅】
  人の家や家庭を敬っていう語。

- **은** : 문장 속에서 어떤 대상이 화제임을 나타내는 조사.
  は
  文章の中である対象が話題であることを表す助詞。

- **아직 (ふくし)** : 어떤 일이나 상태 또는 어떻게 되기까지 시간이 더 지나야 함을 나타내거나, 어떤 일이나 상태가 끝나지 않고 계속 이어지고 있음을 나타내는 말.
  まだ【未だ】
  あることや状態になるまでにさらに時間がかかるべきことを表す語。また、
  あることや状態が終わらずに続くことを表す語。

- **멀다 (けいようし)** : 지금으로부터 시간이 많이 남아 있다. 오랜 시간이 필요하다.
  とおい【遠い】
  かなり時間が残っている。長い時間が必要だ。

• -었- : 어떤 사건이 과거에 완료되었거나 그 사건의 결과가 현재까지 지속되는 상황을 나타내는 어미.
　た。ている
　ある出来事が過去に完了したことや、その出来事の結果が現在まで持続している状況を表す語尾。

• -어요 : (두루높임으로) 어떤 사실을 서술하거나 질문, 명령, 권유함을 나타내는 종결 어미.
　ます。です。ますか。ですか。てください
　(略待上称) ある事実を叙述したり質問、命令、勧誘する意を表す「終結語尾」。

아냐.

다 <u>오+[아 가]</u>+(아).
　　　와 가

삼십 분+만 더 가+[면 되]+니까 조금+만 참+아.

• 아냐 (かんどうし) : 묻는 말에 대하여 강조하며, 또는 단호하게 부정하며 대답할 때 쓰는 말.
　いや。いえ
　質問に対して否定の意を強調する時や、はっきり否定して答える時にいう語。

• 다 (ふくし) : 행동이나 상태의 정도가 한정된 정도에 거의 가깝게.
　ほとんど【殆ど】
　行動や状態の具合がぎりぎりになっている程度に。

• 오다 (どうし) : 가고자 하는 곳에 이르다.
　つく【着く】。とうちゃくする【到着する】
　行こうとした所に達する。

• -아 가다 : 앞의 말이 나타내는 행동이나 상태가 계속 진행됨을 나타내는 표현.
　ていく。てくる。つつある
　前の言葉の表す行動や状態が引き続き進むという意を表す表現。

• -아 : (두루낮춤으로) 어떤 사실을 서술하거나 물음, 명령, 권유를 나타내는 종결 어미.
　する。である。するのか。しなさい。しよう。しましょう
　(略待下称) ある事実を叙述したり質問・命令・勧誘の意を表す「終結語尾」。<じょじゅつ【叙述】>

• 삼십 (かんけいし) : 서른의.
　さんじゅう【三十】
　30の。

· 분 (めいし) : 한 시간의 60분의 1을 나타내는 시간의 단위.
　ふん【分】
　1時間の60分の1を表す時間の単位。

· 만 : 앞의 말이 어떤 것에 대한 조건임을 나타내는 조사.
　だけ。のみ
　前の言葉が何かについての条件であるという意を表す助詞。

· 더 (ふくし) : 보태어 계속해서.
　もっと。ますます。いっそう【一層】。さらに
　付け加えられて続くさま。

· 가다 (どうし) : 한 곳에서 다른 곳으로 장소를 이동하다.
　ゆく・いく【行く】。うつる【移る】
　ある場所から他の場所へ移動する。

· -면 되다 : 조건이 되는 어떤 행동을 하거나 어떤 상태만 갖추어지면 문제가 없거나 충분함을 나타내는 표현.
　ばいい。といい
　条件になるある行動をするかある状態さえそろえば何も問題ない、
　あるいはそれで十分であるという意を表す表現。

· -니까 : 뒤에 오는 말에 대하여 앞에 오는 말이 원인이나 근거, 전제가 됨을 강조하여 나타내는 연결 어미.
　から。ので。ため。て
　後にくる事柄に対して前の事柄が原因や根拠・前提になることを強調していう「連結語尾」。

· 조금 (めいし) : 짧은 시간 동안.
　すこし【少し】。わずか【僅か・纔か】。ちょっと【一寸・鳥渡】
　短い間。

· 만 : 말하는 사람이 기대하는 최소의 선을 나타내는 조사.
　だけ。のみ
　話し手の期待する最小限の限度を表す助詞。

· 참다 (どうし) : 어떤 시간 동안을 견디고 기다리다.
　まつ【待つ】
　一定の時間を我慢して過ごす。

· -아 : (두루낮춤으로) 어떤 사실을 서술하거나 물음, 명령, 권유를 나타내는 종결 어미.
　する。である。するのか。しなさい。しよう。しましょう
　(略待下称) ある事実を叙述したり質問・命令・勧誘の意を表す「終結語尾」。 <めいれい【命令】>

< 대화(たいわ【対話】) > - 72

부산까지는 시간이 꽤 오래 걸리니까 번갈아 가면서 운전하는 게 어때?
부산까지는 시가니 꽤 오래 걸리니까 번가라 가면서 운전하는 게 어때?
busankkajineun sigani kkwae orae geollinikka beongara gamyeonseo unjeonhaneun ge eottae?

그래. 그게 좋겠다.
그래. 그게 조켇따.
geurae. geuge joketda.

< 설명(せつめい【説明】) / 번역(ほんやく【翻訳】) >

부산+까지+는 시간+이 꽤 오래 걸리+니까 번갈+[아 가]+면서

운전하+[는 것(거)]+이 어떻+어?
　　운전하는 게　　　　어때

- 부산 (めいし) : 경상남도 동남부에 있는 광역시. 서울에 다음가는 대도시이며 한국 최대의 무역항이 있
　　　　　　　다.
　　プサン【釜山】
　　慶尚南道(キョンサンナムド)の東南部にある広域市。ソウルに次ぐ大都市で韓国最大の貿易港がある。

- 까지 : 어떤 범위의 끝임을 나타내는 조사.
　　まで
　　ある範囲の終端であることを表す助詞。

- 는 : 문장 속에서 어떤 대상이 화제임을 나타내는 조사.
　　は
　　文の中で、ある対象が話題であることを表す助詞。

- 시간 (めいし) : 어떤 때에서 다른 때까지의 동안.
　　じかん【時間】
　　ある時から別の時までの間。

- 이 : 어떤 상태나 상황의 대상이나 동작의 주체를 나타내는 조사.
　　が
　　ある状態・状況の対象や動作の主体を表す助詞。

- **꽤** (ふくし) : 예상이나 기대 이상으로 상당히.
  かなり
  予想や期待以上に相当。

- **오래** (ふくし) : 긴 시간 동안.
  ながく【長く】。ながいあいだ【長い間】
  長い時間の間。

- **걸리다** (どうし) : 시간이 들다.
  かかる【掛かる】
  時間が費やされる。

- **-니까** : 뒤에 오는 말에 대하여 앞에 오는 말이 원인이나 근거, 전제가 됨을 강조하여 나타내는 연결 어미.
  から。ので。ため。て
  後にくる事柄に対して前の事柄が原因や根拠・前提になることを強調していう「連結語尾」。

- **번갈다** (どうし) : 여럿이 어떤 일을 할 때, 일정한 시간 동안 한 사람씩 차례를 바꾸다.
  こうたいする【交替する・交代する】
  多くの人が一緒に何かをする時、一定の間隔で一人ずつ順番を変える。

- **-아 가다** : 앞의 말이 나타내는 행동을 이따금 반복함과 동시에 또 다른 행동을 이어 함을 나타내는 표현.
  ていく
  前の言葉の表す行動を度々繰り返すと同時に別の行為を続けて行うという意を表す表現。

- **-면서** : 두 가지 이상의 동작이나 상태가 함께 일어남을 나타내는 연결 어미.
  ながら
  二つ以上の動作や状態が共に起こるという意を表す「連結語尾」。

- **운전하다** (どうし) : 기계나 자동차를 움직이고 조종하다.
  うんてんする【運転する】
  機械や自動車などを作動させる。

- **-는 것** : 명사가 아닌 것을 문장에서 명사처럼 쓰이게 하거나 '이다' 앞에 쓰일 수 있게 할 때 쓰는 표현.
  こと。の。もの
  名詞でないものを文中で名詞化し、「이다」の前にくるようにするのに用いる表現。

- **이** : 어떤 상태나 상황의 대상이나 동작의 주체를 나타내는 조사.
  が
  ある状態・状況の対象や動作の主体を表す助詞。

· **어떻다 (けいようし)** : 생각, 느낌, 상태, 형편 등이 어찌 되어 있다.
どうだ。どんな
考え、感じ、状態、都合などがどういうふうになっている。

· **-어** : (두루낮춤으로) 어떤 사실을 서술하거나 물음, 명령, 권유를 나타내는 종결 어미.
のか。なさい。よう。ましょう
(略待下称) ある事実を叙述したり、質問・命令・勧誘の意を表す「終結語尾」。 <とい【問い】>

그래.

그것(그거)+이 좋+겠+다.
　　그게

· **그래 (かんどうし)** : '그렇게 하겠다, 그렇다, 알았다' 등 긍정하는 뜻으로, 대답할 때 쓰는 말.
そう
「そうする。そうである。わかった」などという肯定の返事をする時にいう語。

· **그것 (だいめいし)** : 앞에서 이미 이야기한 대상을 가리키는 말.
それ。あれ
前に話で話題になった対象をさす語。

· **이** : 어떤 상태나 상황의 대상이나 동작의 주체를 나타내는 조사.
が
ある状態・状況の対象や動作の主体を表す助詞。

· **좋다 (けいようし)** : 어떤 일이나 대상이 마음에 들고 만족스럽다.
よい【良い・善い】。すきだ【好きだ】
あることや対象が気に入って満足できる。

· **-겠-** : 미래의 일이나 추측을 나타내는 어미.
だろう
未来の事や推量を表す語尾。

· **-다** : (아주낮춤으로) 어떤 사건이나 사실, 상태를 서술함을 나타내는 종결 어미.
する。…い。…だ。である
(下称) 現在の出来事や事実を叙述する意を表す「終結語尾」。

< 대화(たいわ【対話】) > - 73

처음 해 보는 일에 새롭게 도전하는 것이 두렵지 않으세요?
처음 해 보는 이레 새롭께 도전하는 거시 두렵찌 아느세요?
cheoeum hae boneun ire saeropge dojeonhaneun geosi duryeopji aneuseyo?

아니요. 더디지만 하나씩 알아 나가는 재미가 있어요.
아니요. 더디지만 하나씩 아라 나가는 재미가 이써요.
aniyo. deodijiman hanassik ara naganeun jaemiga isseoyo.

< 설명(せつめい【説明】) / 번역(ほんやく【翻訳】) >

처음 하+[여 보]+는 일+에 새롭+게 도전하+[는 것]+이 두렵+[지 않]+으세요?
　　　　해 보는

- **처음 (めいし)** : 차례나 시간상으로 맨 앞.
  いちばんはじめ【一番初め】。さいしょ【最初】
  順序や時間の上で一番先。

- **하다 (どうし)** : 어떤 행동이나 동작, 활동 등을 행하다.
  する【為る】。やる【遣る】。なす【成す・為す】
  ある行動や動作、活動などを行う。

- **-여 보다** : 앞의 말이 나타내는 행동을 시험 삼아 함을 나타내는 표현.
  てみる
  前の言葉の表す行動を試してやるという意を表す表現。

- **-는** : 앞의 말이 관형어의 기능을 하게 만들고 사건이나 동작이 현재 일어남을 나타내는 어미.
  する。ている
  前の言葉に連体修飾語の機能を持たせ、出来事や動作が現在進行中であるという意を表す語尾。

- **일 (めいし)** : 무엇을 이루려고 몸이나 정신을 사용하는 활동. 또는 그 활동의 대상.
  しごと【仕事】
  何かを成すために体や精神を使う活動。また、その活動の対象。

- **에** : 앞말이 어떤 행위나 감정 등의 대상임을 나타내는 조사.
  に
  前の言葉がある行為や感情などの対象であることを表す助詞。

· 새롭다 (けいようし) : 지금까지의 것과 다르거나 있은 적이 없다.
  あたらしい【新しい】
  今までのものと違ったり今までにない。

· -게 : 앞의 말이 뒤에서 가리키는 일의 목적이나 결과, 방식, 정도 등이 됨을 나타내는 연결 어미.
  …く。…に。ように。ほど
  前の事柄が後の事柄の目的・結果・方法・程度などになるという意を表す「連結語尾」。<ほうしき【方式】>

· 도전하다 (どうし) : (비유적으로) 가치 있는 것이나 목표한 것을 얻기 위해 어려움에 맞서다.
  いどむ【挑む】。ちょうせんする【挑戦する】
  (比喩的に)価値あるものや目標としたものを獲得するために困難に立ち向かう。

· -는 것 : 명사가 아닌 것을 문장에서 명사처럼 쓰이게 하거나 '이다' 앞에 쓰일 수 있게 할 때 쓰는 표현.
  こと。の。もの
  名詞でないものを文中で名詞化し、「이다」の前にくるようにするのに用いる表現。

· 이 : 어떤 상태나 상황의 대상이나 동작의 주체를 나타내는 조사.
  が
  ある状態・状況の対象や動作の主体を表す助詞。

· 두렵다 (けいようし) : 걱정되고 불안하다.
  しんぱいだ【心配だ】。ふあんだ【不安だ】。きがかりだ【気がかりだ】
  気になって不安である。

· -지 않다 : 앞의 말이 나타내는 행위나 상태를 부정하는 뜻을 나타내는 표현.
  ない。くない。ではない
  前の言葉の表す行為や状態を否定する意を表す表現。

· -으세요 : (두루높임으로) 설명, 의문, 명령, 요청의 뜻을 나타내는 종결 어미.
  ます。です。てください
  (略待上称) 説明・疑問・命令・要請の意を表す「終結語尾」。<しつもん【質問】>

아니요.

더디+지만 하나+씩 알+[아 나가]+는 재미+가 있+어요.

· 아니요 (かんどうし) : 윗사람이 묻는 말에 대하여 부정하며 대답할 때 쓰는 말.
  いいえ
  目上の人の問いに対し、否定して答えるのに用いる語。

• 더디다 (けいようし) : 속도가 느려 무엇을 하는 데 걸리는 시간이 길다.
　おそい【遅い】。のろい
　速度が遅くて何をしても所要時間が長い。

• -지만 : 앞에 오는 말을 인정하면서 그와 반대되거나 다른 사실을 덧붙일 때 쓰는 연결 어미.
　が。けれども。けれど。けど
　前の内容を認めながらもそれとは反対か異なる事実を付け加えて述べるのに用いる「連結語尾」。

• 하나 (すうし) : 숫자를 셀 때 맨 처음의 수.
　ひとつ【一つ】。いち【一・壱】
　数字を数えるときの最初の数。

• 씩 : '그 수량이나 크기로 나뉨'의 뜻을 더하는 접미사.
　ずつ
　「その数量や大きさに分けられる」という意を付加する接尾辞。

• 알다 (どうし) : 교육이나 경험, 생각 등을 통해 사물이나 상황에 대한 정보 또는 지식을 갖추다.
　しる【知る】。わかる【分かる】。りかいする【理解する】
　教育・経験・思考などを通じ、事物や状況への情報または知識を備える。

• -아 나가다 : 앞의 말이 나타내는 행동을 계속 진행함을 나타내는 표현.
　ていく
　前の言葉の表す行動をやり続けるという意を表す表現。

• -는 : 앞의 말이 관형어의 기능을 하게 만들고 사건이나 동작이 현재 일어남을 나타내는 어미.
　する。ている
　前の言葉に連体修飾語の機能を持たせ、出来事や動作が現在進行中であるという意を表す語尾。

• 재미 (めいし) : 어떤 것이 주는 즐거운 기분이나 느낌.
　たのしみ【楽しみ】。きょうみ【興味】
　ある物事が与える楽しい気分や感じ。

• 가 : 어떤 상태나 상황에 놓인 대상이나 동작의 주체를 나타내는 조사.
　が
　ある状態や状況に置かれた対象、または動作の主体を表す助詞。

• 있다 (けいようし) : 사실이나 현상이 존재하다.
　ある【有る・在る】
　事実や現象が存在する。

• -어요 : (두루높임으로) 어떤 사실을 서술하거나 질문, 명령, 권유함을 나타내는 종결 어미.
　ます。です。ますか。ですか。てください
　(略待上称) ある事実を叙述したり質問、命令、勧誘する意を表す「終結語尾」。 <じょじゅつ【叙述】>

< 대화(たいわ【対話】) > - 74

너 지우랑 화해했니?
너 지우랑 화해핸니?
neo jiurang hwahaehaenni?

아니. 난 지우한테 먼저 사과를 받아 낼 거야.
아니. 난 지우한테 먼저 사과를 바다 낼 꺼야.
ani. nan jiuhante meonjeo sagwareul bada nael geoya.

< 설명(せつめい【説明】) / 번역(ほんやく【翻訳】) >

너 지우+랑 <u>화해하+였+니</u>?
　　　　　　화해했니

- 너 (だいめいし) : 듣는 사람이 친구나 아랫사람일 때, 그 사람을 가리키는 말.
  おまえ【お前】。きみ【君】
  聞き手が友人か目下の人である場合、その聞き手をさす語。

- 지우 (めいし) : じんめい【人名】

- 랑 : 누군가를 상대로 하여 어떤 일을 할 때 그 상대임을 나타내는 조사.
  と
  誰かを相手にして何かを行うとき、その相手であるという意を表す助詞。

- 화해하다 (どうし) : 싸움을 멈추고 서로 가지고 있던 안 좋은 감정을 풀어 없애다.
  わかいする【和解する】。なかなおりする【仲直りする】
  争いをやめて、互いへの悪い感情を払拭する。

- -였- : 어떤 사건이 과거에 완료되었거나 그 사건의 결과가 현재까지 지속되는 상황을 나타내는 어미.
  た。ている
  ある出来事が過去に完了したことや、その出来事の結果が現在まで持続している状況を表す語尾。

- -니 : (아주낮춤으로) 물음을 나타내는 종결 어미.
  か
  (下称) 質問の意を表す「終結語尾」。

아니.

<u>나</u>+는 지우+한테 먼저 사과+를 <u>받</u>+[아 내]+[ㄹ 것(거)]+(이)+야.
　난　　　　　　　　　　　　　　　　받아 낼 거야

- **아니 (かんどうし)** : 아랫사람이나 나이나 지위 등이 비슷한 사람이 물어보는 말에 대해 부정하여 대답
　　　　　　　　　　할 때 쓰는 말.
　いや。いえ。ううん
　目下の人、または年齢や地位が同等な人からの質問に対して否定の意を表して答える時にいう語。

- **나 (だいめいし)** : 말하는 사람이 친구나 아랫사람에게 자기를 가리키는 말.
　わたし【私】。ぼく【僕】。おれ【俺】。じぶん【自分】
　話し手が友人や目下の人に対し、自分をさす語。

- **는** : 문장 속에서 어떤 대상이 화제임을 나타내는 조사.
　は
　文の中で、ある対象が話題であることを表す助詞。

- **지우 (めいし)** : じんめい【人名】

- **한테** : 어떤 행동의 주체이거나 비롯되는 대상임을 나타내는 조사.
　に
　ある行動の主体または行動に起因する対象であることを表す助詞。

- **먼저 (ふくし)** : 시간이나 순서에서 앞서.
　さきに【先に】。まず。あらかじめ【予め】。まえもって【前もって】
　時間や順序で、先立って。

- **사과 (めいし)** : 자신의 잘못을 인정하며 용서해 달라고 빎.
　しゃざい【謝罪】。あやまり【謝り】
　自分の過ちを認めてわびること。

- **를** : 동작이 직접적으로 영향을 미치는 대상을 나타내는 조사.
　を
　動作が直接的に影響を及ぼす対象を表す助詞。

- **받다 (どうし)** : 요구나 신청, 질문, 공격, 신호 등과 같은 작용을 당하거나 그에 응하다.
　うける【受ける】。うけとる【受け取る】。うけいれる【受け入れる】。うけつける【受け付ける】
　要求・申請・質問・攻撃・信号などのような働きを受けたり、それに応じたりする。

- **-아 내다** : 앞의 말이 나타내는 행동을 스스로의 힘으로 끝내 이룸을 나타내는 표현.
　てしまう。ぬく。とげる【遂げる】
　前の言葉の表す行動を自分の能力でやり遂げるという意を表す表現。

• -ㄹ 것 : 명사가 아닌 것을 문장에서 명사처럼 쓰이게 하거나 '이다' 앞에 쓰일 수 있게 할 때 쓰는 표
　　　　 현.
　こと。の。もの
　名詞でないものを文中で名詞化し、「이다」の前にくるようにするのに用いる表現。

• 이다 : 주어가 지시하는 대상의 속성이나 부류를 지정하는 뜻을 나타내는 서술격 조사.
　だ。である
　主語が指す対象の属性や部類を指定する意を表す叙述格助詞。

• -야 : (두루낮춤으로) 어떤 사실에 대하여 서술하거나 물음을 나타내는 종결 어미.
　だよ。なのよ
　(略待下称) ある事実について叙述したり質問する意を表す「終結語尾」。 <じょじゅつ【叙述】>

< 대화(たいわ【対話】) > - 75

왜 교실에 안 들어가고 밖에 서 있어?
왜 교시레 안 드러가고 바께 서 이써?
wae gyosire an deureogago bakke seo isseo?

누가 문을 잠가 놓았는지 문이 안 열려요.
누가 무늘 잠가 노안는지 무니 안 열려요.
nuga muneul jamga noanneunji muni an yeollyeoyo.

< 설명(せつめい【説明】) / 번역(ほんやく【翻訳】) >

왜 교실+에 안 들어가+고 밖+에 서+[(어) 있]+어?
                                서 있어

- **왜 (ふくし)** : 무슨 이유로. 또는 어째서.
  なぜ【何故】。どうして。なんで【何で】
  どういう理由で。また、何ゆえ。

- **교실 (めいし)** : 유치원, 초등학교, 중학교, 고등학교에서 교사가 학생들을 가르치는 방.
  きょうしつ【教室】
  幼稚園・小学校・中学校・高校で、教師が生徒を教える部屋。

- **에** : 앞말이 목적지이거나 어떤 행위의 진행 방향임을 나타내는 조사.
  に。へ
  前の言葉が目的地であったり、ある行為の進行方向であったりすることを表す助詞。

- **안 (ふくし)** : 부정이나 반대의 뜻을 나타내는 말.
  対訳語無し
  否定や反対の意を表す語。

- **들어가다 (どうし)** : 밖에서 안으로 향하여 가다.
  はいる【入る】
  外から中に移動する。

• -고 : 앞의 말이 나타내는 행동이나 그 결과가 뒤에 오는 행동이 일어나는 동안에 그대로 지속됨을 나
　　　타내는 연결 어미.
　　て
　　前の言葉の表す動作やその結果が、
　　次にくる動作が行われる間にもそのまま持続されるという意を表す「連結語尾」。

• 밖 (めいし) : 선이나 경계를 넘어선 쪽.
　　そと【外】。そとがわ・がいそく【外側】。がいぶ【外部】
　　線や境界を越えた側。

• 에 : 앞말이 어떤 장소나 자리임을 나타내는 조사.
　　に
　　前の言葉が場所や席であることを表す助詞。

• 서다 (どうし) : 사람이나 동물이 바닥에 발을 대고 몸을 곧게 하다.
　　たつ【立つ】
　　人間や動物が地面に足をつけて体をまっすぐにする。

• -어 있다 : 앞의 말이 나타내는 상태가 계속됨을 나타내는 표현.
　　ている
　　前の言葉の表す状態が続いているという意を表す表現。

• -어 : (두루낮춤으로) 어떤 사실을 서술하거나 물음, 명령, 권유를 나타내는 종결 어미.
　　のか。なさい。よう。ましょう
　　(略待下称) ある事実を叙述したり、質問・命令・勧誘の意を表す「終結語尾」。<しつもん【質問】>

누(구)+가 문+을 잠그(잠ㄱ)+[아 놓]+았+는지 문+이 안 열리+어요.
　　누가　　　　　　　잠가 놓았는지　　　　　　　　열려요

• 누구 (だいめいし) : 모르는 사람을 가리키는 말.
　　だれ【誰】
　　知らない人をさす語。

• 가 : 어떤 상태나 상황에 놓인 대상이나 동작의 주체를 나타내는 조사.
　　が
　　ある状態や状況に置かれた対象、または動作の主体を表す助詞。

• 문 (めいし) : 사람이 안과 밖을 드나들거나 물건을 넣고 꺼낼 수 있게 하기 위해 열고 닫을 수 있도록
　　　　　　　만든 시설.
　　と【戸・門】。とびら【扉】。もん・かど【門】。ドア
　　人が出入りしたり、物を収めたりするために、開閉できるようにした建具。

• 을 : 동작이 직접적으로 영향을 미치는 대상을 나타내는 조사.
　を
動作が直接的に影響を及ぼす対象を表す助詞。

• 잠그다 (どうし) : 문 등을 자물쇠나 고리로 남이 열 수 없게 채우다.
　とざす【閉ざす・鎖す】
門などに錠をかけて開かないようにする。

• -아 놓다 : 앞의 말이 나타내는 행동을 끝내고 그 결과를 유지함을 나타내는 표현.
　ておく
前の言葉の表す行動を終え、その結果を維持するという意を表す表現。

• -았- : 어떤 사건이 과거에 완료되었거나 그 사건의 결과가 현재까지 지속되는 상황을 나타내는 어미.
　た。ている
ある出来事が過去に完了したことや、その出来事の結果が現在まで持続している状況を表す語尾。

• -는지 : 뒤에 오는 말의 내용에 대한 막연한 이유나 판단을 나타내는 연결 어미.
　か。かどうか。のか。ためか
次にくる事柄に関する漠然とした理由や判断の意を表す「連結語尾」。

• 문 (めいし) : 사람이 안과 밖을 드나들거나 물건을 넣고 꺼낼 수 있게 하기 위해 열고 닫을 수 있도록 만든 시설.
　と【戸・門】。とびら【扉】。もん・かど【門】。ドア
人が出入りしたり、物を収めたりするために、開閉できるようにした建具。

• 이 : 어떤 상태나 상황의 대상이나 동작의 주체를 나타내는 조사.
　が
ある状態・状況の対象や動作の主体を表す助詞。

• 안 (ふくし) : 부정이나 반대의 뜻을 나타내는 말.
　対訳語無し
否定や反対の意を表す語。

• 열리다 (どうし) : 닫히거나 잠겨 있던 것이 트이거나 풀리다.
　あく【開く】。ひらく【開く】
閉じているものや鍵のかかっているものがあけ広げられる。

• -어요 : (두루높임으로) 어떤 사실을 서술하거나 질문, 명령, 권유함을 나타내는 종결 어미.
　ます。です。ますか。ですか。てください
(略待上称) ある事実を叙述したり質問、命令、勧誘する意を表す「終結語尾」。<じょじゅつ【叙述】>

< 대화(たいわ【対話】) > - 76

오늘 행사는 아홉 시부터 시작인데 왜 벌써 가?
오늘 행사는 아홉 시부터 시자긴데 왜 벌써 가?
oneul haengsaneun ahop sibuteo sijaginde wae beolsseo ga?

준비할 게 많으니까 조금 일찍 와 달라는 부탁을 받았어.
준비할 께 마느니까 조금 일찍 와 달라는 부타글 바다써.
junbihal ge maneunikka jogeum iljjik wa dallaneun butageul badasseo.

< 설명(せつめい【説明】) / 번역(ほんやく【翻訳】) >

오늘 행사+는 아홉 시+부터 <u>시작</u>+이+ㄴ데 왜 벌써 <u>가</u>+(아)?
　　　　　　　　　　　　　　　시작인데　　　　　　　　가

- 오늘 (めいし) : 지금 지나가고 있는 이날.
  きょう【今日】。ほんじつ【本日】
  今過ごしているこの日。

- 행사 (めいし) : 목적이나 계획을 가지고 절차에 따라서 어떤 일을 시행함. 또는 그 일.
  ぎょうじ【行事】。もよおし【催し】
  目的や計画の下で、手続きにそってある事を行うこと。また、その事柄。

- 는 : 문장 속에서 어떤 대상이 화제임을 나타내는 조사.
  は
  文の中で、ある対象が話題であることを表す助詞。

- 아홉 (かんけいし) : 여덟에 하나를 더한 수의.
  きゅう・く【九】
  8に1を足した数の。

- 시 (めいし) : 하루를 스물넷으로 나누었을 때 그 하나를 나타내는 시간의 단위.
  じ【時】
  一日を24に分けた時、そのうち一つを表す時間の単位。

- 부터 : 어떤 일의 시작이나 처음을 나타내는 조사.
  から。より
  ある出来事の始まりや起点という意を表す助詞。

· **시작 (めいし)** : 어떤 일이나 행동의 처음 단계를 이루거나 이루게 함. 또는 그런 단계.
　はじまり【始まり】。はじめ【始め】。かいし【開始】。スタート
　ある事や行動の初めの段階になったり、すること。また、そのような段階。

· **이다** : 주어가 지시하는 대상의 속성이나 부류를 지정하는 뜻을 나타내는 서술격 조사.
　だ。である
　主語が指す対象の属性や部類を指定する意を表す叙述格助詞。

· **-ㄴ데** : 뒤의 말을 하기 위하여 그 대상과 관련이 있는 상황을 미리 말함을 나타내는 연결 어미.
　(だ)が。(だ)けど
　何かを言うための前置きとして、それと関連した状況を前もって述べるという意を表す「連結語尾」。

· **왜 (ふくし)** : 무슨 이유로. 또는 어째서.
　なぜ【何故】。どうして。なんで【何で】
　どういう理由で。また、何ゆえ。

· **벌써 (ふくし)** : 생각보다 빠르게.
　もう。もはや。いつのまにか【いつの間にか】
　思ったより早く。

· **가다 (どうし)** : 한 곳에서 다른 곳으로 장소를 이동하다.
　ゆく・いく【行く】。うつる【移る】
　ある場所から他の場所へ移動する。

· **-아** : (두루낮춤으로) 어떤 사실을 서술하거나 물음, 명령, 권유를 나타내는 종결 어미.
　する。である。するのか。しなさい。しよう。しましょう
　(略待下称) ある事実を叙述したり質問・命令・勧誘の意を表す「終結語尾」。<しつもん【質問】>

준비하+[ㄹ 것(거)]+이 많+으니까
　　　준비할 게

조금 일찍 오+[아 달]+라는 부탁+을 받+았+어.
　　　　와 달라는

· **준비하다 (どうし)** : 미리 마련하여 갖추다.
　じゅんびする【準備する】。よういする【用意する】
　前もって必要なものを揃えておく。

• -ㄹ 것 : 명사가 아닌 것을 문장에서 명사처럼 쓰이게 하거나 '이다' 앞에 쓰일 수 있게 할 때 쓰는 표
　　　현.
　　こと。の。もの
　　名詞でないものを文中で名詞化し、「이다」の前にくるようにするのに用いる表現。

• 이 : 어떤 상태나 상황의 대상이나 동작의 주체를 나타내는 조사.
　　が
　　ある状態・状況の対象や動作の主体を表す助詞。

• 많다 (けいようし) : 수나 양, 정도 등이 일정한 기준을 넘다.
　　おおい【多い】。たくさんだ【沢山だ】。かずおおい【数多い】。ゆたかだ【豊かだ】
　　数や量、程度などが一定の基準を超える。

• -으니까 : 뒤에 오는 말에 대하여 앞에 오는 말이 원인이나 근거, 전제가 됨을 강조하여 나타내는 연결
　　　어미.
　　から。ので。ため。ゆえ【故】
　　後にくる事柄に対して前の事柄がその原因や根拠・前提になることを強調していう「連結語尾」。

• 조금 (ふくし) : 시간이 짧게.
　　すこし【少し】。わずか【僅か・纔か】。ちょっと【一寸・鳥渡】
　　時間が短いさま。

• 일찍 (ふくし) : 정해진 시간보다 빠르게.
　　はやめに【早めに】。はやく【早く】
　　決まった時間より早い時間に。

• 오다 (どうし) : 무엇이 다른 곳에서 이곳으로 움직이다.
　　くる【来る】。ちかづく【近づく】。やってくる
　　何かが他の場所からこちらの方へ動く。

• -아 달다 : 앞의 말이 나타내는 행동을 해 줄 것을 요구함을 나타내는 표현.
　　てくれる
　　前の言葉の表す行動をしてくれることを要求するという意を表す表現。

• -라는 : 명령이나 요청 등의 말을 인용하여 전달하면서 그 뒤에 오는 명사를 꾸며 줄 때 쓰는 표현.
　　しろという【と言う】。しろとの
　　命令や要請などの言葉を引用して伝えながらその後にくる名詞を修飾するのに用いる表現。

• 부탁 (めいし) : 어떤 일을 해 달라고 하거나 맡김.
　　たのみ【頼み】。おねがい【お願い】。いらい【依頼】
　　何かをしてほしいと伝えて願うこと。また、ゆだねること。

• 을 : 동작이 직접적으로 영향을 미치는 대상을 나타내는 조사.
　　を
　　動作が直接的に影響を及ぼす対象を表す助詞。

・**받다 (どうし)** : 요구나 신청, 질문, 공격, 신호 등과 같은 작용을 당하거나 그에 응하다.
　うける【受ける】。うけとる【受け取る】。うけいれる【受け入れる】。うけつける【受け付ける】
　要求・申請・質問・攻撃・信号などのような働きを受けたり、それに応じたりする。

・**-았-** : 어떤 사건이 과거에 완료되었거나 그 사건의 결과가 현재까지 지속되는 상황을 나타내는 어미.
　た。ている
　ある出来事が過去に完了したことや、その出来事の結果が現在まで持続している状況を表す語尾。

・**-어** : (두루낮춤으로) 어떤 사실을 서술하거나 물음, 명령, 권유를 나타내는 종결 어미.
　のか。なさい。よう。ましょう
　(略待下称) ある事実を叙述したり、質問・命令・勧誘の意を表す「終結語尾」。<じょじゅつ【叙述】>

< 대화(たいわ【対話】) > - 77

이 옷 한번 입어 봐도 되죠?
이 온 한번 이버 봐도 되죠?
i ot hanbeon ibeo bwado doejyo?

그럼요, 손님. 탈의실은 이쪽입니다.
그러묘, 손님. 타리시른 이쪼김니다.
geureomyo, sonnim. tarisireun ijjogimnida.

< 설명(せつめい【説明】) / 번역(ほんやく【翻訳】) >

이 옷 한번 <u>입</u>+[<u>어 보</u>]+[<u>아도 되</u>]+<u>죠</u>?
입어 봐도 되죠

• 이 (かんけいし) : 말하는 사람에게 가까이 있거나 말하는 사람이 생각하고 있는 대상을 가리킬 때 쓰는 말.
　この
　話し手の近くにあるか、話し手が考えている対象を指す語。

• 옷 (めいし) : 사람의 몸을 가리고 더위나 추위 등으로부터 보호하며 멋을 내기 위하여 입는 것.
　ふく【服】。ころも【衣】。いふく【衣服】。いしょう【衣装】
　体にまとって、暑さや寒さなどから体を保護し、お洒落をするために着るもの。

• 한번 (ふくし) : 어떤 일을 시험 삼아 시도함을 나타내는 말.
　いちど【一度】
　ある事を試しにやってみることを表す語。

• 입다 (どうし) : 옷을 몸에 걸치거나 두르다.
　きる【着る・著る】。はく【穿く】
　衣類などを身につける。

• -어 보다 : 앞의 말이 나타내는 행동을 시험 삼아 함을 나타내는 표현.
　てみる
　前の言葉の表す行動を試しにやるという意を表す表現。

• -아도 되다 : 어떤 행동에 대한 허락이나 허용을 나타낼 때 쓰는 표현.
　てもいい
　ある行動に対する許可や許容を表すのに用いる表現。

- -죠 : (두루높임으로) 말하는 사람이 듣는 사람에게 친근함을 나타내며 물을 때 쓰는 종결 어미.
  ますか。ですか。でしょうか
  (略待上称) 話し手が聞き手に親しみを表明しながら尋ねるのに用いる「終結語尾」。

그럼+요, 손님.

탈의실+은 <u>이쪽+이+ㅂ니다</u>.
이쪽입니다

- 그럼 (かんどうし) : 말할 것도 없이 당연하다는 뜻으로 대답할 때 쓰는 말.
  そうだとも。そうとも。もちろん。たしかに【確かに】
  言うまでもなく当然だという意味で答える時にいう語。

- 요 : 높임의 대상인 상대방에게 존대의 뜻을 나타내는 조사.
  です。ですね
  敬う対象である相手に尊敬の意を表す助詞。

- 손님 (めいし) : (높임말로) 여관이나 음식점 등의 가게에 찾아온 사람.
  きゃく【客】。こきゃく【顧客】。らいきゃく【来客】
  宿泊施設や食堂などを訪ねてきた人を表す尊敬語。

- 탈의실 (めいし) : 옷을 벗거나 갈아입는 방.
  こういしつ【更衣室】。だついしつ【脱衣室】
  衣服を脱いだり、着替えるための部屋。

- 은 : 문장 속에서 어떤 대상이 화제임을 나타내는 조사.
  は
  文章の中である対象が話題であることを表す助詞。

- 이쪽 (だいめいし) : 말하는 사람에게 가까운 곳이나 방향을 가리키는 말.
  こち【此方】。こちら【此方】。こっち【此方】
  話し手に近い所や方向を指す語。

- 이다 : 주어가 지시하는 대상의 속성이나 부류를 지정하는 뜻을 나타내는 서술격 조사.
  だ。である
  主語が指す対象の属性や部類を指定する意を表す叙述格助詞。

- -ㅂ니다 : (아주높임으로) 현재의 동작이나 상태, 사실을 정중하게 설명함을 나타내는 종결 어미.
  ます。です
  (上称) 現在の動作や状態、事実を丁寧に説明する意を表す「終結語尾」。

< 대화(たいわ【対話】) > - 78

많이 취하신 거 같아요. 제가 택시 잡아 드릴게요.
마니 취하신 거 가타요. 제가 택씨 자바 드릴께요.
mani chwihasin geo gatayo. jega taeksi jaba deurilgeyo.

괜찮아요. 좀 걷다가 지하철 타고 가면 됩니다.
괜차나요. 좀 걷따가 지하철 타고 가면 됨니다.
gwaenchanayo. jom geotdaga jihacheol tago gamyeon doemnida.

< 설명(せつめい【説明】) / 번역(ほんやく【翻訳】) >

많이 <u>취하</u>+시+[ㄴ 것(거) 같]+아요.
　　　　取하신 거 같아요

제+가 택시 <u>잡</u>+[아 드리]+ㄹ게요.
　　　　　잡아 드릴게요

• 많이 (ふくし) : 수나 양, 정도 등이 일정한 기준보다 넘게.
  おおく【多く】。たくさん【沢山】。かずおおく【数多く】。ゆたかに【豊かに】
  数や量、程度などが一定の基準を超えて。

• 취하다 (どうし) : 술이나 약 등의 기운으로 정신이 흐려지고 몸을 제대로 움직일 수 없게 되다.
  よう【酔う】
  酒や薬などのせいで気が遠くなり正常な行動がとれなくなる。

• -시- : 어떤 동작이나 상태의 주체를 높이는 뜻을 나타내는 어미.
  お…になる。ご…になる
  ある動作や状態の主体を敬う意を表す語尾。

• -ㄴ 것 같다 : 추측을 나타내는 표현.
  ようだ。そうだ。らしい。みたいだ
  推測の意を表す表現。

• -아요 : (두루높임으로) 어떤 사실을 서술하거나 질문, 명령, 권유함을 나타내는 종결 어미.
  ます。です。ますか。ですか。てください。
  (略待上称) ある事実を叙述したり質問、命令、勧誘する意を表す「終結語尾」。<じょじゅつ【叙述】>

• 제 (だいめいし) : 말하는 사람이 자신을 낮추어 가리키는 말인 '저'에 조사 '가'가 붙을 때의 형태.
　わたくし【私】
　話し手が自分をへりくだっていう語である「저」に助詞「가」がつく時の形。

• 가 : 어떤 상태나 상황에 놓인 대상이나 동작의 주체를 나타내는 조사.
　が
　ある状態や状況に置かれた対象、または動作の主体を表す助詞。

• 택시 (めいし) : 돈을 받고 손님이 원하는 곳까지 태워 주는 일을 하는 승용차.
　タクシー
　料金を受け取って客の希望に応じて目的地まで客を乗せて運送する営業用乗用車。

• 잡다 (どうし) : 자동차 등을 타기 위하여 세우다.
　つかまえる【捕まえる】。ひろう【拾う】
　車などを乗るために呼び止める。

• -아 드리다 : (높임말로) 남을 위해 앞의 말이 나타내는 행동을 함을 나타내는 표현.
　てあげる。てさしあげる。お/ご…する
　人のために前の言葉の表す行動をするという意を表す謙譲語。

• -ㄹ게요 : (두루높임으로) 말하는 사람이 어떤 행동을 할 것을 듣는 사람에게 약속하거나 의지를 나타내는 표현.
　ます
　(略待上称)話し手が聞き手に対してある行動をすると約束したり知らせたりする意を表す表現。

괜찮+아요.

좀 걷+다가 지하철 타+고 가+[면 되]+ㅂ니다.
　　　　　　　　　　　가면 됩니다

• 괜찮다 (けいようし) : 별 문제가 없다.
　だいじょうぶだ【大丈夫だ】
　特に問題がない。

• -아요 : (두루높임으로) 어떤 사실을 서술하거나 질문, 명령, 권유함을 나타내는 종결 어미.
　ます。です。ますか。ですか。てください。
　(略待上称) ある事実を叙述したり質問、命令、勧誘する意を表す「終結語尾」。 <じょじゅつ【叙述】>

• 좀 (ふくし) : 시간이 짧게.
　すこし【少し】。わずか【僅か・纔か】。ちょっと【一寸・鳥渡】
　時間が短いさま。

· 걷다 (どうし) : 바닥에서 발을 번갈아 떼어 옮기면서 움직여 위치를 옮기다.
  あるく【歩く】
  地面から足を交互に離して動きながら位置を変える。

· -다가 : 어떤 행동이나 상태 등이 중단되고 다른 행동이나 상태로 바뀜을 나타내는 연결 어미.
  ていて。…かけて。とちゅうで【途中で】
  ある行動や状態などが中断され、別の行動や状態に変わる意を表す「連結語尾」。

· 지하철 (めいし) : 지하 철도로 다니는 전동차.
  ちかてつ【地下鉄】
  地下の鉄道を通る電動車。

· 타다 (どうし) : 탈것이나 탈것으로 이용하는 짐승의 몸 위에 오르다.
  のる【乗る】
  乗り物の中に入ったり、移動のために動物の上に上がる。

· -고 : 앞의 말이 나타내는 행동이나 그 결과가 뒤에 오는 행동이 일어나는 동안에 그대로 지속됨을 나타내는 연결 어미.
  て
  前の言葉の表す動作やその結果が、
  次にくる動作が行われる間にもそのまま持続されるという意を表す「連結語尾」。

· 가다 (どうし) : 한 곳에서 다른 곳으로 장소를 이동하다.
  ゆく・いく【行く】。うつる【移る】
  ある場所から他の場所へ移動する。

· -면 되다 : 조건이 되는 어떤 행동을 하거나 어떤 상태만 갖추어지면 문제가 없거나 충분함을 나타내는 표현.
  ばいい。といい
  条件になるある行動をするかある状態さえそろえば何も問題ない、
  あるいはそれで十分であるという意を表す表現。

· -ㅂ니다 : (아주높임으로) 현재의 동작이나 상태, 사실을 정중하게 설명함을 나타내는 종결 어미.
  ます。です
  (上称) 現在の動作や状態、事実を丁寧に説明する意を表す「終結語尾」。

< 대화(たいわ【対話】) > - 79

책상 위에 있는 쓰레기 같은 것들은 좀 치워 버려라.
책쌍 위에 인는 쓰레기 가튼 걷뜨른 좀 치워 버려라.
chaeksang wie inneun sseuregi gateun geotdeureun jom chiwo beoryeora.

아냐. 다 필요한 것들이니까 버리면 안 돼.
아냐. 다 피료한 걷뜨리니까 버리면 안 돼.
anya. da piryohan geotdeurinikka beorimyeon an dwae.

< 설명(せつめい【説明】) / 번역(ほんやく【翻訳】) >

책상 위+에 있+는 쓰레기 같+[은 것]+들+은 좀 치우+[어 버리]+어라.
　　　　　　　　　　　　　　　　　　　　　치워 버려라

- **책상 (めいし)** : 책을 읽거나 글을 쓰거나 사무를 볼 때 앞에 놓고 쓰는 상.
  つくえ【机】。ふづくえ【文机】。デスク
  本を読んだり文章を書いたり事務をする時に前において用いる台。

- **위 (めいし)** : 어떤 것의 겉면이나 평평한 표면.
  うえ【上】
  ある物の外面や平らな表面。

- **에** : 앞말이 어떤 장소나 자리임을 나타내는 조사.
  に
  前の言葉が場所や席であることを表す助詞。

- **있다 (けいようし)** : 무엇이 어떤 곳에 자리나 공간을 차지하고 존재하는 상태이다.
  ある【有る・在る】
  何かがある空間を占めて存在する状態だ。

- **-는** : 앞의 말이 관형어의 기능을 하게 만들고 사건이나 동작이 현재 일어남을 나타내는 어미.
  する。ている
  前の言葉に連体修飾語の機能を持たせ、出来事や動作が現在進行中であるという意を表す語尾。

- **쓰레기 (めいし)** : 쓸어 낸 먼지, 또는 못 쓰게 되어 내다 버릴 물건이나 내다 버린 물건.
  ごみ
  剥ぎ取ったほこり、または使えなくなって捨てる予定の物やすでに捨てた物。

• 같다 (けいようし) : 무엇과 비슷한 종류에 속해 있음을 나타내는 말.
　対訳語無し
　何かと同じ種類に属していることを表す語。

• -은 것 : 명사가 아닌 것을 문장에서 명사처럼 쓰이게 하거나 '이다' 앞에 쓰일 수 있게 할 때 쓰는 표
　　　　　현.
　こと。の。もの
　名詞でないものを文中で名詞化し、「이다」の前にくるようにするのに用いる表現。

• 들 : '복수'의 뜻을 더하는 접미사.
　たち・ら【達】
　「複数」の意を付加する接尾辞。

• 은 : 문장 속에서 어떤 대상이 화제임을 나타내는 조사.
　は
　文章の中である対象が話題であることを表す助詞。

• 좀 (ふくし) : 주로 부탁이나 동의를 구할 때 부드러운 느낌을 주기 위해 넣는 말.
　ちょっと【一寸・鳥渡】
　主に頼んだり同意を得たりする時、雰囲気をやわらかくするためにいう語。

• 치우다 (どうし) : 청소하거나 정리하다.
　かたづける【片付ける】。せいりする【整理する】。せいとんする【整頓する】
　掃除したり片付ける。

• -어 버리다 : 앞의 말이 나타내는 행동이 완전히 끝났음을 나타내는 표현.
　てしまう
　前の言葉の表す行動が完全に終わったという意を表す表現。

• -어라 : (아주낮춤으로) 명령을 나타내는 종결 어미.
　しろ。せよ。なさい
　(下称) 命令の意を表す「終結語尾」。

아니야.
　아냐

다 필요하+[ㄴ 것]+들+이+니까 버리+[면 안 되]+어.
　　　필요한 것들이니까　　　　　버리면 안 돼

- **아니야 (かんどうし)** : 묻는 말에 대하여 강조하며, 또는 단호하게 부정하며 대답할 때 쓰는 말.
  いや
  問いに対して強調しながら、または強く否定して答えるのに用いる語。

- **다 (ふくし)** : 남거나 빠진 것이 없이 모두.
  ぜんぶ【全部】。すべて【全て】。みな【皆】。のこらず【残らず】。もれなく
  残ったり、漏れたものがなく、全て。

- **필요하다 (けいようし)** : 꼭 있어야 하다.
  ひつようだ【必要だ】
  必ず要する。

- **-ㄴ 것** : 명사가 아닌 것을 문장에서 명사처럼 쓰이게 하거나 '이다' 앞에 쓰일 수 있게 할 때 쓰는 표현.
  こと。の。もの
  名詞でないものを文中で名詞化し、「이다」の前にくるようにするのに用いる表現。

- **들** : '복수'의 뜻을 더하는 접미사.
  たち・ら【達】
  「複数」の意を付加する接尾辞。

- **이다** : 주어가 지시하는 대상의 속성이나 부류를 지정하는 뜻을 나타내는 서술격 조사.
  だ。である
  主語が指す対象の属性や部類を指定する意を表す叙述格助詞。

- **-니까** : 뒤에 오는 말에 대하여 앞에 오는 말이 원인이나 근거, 전제가 됨을 강조하여 나타내는 연결 어미.
  から。ので。ため。て
  後にくる事柄に対して前の事柄が原因や根拠・前提になることを強調していう「連結語尾」。

- **버리다 (どうし)** : 가지고 있을 필요가 없는 물건을 내던지거나 쏟거나 하다.
  すてる【捨てる・棄てる】
  不用のものを投げ出したり流したりする。

- **-면 안 되다** : 어떤 행동이나 상태를 금지하거나 제한함을 나타내는 표현.
  てはいけない。てはならない。
  ある行動や状態を禁止したり制限するという意を表す表現。

- **-어** : (두루낮춤으로) 어떤 사실을 서술하거나 물음, 명령, 권유를 나타내는 종결 어미.
  のか。なさい。よう。ましょう
  (略待下称) ある事実を叙述したり、質問・命令・勧誘の意を表す「終結語尾」。 <じょじゅつ【叙述】>

< 대화(たいわ【対話】) > - 80

좋은 일 있었나 봐? 기분이 좋아 보이네.
조은 일 이썬나 봐? 기부니 조아 보이네.
joeun il isseonna bwa? gibuni joa boine.

아, 어제 남자 친구한테 반지를 선물로 받았거든요.
아, 어제 남자 친구한테 반지를 선물로 바닫꺼드뇨.
a, eoje namja chinguhante banjireul seonmullo badatgeodeunyo.

< 설명(せつめい【説明】) / 번역(ほんやく【翻訳】) >

좋+은 일 있+었+[나 보]+아?
　　　　　　있었나 봐

기분+이 좋+[아 보이]+네.

• 좋다 (けいようし) : 어떤 일이나 대상이 마음에 들고 만족스럽다.
　よい【良い・善い】。すきだ【好きだ】
　あることや対象が気に入って満足できる。

• -은 : 앞의 말이 관형어의 기능을 하게 만들고 현재의 상태를 나타내는 어미.
　た。ている
　前の言葉に連体修飾語の機能を持たせ、現在の状態の意を表す語尾。

• 일 (めいし) : 어떤 내용을 가진 상황이나 사실.
　こと【事】
　内容のある状況や事実。

• 있다 (けいようし) : 어떤 사람에게 무슨 일이 생긴 상태이다.
　ある【有る・在る】
　ある人に何かが起こった状態だ。

• -었- : 사건이 과거에 일어났음을 나타내는 어미.
　た
　出来事が過去にあったという意を表す語尾。

· -나 보다 : 앞의 말이 나타내는 사실을 추측함을 나타내는 표현.
 ようだ。らしい。だろうとおもう【だろうと思う】。のではないかとおもう【のではないかと思う】
 前の言葉の表す事実を推量するという意を表す表現。

· -아 : (두루낮춤으로) 어떤 사실을 서술하거나 물음, 명령, 권유를 나타내는 종결 어미.
 する。である。するのか。しなさい。しよう。しましょう
 (略待下称) ある事実を叙述したり質問・命令・勧誘の意を表す「終結語尾」。<しつもん【質問】>

· 기분 (めいし) : 불쾌, 유쾌, 우울, 분노 등의 감정 상태.
 きぶん【気分】。きもち【気持ち】
 不快・愉快・憂鬱・怒りなど感情の状態。

· 이 : 어떤 상태나 상황의 대상이나 동작의 주체를 나타내는 조사.
 が
 ある状態・状況の対象や動作の主体を表す助詞。

· 좋다 (けいようし) : 감정 등이 기쁘고 흐뭇하다.
 よい【良い・善い】
 感情などが嬉しくて微笑ましい。

· -아 보이다 : 겉으로 볼 때 앞의 말이 나타내는 것처럼 느껴지거나 추측됨을 나타내는 표현.
 てみえる。くみえる。にみえる。そうだ
 見かけでは前の言葉の表す状態のように見えたり思われるという意を表す表現。

· -네 : (아주낮춤으로) 지금 깨달은 일에 대하여 말함을 나타내는 종결 어미.
 (だ)なあ。(だ)ね。(なの)か。(だ)よ
 (下称) その場で悟った事について述べるという意を表す「終結語尾」。

아, 어제 남자 친구+한테 반지+를 선물+로 받+았+거든요.

· 아 (かんどうし) : 기쁨이나 감동의 느낌을 나타낼 때 내는 소리.
 あ。あら。おお。わあ
 喜びや感動を表す時に発する語。

· 어제 (ふくし) : 오늘의 하루 전날에.
 きのう【昨日】
 今日の一日前の日に。

· 남자 친구 (めいし) : 여자가 사랑하는 감정을 가지고 사귀는 남자.
 かれし【彼氏】。ボーイフレンド
 女性が愛の感情を持って付き合っている男性。

· 한테 : 어떤 행동의 주체이거나 비롯되는 대상임을 나타내는 조사.
  に
  ある行動の主体または行動に起因する対象であることを表す助詞。

· 반지 (めいし) : 손가락에 끼는 동그란 장신구.
  ゆびわ【指輪】。リング
  指にはめる輪状の装身具。

· 를 : 동작이 직접적으로 영향을 미치는 대상을 나타내는 조사.
  を
  動作が直接的に影響を及ぼす対象を表す助詞。

· 선물 (めいし) : 고마움을 표현하거나 어떤 일을 축하하기 위해 다른 사람에게 물건을 줌. 또는 그 물건.
  おくりもの【贈り物】。おれい【お礼】。おいわい【お祝い】。プレゼント。ギフト。ごしんもつ【ご進物】
  ありがたい気持ちを表現したりめでたい事を祝うために金品などを贈ること。また、そのもの。

· 로 : 신분이나 자격을 나타내는 조사.
  に。として
  身分や資格を表す助詞。

· 받다 (どうし) : 다른 사람이 주거나 보내온 것을 가지다.
  うける【受ける】。うけとる【受け取る】。もらう【貰う】
  人が与えたり、送ったりしたものをもらう。

· -았- : 사건이 과거에 일어났음을 나타내는 어미.
  た
  出来事が過去にあったという意を表す語尾。

· -거든요 : (두루높임으로) 앞의 내용에 대해 말하는 사람이 생각한 이유나 원인, 근거를 나타내는 표현.
  んですよ。んですもの。んですから
  (略待上称) 前の内容について話し手がそう考えた理由や原因、根拠を表す表現。

< 대화(たいわ【対話】) > - 81

저는 한국에 온 지 일 년쯤 됐어요.
저는 한구게 온 지 일 년쯤 돼써요.
jeoneun hanguge on ji il nyeonjjeum dwaesseoyo.

일 년밖에 안 됐는데도 한국어를 정말 잘하시네요.
일 년바께 안 됐는데도 한구거를 정말 잘하시네요.
il nyeonbakke an dwaenneundedo hangugeoreul jeongmal jalhasineyo.

< 설명(せつめい【説明】) / 번역(ほんやく【翻訳】) >

저+는 한국+에 <u>오</u>+[ㄴ 지] 일 년+쯤 <u>되</u>+었+어요.
　　　　　　　　온 지　　　　　　　　됐어요

- 저 (だいめいし) : 말하는 사람이 듣는 사람에게 자신을 낮추어 가리키는 말.
  わたくし【私】
  目上の人に対して自分をへりくだっていう語。

- 는 : 문장 속에서 어떤 대상이 화제임을 나타내는 조사.
  は
  文の中で、ある対象が話題であることを表す助詞。

- 한국 (めいし) : 아시아 대륙의 동쪽에 있는 나라. 한반도와 그 부속 섬들로 이루어져 있으며, 대한민국
  이라고도 부른다. 1950년에 일어난 육이오 전쟁 이후 휴전선을 사이에 두고 국토가 둘
  로 나뉘었다. 언어는 한국어이고, 수도는 서울이다.
  かんこく【韓国】
  アジア大陸の東側にある国。韓半島とその周囲の島礁から構成されていて、大韓民国 (テハンミングク) と
  も呼ばれている。1950年に起きた韓国戦争以降、休戦ラインを挟んで南北に分断されている。主要言語は
  韓国語で、首都はソウル。

- 에 : 앞말이 목적지이거나 어떤 행위의 진행 방향임을 나타내는 조사.
  に。へ
  前の言葉が目的地であったり、ある行為の進行方向であったりすることを表す助詞。

- 오다 (どうし) : 무엇이 다른 곳에서 이곳으로 움직이다.
  くる【来る】。ちかづく【近づく】。やってくる
  何かが他の場所からこちらの方へ動く。

- -ㄴ 지 : 앞의 말이 나타내는 행동을 한 후 시간이 얼마나 지났는지를 나타내는 표현.
  てから。ていらい【て以来】。たあとから【た後から】
  前の言葉の表す行動をしてからどれくらい時間が経過したのかを表す表現。

- 일 (かんけいし) : 하나의.
  いち【一】。ひとつ【一つ】
  一つの。

- 년 (めいし) : 한 해를 세는 단위.
  ねん【年】
  年数を数える単位。

- 쯤 : '정도'의 뜻을 더하는 접미사.
  くらい・ぐらい【位】。ほど【程】。ばかり。ぜんご【前後】
  「程度」の意を付加する接尾辞。

- 되다 (どうし) : 어떤 때나 시기, 상태에 이르다.
  なる
  ある時や時期、状態に達する。

- -었- : 어떤 사건이 과거에 완료되었거나 그 사건의 결과가 현재까지 지속되는 상황을 나타내는 어미.
  た。ている
  ある出来事が過去に完了したことや、その出来事の結果が現在まで持続している状況を表す語尾。

- -어요 : (두루높임으로) 어떤 사실을 서술하거나 질문, 명령, 권유함을 나타내는 종결 어미.
  ます。です。ますか。ですか。てください
  (略待上称) ある事実を叙述したり質問、命令、勧誘する意を表す「終結語尾」。 <じょじゅつ【叙述】>

일 년+밖에 안 되+었+는데도 한국어+를 정말 잘하+시+네요.
　　　　　　　　됐는데도

- 일 (かんけいし) : 하나의.
  いち【一】。ひとつ【一つ】
  一つの。

- 년 (めいし) : 한 해를 세는 단위.
  ねん【年】
  年数を数える単位。

- 밖에 : '그것을 제외하고는', '그것 말고는'의 뜻을 나타내는 조사.
  しか
  「それを除くと」、「それ以外には」という意を表す助詞。

- **안 (ふくし)** : 부정이나 반대의 뜻을 나타내는 말.
  対訳語無し
  否定や反対の意を表す語。

- **되다 (どうし)** : 어떤 때나 시기, 상태에 이르다.
  なる
  ある時や時期、状態に達する。

- **-었-** : 어떤 사건이 과거에 완료되었거나 그 사건의 결과가 현재까지 지속되는 상황을 나타내는 어미.
  た。ている
  ある出来事が過去に完了したことや、その出来事の結果が現在まで持続している状況を表す語尾。

- **-는데도** : 앞에 오는 말이 나타내는 상황에 상관없이 뒤에 오는 말이 나타내는 상황이 일어남을 나타내는 표현.
  のに
  前にくる言葉の表す状況とは関係なく、後にくる言葉の表す状況が起こるという意を表す表現。

- **한국어 (めいし)** : 한국에서 사용하는 말.
  かんこくご【韓国語】
  韓国で話されている言語。

- **를** : 동작이 직접적으로 영향을 미치는 대상을 나타내는 조사.
  を
  動作が直接的に影響を及ぼす対象を表す助詞。

- **정말 (ふくし)** : 거짓이 없이 진짜로.
  ほんとうに・ほんとに【本当】。じつに【実に】。しんに【真に】
  うそでないさま。

- **잘하다 (どうし)** : 익숙하고 솜씨가 있게 하다.
  できる【出来る】。うまい【上手い・巧い】
  熟練して、腕前がいい。

- **-시-** : 어떤 동작이나 상태의 주체를 높이는 뜻을 나타내는 어미.
  お…になる。ご…になる
  ある動作や状態の主体を敬う意を表す語尾。

- **-네요** : (두루높임으로) 말하는 사람이 직접 경험하여 새롭게 알게 된 사실에 대해 감탄함을 나타낼 때 쓰는 표현.
  ですね。ますね
  (略待上称) 話し手が直接経験して新しく知ったことについて感嘆する意を表すのに用いる表現。

< 대화(たいわ【対話】) > - 82

지우가 결혼하더니 많이 밝아졌지?
지우가 결혼하더니 마니 발가젇찌?
jiuga gyeolhonhadeoni mani balgajeotji?

맞아. 지우를 십 년 동안 봐 왔지만 요새처럼 행복해 보일 때가 없었어.
마자. 지우를 십 년 동안 봐 왇찌만 요새처럼 행보캐 보일 때가 업써써.
maja. jiureul sip nyeon dongan bwa watjiman yosaecheoreom haengbokae boil ttaega eopseosseo.

< 설명(せつめい【説明】) / 번역(ほんやく【翻訳】) >

지우+가 결혼하+더니 많이 밝아지+었+지?
밝아졌지

• 지우 (めいし) : じんめい【人名】

• 가 : 어떤 상태나 상황에 놓인 대상이나 동작의 주체를 나타내는 조사.
   が
   ある状態や状況に置かれた対象、または動作の主体を表す助詞。

• 결혼하다 (どうし) : 남자와 여자가 법적으로 부부가 되다.
   けっこんする【結婚する】
   男と女が法的に夫婦になる。

• -더니 : 과거의 사실이나 상황에 뒤이어 어떤 사실이나 상황이 일어남을 나타내는 연결 어미.
   たら。と
   過去の事実や状況に次いで、ある事実や状況が起こるという意を表す「連結語尾」。

• 많이 (ふくし) : 수나 양, 정도 등이 일정한 기준보다 넘게.
   おおく【多く】。たくさん【沢山】。かずおおく【数多く】。ゆたかに【豊かに】
   数や量、程度などが一定の基準を超えて。

• 밝아지다 (どうし) : 밝게 되다.
   あかるくなる【明るくなる】。あかるむ【明るむ】。さとくなる【敏くなる・聡くなる】
   明るくなる。

• -었- : 어떤 사건이 과거에 완료되었거나 그 사건의 결과가 현재까지 지속되는 상황을 나타내는 어미.
た。ている
ある出来事が過去に完了したことや、その出来事の結果が現在まで持続している状況を表す語尾。

• -지 : (두루낮춤으로) 이미 알고 있는 것을 다시 확인하듯이 물을 때 쓰는 종결 어미.
だろう。よね
(略待下称) すでに知っていることを改めて確認するように尋ねるのに用いる「終結語尾」。

맞+아.

지우+를 십 년 동안 보+[아 오]+았+지만
봐 왔지만

요새+처럼 행복하+[여 보이]+[ㄹ 때]+가 없+었+어.
행복해 보일 때가

• 맞다 (どうし) : 그렇거나 옳다.
あう【合う】
そうである。また、正しい。

• -아 : (두루낮춤으로) 어떤 사실을 서술하거나 물음, 명령, 권유를 나타내는 종결 어미.
する。である。するのか。しなさい。しよう。しましょう
(略待下称) ある事実を叙述したり質問・命令・勧誘の意を表す「終結語尾」。<じょじゅつ【叙述】>

• 지우 (めいし) : じんめい【人名】

• 를 : 동작이 간접적인 영향을 미치는 대상이나 목적임을 나타내는 조사.
に。を
動作が間接的に影響を及ぼす対象や、それが目的であるという意を表す助詞。

• 십 (かんけいし) : 열의.
じゅう・とお【十】
十の。

• 년 (めいし) : 한 해를 세는 단위.
ねん【年】
年数を数える単位。

• 동안 (めいし) : 한때에서 다른 때까지의 시간의 길이.
あいだ・ま【間】
ある時から他の時までの時間の長さ。

· 보다 (どうし) : 사람을 만나다.
  あう【会う】
  人に会う。

· -아 오다 : 앞의 말이 나타내는 행동이나 상태가 어떤 기준점으로 가까워지면서 계속 진행됨을 나타내
          는 표현.
  てくる
  前の言葉の表す行動や状態がある基準点に近づきながら引き続き進むという意を表す表現。

· -았- : 어떤 사건이 과거에 완료되었거나 그 사건의 결과가 현재까지 지속되는 상황을 나타내는 어미.
  た。ている
  ある出来事が過去に完了したことや、その出来事の結果が現在まで持続している状況を表す語尾。

· -지만 : 앞에 오는 말을 인정하면서 그와 반대되거나 다른 사실을 덧붙일 때 쓰는 연결 어미.
  が。けれども。けれど。けど
  前の内容を認めながらもそれとは反対か異なる事実を付け加えて述べるのに用いる「連結語尾」。

· 요새 (めいし) : 얼마 전부터 이제까지의 매우 짧은 동안.
  このごろ【この頃】。ちかごろ【近頃】
  少し前の時から現在にかけての短期間。

· 처럼 : 모양이나 정도가 서로 비슷하거나 같음을 나타내는 조사.
  ように。みたいに。らしく。ごとく【如く】
  模様や程度が似ていたり同じであることを表す助詞。

· 행복하다 (けいようし) : 삶에서 충분한 만족과 기쁨을 느껴 흐뭇하다.
  しあわせだ【幸せだ】。こうふくだ【幸福だ】
  人生で十分な満足と喜びを感じて嬉しい。

· -여 보이다 : 겉으로 볼 때 앞의 말이 나타내는 것처럼 느껴지거나 추측됨을 나타내는 표현.
  てみえる。くみえる。にみえる。そうだ
  見かけでは前の言葉の表す状態のように見えたり思われるという意を表す表現。

· -ㄹ 때 : 어떤 행동이나 상황이 일어나는 동안이나 그 시기 또는 그러한 일이 일어난 경우를 나타내는
          표현.
  とき【時】。ときに【時に】
  ある行動や状況が起こっている間やその時期、またそのようなことが起こった場合を表す表現。

· 가 : 어떤 행동이나 상황이 일어나는 동안이나 그 시기 또는 그러한 일이 일어난 경우를 나타내는 표현.
  が
  ある状態や状況に置かれた対象、または動作の主体を表す助詞。

· 없다 (けいようし) : 어떤 사실이나 현상이 현실로 존재하지 않는 상태이다.
  ない【無い】
  事実・現象が現実として存在しない状態だ。

• -었- : 사건이 과거에 일어났음을 나타내는 어미.

　た

　出来事が過去にあったという意を表す語尾。

• -어 : (두루낮춤으로) 어떤 사실을 서술하거나 물음, 명령, 권유를 나타내는 종결 어미.

　のか。なさい。よう。ましょう

　(略待下称) ある事実を叙述したり、質問・命令・勧誘の意を表す「終結語尾」。＜じょじゅつ【叙述】＞

< 대화(たいわ【対話】) > - 83

나는 먼저 가 있을 테니까 너도 빨리 와.
나는 먼저 가 이쓸 테니까 너도 **빨리** 와.
naneun meonjeo ga isseul tenikka neodo ppalli wa.

응. 알았어. 금방 따라갈게.
응. 아라써. 금방 **따라갈께.**
eung. arasseo. geumbang ttaragalge.

< 설명(せつめい【説明】) / 번역(ほんやく【翻訳】) >

나+는 먼저 가+[(아) 있]+[을 테니까] 너+도 빨리 오+아.
　　　　　　가 있을 테니까　　　　　　　　　　　　와

- 나 (だいめいし) : 말하는 사람이 친구나 아랫사람에게 자기를 가리키는 말.
  わたし【私】。ぼく【僕】。おれ【俺】。じぶん【自分】
  話し手が友人や目下の人に対し、自分をさす語。

- 는 : 어떤 대상이 다른 것과 대조됨을 나타내는 조사.
  は
  ある対象が他のものと対照されることを表す助詞。

- 먼저 (ふくし) : 시간이나 순서에서 앞서.
  さきに【先に】。まず。あらかじめ【予め】。まえもって【前もって】
  時間や順序で、先立って。

- 가다 (どうし) : 한 곳에서 다른 곳으로 장소를 이동하다.
  ゆく・いく【行く】。うつる【移る】
  ある場所から他の場所へ移動する。

- -아 있다 : 앞의 말이 나타내는 상태가 계속됨을 나타내는 표현.
  ている
  前の言葉の表す状態が続いているという意を表す表現。

- -을 테니까 : 뒤에 오는 말에 대한 조건임을 강조하여 앞에 오는 말에 대한 말하는 사람의 의지를 나타
  　　　　　내는 표현.
  から。つもりだから
  後にくる言葉に対する条件であることを強調して、前にくる言葉に対する話し手の意志を表す表現。

- 너 (だいめいし) : 듣는 사람이 친구나 아랫사람일 때, 그 사람을 가리키는 말.
   おまえ【お前】。きみ【君】
   聞き手が友人か目下の人である場合、その聞き手をさす語。

- 도 : 이미 있는 어떤 것에 다른 것을 더하거나 포함함을 나타내는 조사.
   も
   既存の物事に他の物事を加えたり含ませたりするという意を表す助詞。

- 빨리 (ふくし) : 걸리는 시간이 짧게.
   はやく【早く】
   かかる時間が短く。

- 오다 (どうし) : 무엇이 다른 곳에서 이곳으로 움직이다.
   くる【来る】。ちかづく【近づく】。やってくる
   何かが他の場所からこちらの方へ動く。

- -아 : (두루낮춤으로) 어떤 사실을 서술하거나 물음, 명령, 권유를 나타내는 종결 어미.
   する。である。するのか。しなさい。しよう。しましょう
   (略待下称) ある事実を叙述したり質問・命令・勧誘の意を表す「終結語尾」。<めいれい【命令】>

응.

알+았+어.

금방 따라가+ㄹ게.
　　　따라갈게

- 응 (かんどうし) : 상대방의 물음이나 명령 등에 긍정하여 대답할 때 쓰는 말.
   うん。ええ
   相手の質問や命令などに対する肯定の意を表す語。

- 알다 (どうし) : 상대방의 어떤 명령이나 요청에 대해 그대로 하겠다는 동의의 뜻을 나타내는 말.
   わかる【分かる】。かしこまる。うけたまわる【承る】
   相手の命令や要請に対し、その通りにするという同意を表す語。

- -았- : 어떤 사건이 과거에 완료되었거나 그 사건의 결과가 현재까지 지속되는 상황을 나타내는 어미.
   た。ている
   ある出来事が過去に完了したことや、その出来事の結果が現在まで持続している状況を表す語尾。

· **-어** : (두루낮춤으로) 어떤 사실을 서술하거나 물음, 명령, 권유를 나타내는 종결 어미.

  のか。なさい。よう。ましょう

  (略待下称) ある事実を叙述したり、質問・命令・勧誘の意を表す「終結語尾」。<じょじゅつ【叙述】>

· **금방 (ふくし)** : 시간이 얼마 지나지 않아 곧바로.

  ただちに【直ちに】。すぐ

  時間があまり経っていないのにすぐ。

· **따라가다 (どうし)** : 앞에서 가는 것을 뒤에서 그대로 쫓아가다.

  ついていく【付いて行く】。したがう【従う】。ともなう【伴う】

  先に出たものの後を追っていく。

· **-ㄹ게** : (두루낮춤으로) 말하는 사람이 어떤 행동을 할 것을 듣는 사람에게 약속하거나 의지를 나타내는
          종결 어미.

  よ。からね

  (略待下称) 話し手がある行動をすることを話し手が聞き手に約束したり、
  その意志を表明する意を表す「終結語尾」。

< 대화(たいわ【対話】) > - 84

오늘 정말 잘 먹고 갑니다. 초대해 주셔서 감사합니다.
오늘 정말 잘 먹꼬 감니다. 초대해 주셔서 감사함니다.
oneul jeongmal jal meokgo gamnida. chodaehae jusyeoseo gamsahamnida.

아니에요. 바쁜데 이렇게 먼 곳까지 와 줘서 고마워요.
아니에요. 바쁜데 이러케 먼 곧까지 와 줘서 고마워요.
anieyo. bappeunde ireoke meon gotkkaji wa jwoseo gomawoyo.

< 설명(せつめい【説明】) / 번역(ほんやく【翻訳】) >

오늘 정말 잘 먹+고 가+ㅂ니다.
　　　　　　　　　　　갑니다

초대하+[여 주]+시+어서 감사하+ㅂ니다.
　초대해 주셔서　　　　감사합니다

• 오늘 (ふくし) : 지금 지나가고 있는 이날에.
　きょう【今日】。ほんじつ【本日】
　今過ごしているこの日に。

• 정말 (ふくし) : 거짓이 없이 진짜로.
　ほんとうに・ほんとに【本当】。じつに【実に】。しんに【真に】
　うそでないさま。

• 잘 (ふくし) : 충분히 만족스럽게.
　じゅうぶんに【十分に】。おもうぞんぶん【思う存分】
　十分に満足に。

• 먹다 (どうし) : 음식 등을 입을 통하여 배 속에 들여보내다.
　たべる【食べる】。くう【食う・喰う】。くらう【食らう】
　食べ物を口の中に入れて飲み込む。

• -고 : 앞의 말과 뒤의 말이 차례대로 일어남을 나타내는 연결 어미.
　て
　前の事柄と後の事柄が順次に起こるという意を表す「連結語尾」。

· **가다 (どうし)** : 한 곳에서 다른 곳으로 장소를 이동하다.
　ゆく・いく【行く】。 うつる【移る】
　ある場所から他の場所へ移動する。

· **-ㅂ니다** : (아주높임으로) 현재의 동작이나 상태, 사실을 정중하게 설명함을 나타내는 종결 어미.
　ます。 です
　(上称) 現在の動作や状態、事実を丁寧に説明する意を表す「終結語尾」。

· **초대하다 (どうし)** : 다른 사람에게 어떤 자리, 모임, 행사 등에 와 달라고 요청하다.
　しょうたいする【招待する】。 まねく【招く】。 よぶ【呼ぶ】
　催し・会・行事などに来てくれるように客を招く。

· **-여 주다** : 남을 위해 앞의 말이 나타내는 행동을 함을 나타내는 표현.
　てやる。 てあげる。 てくれる
　他人のために前の言葉の表す行動をするという意を表す表現。

· **-시-** : 어떤 동작이나 상태의 주체를 높이는 뜻을 나타내는 어미.
　お…になる。 ご…になる
　ある動作や状態の主体を敬う意を表す語尾。

· **-어서** : 이유나 근거를 나타내는 연결 어미.
　て。 から。 ので。 ため。 ゆえ【故】
　理由や根拠の意を表す「連結語尾」。

· **감사하다 (どうし)** : 고맙게 여기다.
　かんしゃする【感謝する】
　ありがたいと思う。

· **-ㅂ니다** : (아주높임으로) 현재의 동작이나 상태, 사실을 정중하게 설명함을 나타내는 종결 어미.
　ます。 です
　(上称) 現在の動作や状態、事実を丁寧に説明する意を表す「終結語尾」。

아니+에요.

바쁘+ㄴ데 이렇+게 멀+ㄴ 곳+까지 오+[아 주]+어서 고맙(고마우)+어요.
　바쁜데　　　　　　　먼　　　　　와 줘서　　　고마워요

· **아니다 (けいようし)** : 어떤 사실이나 내용을 부정하는 뜻을 나타내는 말.
　ではない
　ある事実や内容を否定する意味を表す語。

• -에요 : (두루높임으로) 어떤 사실을 서술하거나 질문함을 나타내는 종결 어미.
  ます。です。ますか。ですか
  (略待上称) ある事実を叙述したり質問する意を表す「終結語尾」。＜じょじゅつ【叙述】＞

• 바쁘다 (けいようし) : 할 일이 많거나 시간이 없어서 다른 것을 할 여유가 없다.
  いそがしい【忙しい】。せわしい【忙しい】
  すべきことが多かったり時間がなかったりして、他のことをする余裕がない。

• -ㄴ데 : 뒤의 말을 하기 위하여 그 대상과 관련이 있는 상황을 미리 말함을 나타내는 연결 어미.
  （だ）が。（だ）けど
  何かを言うための前置きとして、それと関連した状況を前もって述べるという意を表す「連結語尾」。

• 이렇다 (けいようし) : 상태, 모양, 성질 등이 이와 같다.
  こうだ
  状態・模様・性質などがこのようである。

• -게 : 앞의 말이 뒤에서 가리키는 일의 목적이나 결과, 방식, 정도 등이 됨을 나타내는 연결 어미.
  …く。…に。ように。ほど
  前の事柄が後の事柄の目的・結果・方法・程度などになるという意を表す「連結語尾」。

• 멀다 (けいようし) : 두 곳 사이의 떨어진 거리가 길다.
  とおい【遠い】
  空間的に，隔たりが大きい。

• -ㄴ : 앞의 말이 관형어의 기능을 하게 만들고 현재의 상태를 나타내는 어미.
  た
  前の言葉に連体修飾語の機能を持たせ、現在の状態を表す「語尾」。

• 곳 (めいし) : 일정한 장소나 위치.
  ところ・しょ【所】
  一定の場所や位置。

• 까지 : 어떤 범위의 끝임을 나타내는 조사.
  まで
  ある範囲の終端であることを表す助詞。

• 오다 (どうし) : 무엇이 다른 곳에서 이곳으로 움직이다.
  くる【来る】。ちかづく【近づく】。やってくる
  何かが他の場所からこちらの方へ動く。

• -아 주다 : 남을 위해 앞의 말이 나타내는 행동을 함을 나타내는 표현.
  てやる。てあげる。てくれる
  他人のために前の言葉の表す行動をするという意を表す表現。

• -어서 : 이유나 근거를 나타내는 연결 어미.
　て。から。ので。ため。ゆえ【故】
　理由や根拠の意を表す「連結語尾」。

• **고맙다 (けいようし)** : 남이 자신을 위해 무엇을 해주어서 마음이 흐뭇하고 보답하고 싶다.
　ありがたい【有難い】
　他人が自分に何かしてくれたことに対して、嬉しく恩返ししたいと思う。

• -어요 : (두루높임으로) 어떤 사실을 서술하거나 질문. 명령. 권유함을 나타내는 종결 어미.
　ます。です。ますか。ですか。てください
　(略待上称) ある事実を叙述したり質問、命令、勧誘する意を表す「終結語尾」。<じょじゅつ【叙述】>

< 대화(たいわ【対話】) > - 85

백화점에는 왜 다시 가려고?
배콰저메는 왜 다시 가려고?
baekwajeomeneun wae dasi garyeogo?

어제 산 옷이 맞는 줄 알았더니 작아서 교환해야 해.
어제 산 오시 만는 줄 아랃떠니 자가서 교환해야 해.
eoje san osi manneun jul aratdeoni jagaseo gyohwanhaeya hae.

< 설명(せつめい【説明】) / 번역(ほんやく【翻訳】) >

백화점+에+는 왜 다시 가+려고?

- **백화점 (めいし)** : 한 건물 안에 온갖 상품을 종류에 따라 나누어 벌여 놓고 판매하는 큰 상점.
  ひゃっかてん【百貨店】。デパート
  １つの建物の中に数多くの商品を種類によって分けて販売する大規模な小売商店。

- **에** : 앞말이 목적지이거나 어떤 행위의 진행 방향임을 나타내는 조사.
  に。へ
  前の言葉が目的地であったり、ある行為の進行方向であったりすることを表す助詞。

- **는** : 문장 속에서 어떤 대상이 화제임을 나타내는 조사.
  は
  文の中で、ある対象が話題であることを表す助詞。

- **왜 (ふくし)** : 무슨 이유로. 또는 어째서.
  なぜ【何故】。どうして。なんで【何で】
  どういう理由で。また、何ゆえ。

- **다시 (ふくし)** : 같은 말이나 행동을 반복해서 또.
  また【又】。ふたたび【再び】。もういちど【もう一度】。さらに
  同じ言葉や行動を繰り返してまた。

- **가다 (どうし)** : 한 곳에서 다른 곳으로 장소를 이동하다.
  ゆく・いく【行く】。うつる【移る】
  ある場所から他の場所へ移動する。

• -려고 : (두루낮춤으로) 어떤 주어진 상황에 대하여 의심이나 반문을 나타내는 종결 어미.
ようとするのか。つもりか
(略待下称) ある状況に対する不審や反問の意を表す「終結語尾」。

어제 사+ㄴ 옷+이 맞+[는 줄] 알+았더니 작+아서 교환하+[여야 하]+여.
　　산　　　　　　　　　　　　　　　　　　　교환해야 해

• 어제 (ふくし) : 오늘의 하루 전날에.
きのう【昨日】
今日の一日前の日に。

• 사다 (どうし) : 돈을 주고 어떤 물건이나 권리 등을 자기 것으로 만들다.
かう【買う】。こうにゅうする【購入する】
金を払って品物や権利などを自分のものにする。

• -ㄴ : 앞의 말이 관형어의 기능을 하게 만들고 사건이나 동작이 과거에 일어났음을 나타내는 어미.
た。ている
前の言葉に連体修飾語の機能を持たせ、出来事や動作が過去にあったという意を表す「語尾」。

• 옷 (めいし) : 사람의 몸을 가리고 더위나 추위 등으로부터 보호하며 멋을 내기 위하여 입는 것.
ふく【服】。ころも【衣】。いふく【衣服】。いしょう【衣装】
体にまとって、暑さや寒さなどから体を保護し、お洒落をするために着るもの。

• 이 : 어떤 상태나 상황의 대상이나 동작의 주체를 나타내는 조사.
が
ある状態・状況の対象や動作の主体を表す助詞。

• 맞다 (どうし) : 크기나 규격 등이 어떤 것과 일치하다.
あう【合う】
大きさや規格などがあるものと合致する。

• -는 줄 : 어떤 사실이나 상태에 대해 알고 있거나 모르고 있음을 나타내는 표현.
対訳語無し
ある事実や状態について知っているか、知らないという意を表す表現。

• 알다 (どうし) : 어떤 사실을 그러하다고 여기거나 생각하다.
おもう【思う】。かんがえる【考える】
ある事実を判断したり思ったりする。

• -았더니 : 과거의 사실이나 상황과 다른 새로운 사실이나 상황이 있음을 나타내는 표현.
たら。たところ
過去の事実や状況とは異なる新しい事実や状況があるという意を表す表現。

· **작다 (けいようし)** : 정해진 크기에 모자라서 맞지 아니하다.
　ちいさい【小さい】
　一定の大きさに達していず、合わない。

· **-아서** : 이유나 근거를 나타내는 연결 어미.
　て。から。ので。ため。ゆえ【故】
　理由や根拠の意を表す「連結語尾」。

· **교환하다 (どうし)** : 무엇을 다른 것으로 바꾸다.
　こうかんする【交換する】
　何かを別のものと取り替える。

· **-여야 하다** : 앞에 오는 말이 어떤 일을 하거나 어떤 상황에 이르기 위한 의무적인 행동이거나 필수적
　　　　　　　인 조건임을 나타내는 표현.
　ないといけない。ないとならない。なければいけない。なければならない。ねばならない
　前にくる言葉が、ある事をしたりある状況になるための義務的な行動、
　または必須条件であるという意を表す表現。

· **-여** : (두루낮춤으로) 어떤 사실을 서술하거나 물음, 명령, 권유를 나타내는 종결 어미.
　のか。なさい。よう。ましょう
　(略待下称) ある事実を叙述したり、質問・命令・勧誘の意を表す「終結語尾」。 **<じょじゅつ【叙述】>**

< 대화(たいわ【対話】) > - 86

물을 계속 틀어 놓은 채 설거지를 하지 마세요.
무를 게속 트러 노은 채 설거지를 하지 마세요.
mureul gesok teureo noeun chae seolgeojireul haji maseyo.

방금 잠갔어요. 앞으로는 헹굴 때만 물을 틀어 놓을게요.
방금 잠가써요. 아프로는 헹굴 때만 무를 트러 노을께요.
banggeum jamgasseoyo. apeuroneun henggul ttaeman mureul teureo noeulgeyo.

< 설명(せつめい【説明】) / 번역(ほんやく【翻訳】) >

물+을 계속 틀+[어 놓]+[은 채] 설거지+를 하+[지 말(마)]+세요.
하지 마세요

- 물 (めいし) : 강, 호수, 바다, 지하수 등에 있으며 순수한 것은 빛깔, 냄새, 맛이 없고 투명한 액체.
  みず【水】。のみみず【飲み水】
  川・湖・海・地下水などにあり、純粋なものは色・匂い・味がなく、透明な液体。

- 을 : 동작이 직접적으로 영향을 미치는 대상을 나타내는 조사.
  を
  動作が直接的に影響を及ぼす対象を表す助詞。

- 계속 (ふくし) : 끊이지 않고 잇따라.
  つづけて【続けて】
  途切れずに続けて。

- 틀다 (どうし) : 수도와 같은 장치를 작동시켜 물이 나오게 하다.
  ひねる【捻る】
  水道のような装置を作動させて水を出す。

- -어 놓다 : 앞의 말이 나타내는 행동을 끝내고 그 결과를 유지함을 나타내는 표현.
  ておく
  前の言葉の表す行動を終え、その結果を維持するという意を表す表現。

- -은 채 : 앞의 말이 나타내는 어떤 행위를 한 상태 그대로 있음을 나타내는 표현.
  たまま
  前の言葉の表す行為をした後の状態がそのまま続いているという意を表す表現。

- 설거지 (めいし) : 음식을 먹고 난 뒤에 그릇을 씻어서 정리하는 일.
  さらあらい【皿洗い】。あらいもの【洗い物】。しょっきあらい【食器洗い】
  食事を終えた後、食器を洗って片付けること。

- 를 : 동작이 직접적으로 영향을 미치는 대상을 나타내는 조사.
  を
  動作が直接的に影響を及ぼす対象を表す助詞。

- 하다 (どうし) : 어떤 행동이나 동작, 활동 등을 행하다.
  する【為る】。やる【遣る】。なす【成す・為す】
  ある行動や動作、活動などを行う。

- -지 말다 : 앞의 말이 나타내는 행동을 하지 못하게 함을 나타내는 표현.
  ない
  前の言葉の表す行動を禁止するという意を表す表現。

- -세요 : (두루높임으로) 설명, 의문, 명령, 요청의 뜻을 나타내는 종결 어미.
  ます。です。ますか。ですか。てください
  (略待上称) 説明・疑問・命令・要請の意を表す「終結語尾」。 <めいれい【命令】>

방금 잠그(잠ㄱ)+았+어요.
　　　　잠갔어요

앞+으로+는 헹구+[ㄹ 때]+만 물+을 틀+[어 놓]+을게요.
　　　　　　헹굴 때만

- 방금 (ふくし) : 말하고 있는 시점보다 바로 조금 전에.
  いま【今】。たったいま【たった今】。ただいま【ただ今】。いましかた【今し方】。ついさっき
  発話時より少し前に。

- 잠그다 (どうし) : 물, 가스 등이 나오지 않도록 하다.
  とめる【止める】。しめる【締める】
  水、ガスなどが出ないようにする。

- -았- : 어떤 사건이 과거에 완료되었거나 그 사건의 결과가 현재까지 지속되는 상황을 나타내는 어미.
  た。ている
  ある出来事が過去に完了したことや、その出来事の結果が現在まで持続している状況を表す語尾。

- -어요 : (두루높임으로) 어떤 사실을 서술하거나 질문, 명령, 권유함을 나타내는 종결 어미.
  ます。です。ますか。ですか。てください
  (略待上称) ある事実を叙述したり質問、命令、勧誘する意を表す「終結語尾」。 <じょじゅつ【叙述】>

· 앞 (めいし) : 다가올 시간.
  さき【先】。こんご【今後】。みらい【未来】。しょうらい【将来】
  近づいてくる時間。

· 으로 : 시간을 나타내는 조사.
  に
  時間を表す助詞。

· 는 : 어떤 대상이 다른 것과 대조됨을 나타내는 조사.
  は
  ある対象が他のものと対照されることを表す助詞。

· 헹구다 (どうし) : 깨끗한 물에 넣어 비눗물이나 더러운 때가 빠지도록 흔들어 씻다.
  すすぐ【濯ぐ】
  きれいな水の中で洗剤や汚れなどを洗い流す。

· -ㄹ 때 : 어떤 행동이나 상황이 일어나는 동안이나 그 시기 또는 그러한 일이 일어난 경우를 나타내는
           표현.
  とき【時】。ときに【時に】
  ある行動や状況が起こっている間やその時期、またそのようなことが起こった場合を表す表現。

· 만 : 다른 것은 제외하고 어느 것을 한정함을 나타내는 조사.
  だけ。のみ
  他の物事は除き、特定の物事に限定するという意を表す助詞。

· 물 (めいし) : 강, 호수, 바다, 지하수 등에 있으며 순수한 것은 빛깔, 냄새, 맛이 없고 투명한 액체.
  みず【水】。のみみず【飲み水】
  川・湖・海・地下水などにあり、純粋なものは色・匂い・味がなく、透明な液体。

· 을 : 동작이 직접적으로 영향을 미치는 대상을 나타내는 조사.
  を
  動作が直接的に影響を及ぼす対象を表す助詞。

· 틀다 (どうし) : 수도와 같은 장치를 작동시켜 물이 나오게 하다.
  ひねる【捻る】
  水道のような装置を作動させて水を出す。

· -어 놓다 : 앞의 말이 나타내는 행동을 끝내고 그 결과를 유지함을 나타내는 표현.
  ておく
  前の言葉の表す行動を終え、その結果を維持するという意を表す表現。

· -을게요 : (두루높임으로) 말하는 사람이 어떤 행동을 할 것을 듣는 사람에게 약속하거나 의지를 나타내
            는 표현.
  ます
  (略待上称)話し手が聞き手に対してある行動をすると約束したり知らせる意を表す表現。

< 대화(たいわ【対話】) > - 87

작년에 갔던 그 바닷가에 또 가고 싶다.
장녀네 갇떤 그 바닫까에 또 가고 십따.
jangnyeone gatdeon geu badatgae tto gago sipda.

나도 그래. 그때 우리 참 재밌게 놀았었지.
나도 그래. 그때 우리 참 재믿께 노라썯찌.
nado geurae. geuttae uri cham jaemitge norasseotji.

< 설명(せつめい【説明】) / 번역(ほんやく【翻訳】) >

작년+에 <u>가+았던</u> 그 바닷가+에 또 가+[고 싶]+다.
　　　　　갔던

- 작년 (めいし) : 지금 지나가고 있는 해의 바로 전 해.
  さくねん【昨年】。きょねん【去年】
  今年の直前の年。

- 에 : 앞말이 시간이나 때임을 나타내는 조사.
  に
  前の言葉が時間や時期であることを表す助詞。

- 가다 (どうし) : 한 곳에서 다른 곳으로 장소를 이동하다.
  ゆく・いく【行く】。うつる【移る】
  ある場所から他の場所へ移動する。

- -았던 : 과거의 사건이나 상태를 다시 떠올리거나 그 사건이나 상태가 완료되지 않고 중단되었다는 의
  미를 나타내는 표현.
  た。ていた
  過去の出来事や状態を回想したり、その出来事や状態が完了されずに中断したという意を表す表現。

- 그 (かんけいし) : 듣는 사람에게 가까이 있거나 듣는 사람이 생각하고 있는 대상을 가리킬 때 쓰는 말.
  その
  空間的に聞き手に近い人や物、または聞き手が考えている対象をさすときに使う語。

- 바닷가 (めいし) : 바다와 육지가 맞닿은 곳이나 그 근처.
  かいがん【海岸】。はまべ【浜辺】
  海と陸地が接している所やその辺り。

· 에 : 앞말이 목적지이거나 어떤 행위의 진행 방향임을 나타내는 조사.
　に。へ
　前の言葉が目的地であったり、ある行為の進行方向であったりすることを表す助詞。

· 또 (ふくし) : 어떤 일이나 행동이 다시.
　また。ふたたび【再び】。もういちど【もう一度】。あらためて【改めて】
　ある出来事や行動がもう一度。

· 가다 (どうし) : 한 곳에서 다른 곳으로 장소를 이동하다.
　ゆく・いく【行く】。うつる【移る】
　ある場所から他の場所へ移動する。

· -고 싶다 : 앞의 말이 나타내는 행동을 하기를 원함을 나타내는 표현.
　たい
　前の言葉の表す行動をしたいという意を表す表現。

· -다 : (아주낮춤으로) 어떤 사건이나 사실, 상태를 서술함을 나타내는 종결 어미.
　する。…い。…だ。である
　(下称) 現在の出来事や事実を叙述する意を表す「終結語尾」。

나+도 그렇+어.
　　　　그래

그때 우리 참 재밌+게 놀+았었+지.

· 나 (だいめいし) : 말하는 사람이 친구나 아랫사람에게 자기를 가리키는 말.
　わたし【私】。ぼく【僕】。おれ【俺】。じぶん【自分】
　話し手が友人や目下の人に対し、自分をさす語。

· 도 : 이미 있는 어떤 것에 다른 것을 더하거나 포함함을 나타내는 조사.
　も
　既存の物事に他の物事を加えたり含ませたりするという意を表す助詞。

· 그렇다 (けいようし) : 상태, 모양, 성질 등이 그와 같다.
　そのとおりだ
　状態、形、性質などがそれと同じである。

· -어 : (두루낮춤으로) 어떤 사실을 서술하거나 물음, 명령, 권유를 나타내는 종결 어미.
　のか。なさい。よう。ましょう
　(略待下称) ある事実を叙述したり、質問・命令・勧誘の意を表す「終結語尾」。

- **그때 (めいし)** : 앞에서 이야기한 어떤 때.

  そのとき【その時】。そのじき【その時期】

  前述のある時。

- **우리 (だいめいし)** : 말하는 사람이 자기와 듣는 사람 또는 이를 포함한 여러 사람들을 가리키는 말.

  わたくしたち【私達】

  話し手が自分と聞き手、またそれを含めた複数の人たちを指す語。

- **참 (ふくし)** : 사실이나 이치에 조금도 어긋남이 없이 정말로.

  ほんとうに【本当に】。じつに【実に】。とても。まことに【誠に】

  事実や道理に照らし合わせて、ちっとも食い違いがない様子。

- **재밌다 (けいようし)** : 즐겁고 유쾌한 느낌이 있다.

  おもしろい【面白い】。おもしろおかしい【面白おかしい】。おかしい【可笑しい】

  楽しくて愉快な気持である。

- **-게** : 앞의 말이 뒤에서 가리키는 일의 목적이나 결과, 방식, 정도 등이 됨을 나타내는 연결 어미.

  …く。…に。ように。ほど

  前の事柄が後の事柄の目的・結果・方法・程度などになるという意を表す「連結語尾」。

- **놀다 (どうし)** : 놀이 등을 하면서 재미있고 즐겁게 지내다.

  あそぶ【遊ぶ】

  遊びなどをして、面白くて楽しい時間を過ごす。

- **-았었-** : 현재와 비교하여 다르거나 현재로 이어지지 않는 과거의 사건을 나타내는 어미.

  た。ていた

  現在と比べて異なっているか、現在まで続いていない過去の出来事を表す語尾。

- **-지** : (두루낮춤으로) 말하는 사람이 듣는 사람이 이미 알고 있다고 생각하는 것을 확인하며 말할 때 쓰
  는 종결 어미.

  だろう。よね

  (略待下称) 話し手の考えでは聞き手がすでに知っていると判断し、

  それについて聞き手に確認を要求するのに用いる「終結語尾」。

< 대화(たいわ【対話】) > - 88

계속 돌아다녔더니 배고프다. 점심은 뭘 먹을까?
계속 도라다녇떠니 배고프다. 점시믄 뭘 머글까?
gesok doradanyeotdeoni baegopeuda. jeomsimeun mwol meogeulkka?

전주에 왔으면 비빔밥을 먹어야지.
전주에 와쓰면 비빔빠블 머거야지.
jeonjue wasseumyeon bibimbabeul meogeoyaji.

< 설명(せつめい【説明】) / 번역(ほんやく【翻訳】) >

계속 돌아다니+었더니 배고프+다.
　　　　돌아다녔더니

점심+은 뭐+를 먹+을까?
　　　　뭘

- **계속 (ふくし)** : 끊이지 않고 잇따라.
  つづけて【続けて】
  途切れずに続けて。

- **돌아다니다 (どうし)** : 여기저기를 두루 다니다.
  めぐる【巡る】。あるきまわる【歩き回る】。であるく【出歩く】
  あちこちと歩く。

- **-었더니** : 과거의 사실이나 상황이 뒤에 오는 말의 원인이나 이유가 됨을 나타내는 표현.
  たら。たところ
  過去の事実や状況が後にくる言葉の原因や理由になるという意を表す表現。

- **배고프다 (けいようし)** : 배 속이 빈 것을 느껴 음식이 먹고 싶다.
  くうふくだ【空腹だ】。おなかがすいている【お腹がすいている】
  空腹感を感じて食べ物を食べたい。

- **-다** : (아주낮춤으로) 어떤 사건이나 사실, 상태를 서술함을 나타내는 종결 어미.
  する。…い。…だ。である
  (下称) 現在の出来事や事実を叙述する意を表す「終結語尾」。

- **점심** (めいし) : 아침과 저녁 식사 중간에, 낮에 하는 식사.
  ひる【昼】。ちゅうしょく・ちゅうじき【昼食】。ひるめし【昼飯】。ランチ
  朝と夕方の間に食べる食事。

- **은** : 문장 속에서 어떤 대상이 화제임을 나타내는 조사.
  は
  文章の中である対象が話題であることを表す助詞。

- **뭐** (だいめいし) : 모르는 사실이나 사물을 가리키는 말.
  なん・なに【何】
  知らない事実・事物を指す語。

- **를** : 동작이 직접적으로 영향을 미치는 대상을 나타내는 조사.
  を
  動作が直接的に影響を及ぼす対象を表す助詞。

- **먹다** (どうし) : 음식 등을 입을 통하여 배 속에 들여보내다.
  たべる【食べる】。くう【食う・喰う】。くらう【食らう】
  食べ物を口の中に入れて飲み込む。

- **–을까** : (두루낮춤으로) 듣는 사람의 의사를 물을 때 쓰는 종결 어미.
  ようか。のか
  (略待下称) 話し手の考えや推測を表したり相手の意思を尋ねるのに用いる「終結語尾」。

전주+에 오+았으면 비빔밥+을 먹+어야지.
왔으면

- **전주** (めいし) : 한국의 전라북도 중앙부에 있는 시. 전라북도의 도청 소재지이며, 창호지, 장판지의 생산과 전주비빔밥 등으로 유명하다.
  チョンジュ【全州】
  韓国の全羅北道 (チョルラブクド) 中央部にある都市。全羅北道の道庁所在地。
  障子紙、オンドル紙の生産と全州ビビンバなどで有名。

- **에** : 앞말이 목적지이거나 어떤 행위의 진행 방향임을 나타내는 조사.
  に。へ
  前の言葉が目的地であったり、ある行為の進行方向であったりすることを表す助詞。

- **오다** (どうし) : 가고자 하는 곳에 이르다.
  つく【着く】。とうちゃくする【到着する】
  行こうとした所に達する。

• -았으면 : 앞의 말이 나타내는 과거의 상황이 뒤의 내용의 조건이 됨을 나타내는 표현.
　たら。ていたら
　前の言葉の表す過去の状況が後にくる内容の条件になるという意を表す表現。

• 비빔밥 (めいし) : 고기, 버섯, 계란, 나물 등에 여러 가지 양념을 넣고 비벼 먹는 밥.
　ビビンバ
　ご飯に肉とキノコ、卵、ナムルなどの具を入れ、色々な調味料と共によく混ぜて食べる料理。

• 을 : 동작이 직접적으로 영향을 미치는 대상을 나타내는 조사.
　を
　動作が直接的に影響を及ぼす対象を表す助詞。

• 먹다 (どうし) : 음식 등을 입을 통하여 배 속에 들여보내다.
　たべる【食べる】。くう【食う・喰う】。くらう【食らう】
　食べ物を口の中に入れて飲み込む。

• -어야지 : (두루낮춤으로) 말하는 사람의 결심이나 의지를 나타내는 종결 어미.
　よう。ないと。なきゃ
　(略待下称) 話し手の決心や意志の意を表す「終結語尾」。

< 대화(たいわ【対話】) > - 89

내일이 소풍인데 비가 너무 많이 오네.
내이리 소풍인데 비가 너무 마니 오네.
naeiri sopunginde biga neomu mani one.

그러게. 내일은 날씨가 맑았으면 좋겠다.
그러게. 내이른 날씨가 말가쓰면 조켙따.
geureoge. naeireun nalssiga malgasseumyeon joketda.

< 설명(せつめい【説明】) / 번역(ほんやく【翻訳】) >

내일+이 소풍+이+ㄴ데 비+가 너무 많이 오+네.
　　　　　소풍인데

- 내일 (めいし) : 오늘의 다음 날.
　あした・あす・みょうにち【明日】
　今日の次の日。

- 이 : 어떤 상태나 상황의 대상이나 동작의 주체를 나타내는 조사.
　が
　ある状態・状況の対象や動作の主体を表す助詞。

- 소풍 (めいし) : 경치를 즐기거나 놀이를 하기 위하여 야외에 나갔다 오는 일.
　ピクニック。えんそく【遠足】。のあそび【野遊び】
　景色を楽しんだり遊んだりすることを目的として野外に出かけてくること。

- 이다 : 주어가 지시하는 대상의 속성이나 부류를 지정하는 뜻을 나타내는 서술격 조사.
　だ。である
　主語が指す対象の属性や部類を指定する意を表す叙述格助詞。

- -ㄴ데 : 뒤의 말을 하기 위하여 그 대상과 관련이 있는 상황을 미리 말함을 나타내는 연결 어미.
　(だ)が。(だ)けど
　何かを言うための前置きとして、それと関連した状況を前もって述べるという意を表す「連結語尾」。

- 비 (めいし) : 높은 곳에서 구름을 이루고 있던 수증기가 식어서 뭉쳐 떨어지는 물방울.
　あめ【雨】
　高いところで雲をつくっていた水蒸気が冷えて、一塊になって落ちてくる水滴。

- 가 : 어떤 상태나 상황에 놓인 대상이나 동작의 주체를 나타내는 조사.
  が
  ある状態や状況に置かれた対象、または動作の主体を表す助詞。

- 너무 (ふくし) : 일정한 정도나 한계를 훨씬 넘어선 상태로.
  あまりに
  一定の程度や限界をはるかに超えた状態で。

- 많이 (ふくし) : 수나 양, 정도 등이 일정한 기준보다 넘게.
  おおく【多く】。たくさん【沢山】。かずおおく【数多く】。ゆたかに【豊かに】
  数や量、程度などが一定の基準を超えて。

- 오다 (どうし) : 비, 눈 등이 내리거나 추위 등이 닥치다.
  ふる【降る】。やってくる
  雨・雪などが降るか、寒さなどがおとずれる。

- -네 : (아주낮춤으로) 지금 깨달은 일에 대하여 말함을 나타내는 종결 어미.
  （だ）なあ。（だ）ね。（なの）か。（だ）よ
  (下称) その場で悟った事について述べるという意を表す「終結語尾」。

그러게.

내일+은 날씨+가 맑+[았으면 좋겠]+다.

- 그러게 (かんどうし) : 상대방의 말에 찬성하거나 동의하는 뜻을 나타낼 때 쓰는 말.
  だから。そうなんだよ
  相手の話に賛成または同意の意を表す時にいう語。

- 내일 (めいし) : 오늘의 다음 날.
  あした・あす・みょうにち【明日】
  今日の次の日。

- 은 : 어떤 대상이 다른 것과 대조됨을 나타내는 조사.
  は
  ある対象が他のものと対照的であることを表す助詞。

- 날씨 (めいし) : 그날그날의 기온이나 공기 중에 비, 구름, 바람, 안개 등이 나타나는 상태.
  てんき【天気】。きこう【気候】。てんこう【天候】。そらもよう【空模様】
  その日その日の気温や空気中の雨、雲、風、霧などが発生する状態。

· 가 : 어떤 상태나 상황에 놓인 대상이나 동작의 주체를 나타내는 조사.
　が
　ある状態や状況に置かれた対象、または動作の主体を表す助詞。

· 맑다 (けいようし) : 구름이나 안개가 끼지 않아 날씨가 좋다.
　はれる【晴れる】
　雲や霧がなく、天気がいい。

· -았으면 좋겠다 : 말하는 사람의 소망이나 바람을 나타내거나 현실과 다르게 되기를 바라는 것을 나타
　　　　　　　내는 표현.
　ならいい。ばいい。といい
　話し手の希望や願望を表わしたり現実と違う事態が起こることを望むという意を表す表現。

· -다 : (아주낮춤으로) 어떤 사건이나 사실, 상태를 서술함을 나타내는 종결 어미.
　する。…い。…だ。である
　(下称) 現在の出来事や事実を叙述する意を表す「終結語尾」。

< 대화(たいわ【対話】) > - 90

교수님, 오늘 수업 내용에 대한 질문이 있습니다.
교수님, 오늘 수업 내용에 대한 질무니 읻씀니다.
gyosunim, oneul sueop naeyonge daehan jilmuni itseumnida.

이해가 안 되는 부분이 있으면 편하게 얘기하세요.
이해가 안 되는 부부니 이쓰면 편하게 얘기하세요.
ihaega an doeneun bubuni isseumyeon pyeonhage yaegihaseyo.

< 설명(せつめい【説明】) / 번역(ほんやく【翻訳】) >

교수+님, 오늘 수업 내용+[에 대한] 질문+이 있+습니다.

• 교수 (めいし) : 대학에서 학문을 연구하고 가르치는 일을 하는 사람. 또는 그 직위.
  きょうじゅ【教授】
  大学で学問を研究して教えることをする人。またはその職位。

• 님 : '높임'의 뜻을 더하는 접미사.
  さま【様】
  「敬う」意を付加する接尾辞。

• 오늘 (めいし) : 지금 지나가고 있는 이날.
  きょう【今日】。ほんじつ【本日】
  今過ごしているこの日。

• 수업 (めいし) : 교사가 학생에게 지식이나 기술을 가르쳐 줌.
  じゅぎょう【授業】
  教師が生徒・学生に知識や技術を教えること。

• 내용 (めいし) : 사물이나 일의 속을 이루는 사정이나 형편.
  ないよう【内容】。なかみ【中身】。じったい【実体】
  物事の中身を構成している事情や都合。

• 에 대한 : 뒤에 오는 명사를 수식하며 앞에 오는 명사를 뒤에 오는 명사의 대상으로 함을 나타내는 표
        현.
  にたいする【に対する】。についての
  後ろの名詞を修飾し、前の名詞が後ろの名詞の対象になることを表す表現。

- 280 -

· 질문 (めいし) : 모르는 것이나 알고 싶은 것을 물음.
　しつもん【質問】
　知らない点や知りたい点を尋ねること。

· 이 : 어떤 상태나 상황의 대상이나 동작의 주체를 나타내는 조사.
　が
　ある状態・状況の対象や動作の主体を表す助詞。

· 있다 (けいようし) : 사실이나 현상이 존재하다.
　ある【有る・在る】
　事実や現象が存在する。

· -습니다 : (아주높임으로) 현재의 동작이나 상태, 사실을 정중하게 설명함을 나타내는 종결 어미.
　ます。です
　(上称) 現在の動作や状態、事実を丁寧に説明する意を表す「終結語尾」。

이해+가 안 되+는 부분+이 있+으면 편하+게 얘기하+세요.

· 이해 (めいし) : 무엇을 깨달아 앎. 또는 잘 알아서 받아들임.
　りかい【理解】。りょうかい【了解】
　何かを悟り知ること。また、納得すること。

· 가 : 바뀌게 되는 대상이나 부정하는 대상임을 나타내는 조사.
　に
　対象が変わったり、否定したりすることを表す助詞。

· 안 (ふくし) : 부정이나 반대의 뜻을 나타내는 말.
　対訳語無し
　否定や反対の意を表す語。

· 되다 (どうし) : 어떠한 심리적인 상태에 있다.
　なる
　ある心理的な状態にある。

· -는 : 앞의 말이 관형어의 기능을 하게 만들고 사건이나 동작이 현재 일어남을 나타내는 어미.
　する。ている
　前の言葉に連体修飾語の機能を持たせ、出来事や動作が現在進行中であるという意を表す語尾。

· 부분 (めいし) : 전체를 이루고 있는 작은 범위. 또는 전체를 여러 개로 나눈 것 가운데 하나.
　ぶぶん【部分】
　全体を成している小さい範囲。また、全体をいくつかのグループに分けたものの中で一つ。

・이 : 어떤 상태나 상황의 대상이나 동작의 주체를 나타내는 조사.
　が
　ある状態・状況の対象や動作の主体を表す助詞。

・있다 (けいようし) : 사실이나 현상이 존재하다.
　ある【有る・在る】
　事実や現象が存在する。

・-으면 : 뒤에 오는 말에 대한 근거나 조건이 됨을 나타내는 연결 어미.
　たら
　後にくる内容の条件になるという意を表す「連結語尾」。

・편하다 (けいようし) : 몸이나 마음이 괴롭지 않고 좋다.
　らくだ【楽だ】。きらくだ【気楽だ】。ここちよい【心地よい】
　心身がつらくなく、気持ちがいい。

・-게 : 앞의 말이 뒤에서 가리키는 일의 목적이나 결과, 방식, 정도 등이 됨을 나타내는 연결 어미.
　…く。…に。ように。ほど
　前の事柄が後の事柄の目的・結果・方法・程度などになるという意を表す「連結語尾」。

・얘기하다 (どうし) : 어떠한 사실이나 상태, 현상, 경험, 생각 등에 관해 누군가에게 말을 하다.
　はなす【話す】。かたる【語る】。のべる【述べる】
　ある事実・状態・現象・経験・考えなどについて誰かに言う。

・-세요 : (두루높임으로) 설명, 의문, 명령, 요청의 뜻을 나타내는 종결 어미.
　ます。です。ますか。ですか。てください
　(略待上称) 説明・疑問・命令・要請の意を表す「終結語尾」。<めいれい【命令】>

< 대화(たいわ【対話】) > - 91

어디 아프니? 안색이 안 좋아 보여.
어디 아프니? 안새기 안 조아 보여.
어디 아프니? 안색이 안 좋아 보여.

배가 고파서 빵을 급하게 먹었더니 체한 것 같아요.
배가 고파서 빵을 그파게 머걷떠니 체한 걷 가타요.
baega gopaseo ppangeul geupage meogeotdeoni chehan geot gatayo.

< 설명(せつめい【説明】) / 번역(ほんやく【翻訳】) >

어디 아프+니?

안색+이 안 좋+[아 보이]+어.
　　　　　좋아 보여

- **어디** (だいめいし) : 모르는 곳을 가리키는 말.
　どこ
　知らない場所を指す語。

- **아프다** (けいようし) : 다치거나 병이 생겨 통증이나 괴로움을 느끼다.
　いたい【痛い】。びょうきになる【病気になる】。いたむ【痛む】
　怪我をしたり病気になったりして、痛みや苦しみを覚える。

- **-니** : (아주낮춤으로) 물음을 나타내는 종결 어미.
　か
　(下称) 質問の意を表す「終結語尾」。

- **안색** (めいし) : 얼굴에 나타나는 표정이나 빛깔.
　かおいろ【顔色】
　顔の表面に現れる表情や色。

- **이** : 어떤 상태나 상황의 대상이나 동작의 주체를 나타내는 조사.
　が
　ある状態・状況の対象や動作の主体を表す助詞。

· 안 (ふくし) : 부정이나 반대의 뜻을 나타내는 말.
  対訳語無し
  否定や反対の意を表す語。

· 좋다 (けいようし) : 신체적 조건이나 건강 상태 등이 보통보다 낫다.
  よい【良い・善い】。りょうこうだ【良好だ】
  身体的な条件や健康状態などが普通よりましだ。

· -아 보이다 : 겉으로 볼 때 앞의 말이 나타내는 것처럼 느껴지거나 추측됨을 나타내는 표현.
  てみえる。くみえる。にみえる。そうだ
  見かけでは前の言葉の表す状態のように見えたり思われるという意を表す表現。

· -어 : (두루낮춤으로) 어떤 사실을 서술하거나 물음, 명령, 권유를 나타내는 종결 어미.
  のか。なさい。よう。ましょう
  (略待下称) ある事実を叙述したり、質問・命令・勧誘の意を表す「終結語尾」。<じょじゅつ【叙述】>

배+가 고파(고ㅍ)+아서 빵+을 급하+게 먹+었더니 체하+[ㄴ 것 같]+아요.
　　　　고파서　　　　　　　　　　　　　　　　　　　체한 것 같아요

· 배 (めいし) : 사람이나 동물의 몸에서 음식을 소화시키는 위장, 창자 등의 내장이 있는 곳.
  はら【腹】。おなか【お腹】。いちょう【胃腸】
  人間や動物の体で、食べ物を消化する胃腸・腸などの内臓がある部分。

· 가 : 어떤 상태나 상황에 놓인 대상이나 동작의 주체를 나타내는 조사.
  が
  ある状態や状況に置かれた対象、または動作の主体を表す助詞。

· 고프다 (けいようし) : 뱃속이 비어 음식을 먹고 싶다.
  すく【空く】。へる【減る】
  空腹で食べ物がほしい。

· -아서 : 이유나 근거를 나타내는 연결 어미.
  て。から。ので。ため。ゆえ【故】
  理由や根拠の意を表す「連結語尾」。

· 빵 (めいし) : 밀가루를 반죽하여 발효시켜 찌거나 구운 음식.
  パン
  小麦粉を捏ねて発酵させ、蒸したり焼いたりした食べ物。

· 을 : 동작이 직접적으로 영향을 미치는 대상을 나타내는 조사.
  を
  動作が直接的に影響を及ぼす対象を表す助詞。

· **급하다 (けいようし)** : 시간적 여유 없이 일을 서둘러 매우 빠르다.
　　いそぎだ【急ぎだ】
　　時間的な余裕がなく、急いでいて、とても速い。

· **-게** : 앞의 말이 뒤에서 가리키는 일의 목적이나 결과, 방식, 정도 등이 됨을 나타내는 연결 어미.
　　…く。…に。ように。ほど
　　前の事柄が後の事柄の目的・結果・方法・程度などになるという意を表す「連結語尾」。

· **먹다 (どうし)** : 음식 등을 입을 통하여 배 속에 들여보내다.
　　たべる【食べる】。くう【食う・喰う】。くらう【食らう】
　　食べ物を口の中に入れて飲み込む。

· **-었더니** : 과거의 사실이나 상황이 뒤에 오는 말의 원인이나 이유가 됨을 나타내는 표현.
　　たら。たところ
　　過去の事実や状況が後にくる言葉の原因や理由になるという意を表す表現。

· **체하다 (どうし)** : 먹은 음식이 잘 소화되지 않아 배 속에 답답하게 남아 있다.
　　しょくたいする【食滞する】。もたれる【凭れる・靠れる】
　　食べた物がよく消化されず胃にたまっている。

· **-ㄴ 것 같다** : 추측을 나타내는 표현.
　　ようだ。そうだ。らしい。みたいだ
　　推測の意を表す表現。

· **-아요** : (두루높임으로) 어떤 사실을 서술하거나 질문, 명령, 권유함을 나타내는 종결 어미.
　　ます。です。ますか。ですか。てください。
　　(略待上称) ある事実を叙述したり質問、命令、勧誘する意を表す「終結語尾」。<じょじゅつ【叙述】>

< 대화(たいわ【対話】) > - 92

배가 좀 아픈데 우리 잠깐 쉬었다 가자.
배가 좀 아픈데 우리 잠깐 쉬얻따 가자.
baega jom apeunde uri jamkkan swieotda gaja.

음식을 먹은 다음에 바로 운동을 해서 그런가 보다.
음시글 머근 다으메 바로 운동을 해서 그런가 보다.
eumsigeul meogeun daeume baro undongeul haeseo geureonga boda.

< 설명(せつめい【説明】) / 번역(ほんやく【翻訳】) >

배+가 좀 <u>아프+ㄴ데</u> 우리 잠깐 쉬+었+다 가+자.
　　　　　　아픈데

・배 (めいし) : 사람이나 동물의 몸에서 음식을 소화시키는 위장, 창자 등의 내장이 있는 곳.
　はら【腹】。おなか【お腹】。いちょう【胃腸】
　人間や動物の体で、食べ物を消化する胃腸・腸などの内臓がある部分。

・가 : 어떤 상태나 상황에 놓인 대상이나 동작의 주체를 나타내는 조사.
　が
　ある状態や状況に置かれた対象、または動作の主体を表す助詞。

・좀 (ふくし) : 분량이나 정도가 적게.
　すこし【少し】。わずか【僅か・纔か】。ちょっと【一寸・鳥渡】
　分量や程度が少ないさま。

・아프다 (けいようし) : 다치거나 병이 생겨 통증이나 괴로움을 느끼다.
　いたい【痛い】。びょうきになる【病気になる】。いたむ【痛む】
　怪我をしたり病気になったりして、痛みや苦しみを覚える。

・-ㄴ데 : 뒤의 말을 하기 위하여 그 대상과 관련이 있는 상황을 미리 말함을 나타내는 연결 어미.
　(だ)が。(だ)けど
　何かを言うための前置きとして、それと関連した状況を前もって述べるという意を表す「連結語尾」。

・우리 (だいめいし) : 말하는 사람이 자기와 듣는 사람 또는 이를 포함한 여러 사람들을 가리키는 말.
　わたくしたち【私達】
　話し手が自分と聞き手、またそれを含めた複数の人たちを指す語。

- **잠깐 (ふくし)** : 아주 짧은 시간 동안에.
  ちょっと【一寸・鳥渡】。すこし【少し】
  ごく短い間に。

- **쉬다 (どうし)** : 피로를 없애기 위해 몸을 편안하게 하다.
  やすむ【休む】。くつろぐ【寛ぐ】。きゅうそくする【休息する】。きゅうけいする【休憩する】
  疲れをとるために体を楽にする。

- **-었-** : 어떤 사건이 과거에 완료되었거나 그 사건의 결과가 현재까지 지속되는 상황을 나타내는 어미.
  た。ている
  ある出来事が過去に完了したことや、その出来事の結果が現在まで持続している状況を表す語尾。

- **-다** : 어떤 행동이나 상태 등이 중단되고 다른 행동이나 상태로 바뀜을 나타내는 연결 어미.
  ていて。…かけて。
  ある行動や状態などが中断され、別の行動や状態に変わる意を表す「連結語尾」。

- **가다 (どうし)** : 한 곳에서 다른 곳으로 장소를 이동하다.
  ゆく・いく【行く】。うつる【移る】
  ある場所から他の場所へ移動する。

- **-자** : (아주낮춤으로) 어떤 행동을 함께 하자는 뜻을 나타내는 종결 어미.
  よう
  (下称) ある行動を一緒にしようという意を表す「終結語尾」。

음식+을 먹+[은 다음에] 바로 운동+을 <u>하+여서</u> <u>그렇(그러)+[ㄴ가 보]+다</u>.
해서   그런가 보다

- **음식 (めいし)** : 사람이 먹거나 마시는 모든 것.
  たべもの【食べ物】。のみもの【飲み物】
  人が食べたり飲んだりする全てのもの。

- **을** : 동작이 직접적으로 영향을 미치는 대상을 나타내는 조사.
  を
  動作が直接的に影響を及ぼす対象を表す助詞。

- **먹다 (どうし)** : 음식 등을 입을 통하여 배 속에 들여보내다.
  たべる【食べる】。くう【食う・喰う】。くらう【食らう】
  食べ物を口の中に入れて飲み込む。

- **-은 다음에** : 앞에 오는 말이 가리키는 일이나 과정이 끝난 뒤임을 나타내는 표현.
  てから。たあとで【た後で】
  前の言葉の表す出来事や過程が終った後だという意を表す表現。

・바로 (ふくし) : 시간 차를 두지 않고 곧장.
　すぐ【直ぐ】。ただちに【直ちに】。さっそく【早速】
　間を置かずにすぐ。

・운동 (めいし) : 몸을 단련하거나 건강을 위하여 몸을 움직이는 일.
　うんどう【運動】
　体を鍛えたり健康を保ったりするために体を動かすこと。

・을 : 동작이 직접적으로 영향을 미치는 대상을 나타내는 조사.
　を
　動作が直接的に影響を及ぼす対象を表す助詞。

・하다 (どうし) : 어떤 행동이나 동작, 활동 등을 행하다.
　する【為る】。やる【遣る】。なす【成す・為す】
　ある行動や動作、活動などを行う。

・-여서 : 이유나 근거를 나타내는 연결 어미.
　て。から。ので。ため。ゆえ【故】
　理由や根拠の意を表す「連結語尾」。

・그렇다 (けいようし) : 상태, 모양, 성질 등이 그와 같다.
　そのとおりだ
　状態、形、性質などがそれと同じである。

・-ㄴ가 보다 : 앞의 말이 나타내는 사실을 추측함을 나타내는 표현.
　ようだ。らしい。みたいだ
　前の言葉の表す事実を推測するという意を表す表現。

・-다 : (아주낮춤으로) 어떤 사건이나 사실, 상태를 서술함을 나타내는 종결 어미.
　する。…い。…だ。である
　(下称) 現在の出来事や事実を叙述する意を表す「終結語尾」。

< 대화(たいわ【対話】) > - 93

우리 저기 보이는 카페에 가서 같이 커피 마실까요?
우리 저기 보이는 카페에 가서 가치 커피 마실까요?
uri jeogi boineun kapee gaseo gachi keopi masilkkayo?

좋아요. 오늘은 제가 살게요.
조아요. 오느른 제가 살께요.
joayo. oneureun jega salgeyo.

< 설명(せつめい【説明】) / 번역(ほんやく【翻訳】) >

우리 저기 보이+는 카페+에 <u>가+(아)서</u> 같이 커피 <u>마시+ㄹ까요</u>?
　　　　　　　　　　　　　　　가서　　　　　　　　마실까요

- 우리 (だいめいし) : 말하는 사람이 자기와 듣는 사람 또는 이를 포함한 여러 사람들을 가리키는 말.
  わたくしたち【私達】
  話し手が自分と聞き手、またそれを含めた複数の人たちを指す語。

- 저기 (だいめいし) : 말하는 사람이나 듣는 사람으로부터 멀리 떨어져 있는 곳을 가리키는 말.
  あそこ【彼処・彼所】。あちら【彼方】。あっち【彼方】
  話し手や聞き手から遠く離れているところを指す語。

- 보이다 (どうし) : 눈으로 대상의 존재나 겉모습을 알게 되다.
  みえる【見える】
  目で対象の存在や見かけが分かるようになる。

- -는 : 앞의 말이 관형어의 기능을 하게 만들고 사건이나 동작이 현재 일어남을 나타내는 어미.
  する。ている
  前の言葉に連体修飾語の機能を持たせ、出来事や動作が現在進行中であるという意を表す語尾。

- 카페 (めいし) : 주로 커피와 차, 가벼운 간식거리 등을 파는 가게.
  カフェ。コーヒーてん【コーヒー店】。きっさてん【喫茶店】
  主にコーヒーや紅茶のような飲み物、軽い間食などを販売する店。

- 에 : 앞말이 목적지이거나 어떤 행위의 진행 방향임을 나타내는 조사.
  に。へ
  前の言葉が目的地であったり、ある行為の進行方向であったりすることを表す助詞。

· **가다 (どうし)** : 한 곳에서 다른 곳으로 장소를 이동하다.
　ゆく·いく【行く】。うつる【移る】
　ある場所から他の場所へ移動する。

· **-아서** : 앞의 말과 뒤의 말이 순차적으로 일어남을 나타내는 연결 어미.
　て。てから
　前の事柄と後の事柄が順次に起こるという意を表す「連結語尾」。

· **같이 (ふくし)** : 둘 이상이 함께.
　いっしょに【一緒に】·ともに【共に】
　二人以上が一緒に。

· **커피 (めいし)** : 독특한 향기가 나고 카페인이 들어 있으며 약간 쓴, 커피나무의 열매로 만든 진한 갈색
　　　　　　　　　의 차.
　コーヒー
　独特の香りと苦味があり、
　カフェインが含有されているコーヒーの木の種子を材料にして作った濃褐色の飲み物。

· **마시다 (どうし)** : 물 등의 액체를 목구멍으로 넘어가게 하다.
　のむ【飲む】。すう【吸う】。くらう【食らう】
　水などの液体を喉へ送り込む。

· **-ㄹ까요** : (두루높임으로) 듣는 사람에게 의견을 묻거나 제안함을 나타내는 표현.
　ましょうか
　(略待上称) 聞き手に意見を問うか提案するという意を表す表現。

좋+아요.

오늘+은 제+가 <u>사+ㄹ게요</u>.
　　　　　　살게요

· **좋다 (けいようし)** : 어떤 일이나 대상이 마음에 들고 만족스럽다.
　よい【良い·善い】。すきだ【好きだ】
　あることや対象が気に入って満足できる。

· **-아요** : (두루높임으로) 어떤 사실을 서술하거나 질문, 명령, 권유함을 나타내는 종결 어미.
　ます。です。ますか。ですか。てください。
　(略待上称) ある事実を叙述したり質問、命令、勧誘する意を表す「終結語尾」。<じょじゅつ【叙述】>

· **오늘 (めいし)** : 지금 지나가고 있는 이날.
　きょう【今日】。ほんじつ【本日】
　今過ごしているこの日。

· 은 : 어떤 대상이 다른 것과 대조됨을 나타내는 조사.
  は
  ある対象が他のものと対照的であることを表す助詞。

· 제 (だいめいし) : 말하는 사람이 자신을 낮추어 가리키는 말인 '저'에 조사 '가'가 붙을 때의 형태.
  わたくし【私】
  話し手が自分をへりくだっていう語である「저」に助詞「가」がつく時の形。

· 가 : 어떤 상태나 상황에 놓인 대상이나 동작의 주체를 나타내는 조사.
  が
  ある状態や状況に置かれた対象、または動作の主体を表す助詞。

· 사다 (どうし) : 다른 사람과 함께 먹은 음식의 값을 치르다.
  おごる【奢る】。ごちそうする【ご馳走する】。ふるまう【振る舞う】
  一緒に食べた物の代金を払う。

· -ㄹ게요 : (두루높임으로) 말하는 사람이 어떤 행동을 할 것을 듣는 사람에게 약속하거나 의지를 나타내
  는 표현.
  ます
  (略待上称) 話し手が聞き手に対してある行動をすると約束したり知らせたりする意を表す表現。

< 대화(たいわ【対話】) > - 94

어떻게 공부를 했길래 하나도 안 틀렸어요?
어떠케 공부를 핻낄래 하나도 안 틀려써요?
eotteoke gongbureul haetgillae hanado an teullyeosseoyo?

전 그저 학교에서 배운 것을 빠짐없이 복습했을 뿐이에요.
전 그저 학꾜에서 배운 거슬 빠짐업씨 복쓰패쓸 뿌니에요.
jeon geujeo hakgyoeseo baeun geoseul ppajimeopsi bokseupaesseul ppunieyo.

< 설명(せつめい【説明】) / 번역(ほんやく【翻訳】) >

어떻게 공부+를 <u>하+였</u>+길래 하나+도 안 <u>틀리+었</u>+어요?
　　　　　　　　했길래　　　　　　　　　　**틀렸어요**

- **어떻게 (ふくし)** : 어떤 방법으로. 또는 어떤 방식으로.
  どうして。どうやって。どのように
  どんな方法で。また、どんな方式で。

- **공부 (めいし)** : 학문이나 기술을 배워서 지식을 얻음.
  べんきょう【勉強】。べんがく【勉学】。がくしゅう【学習】
  学問や技術を習って知識を得ること。

- **를** : 동작이 직접적으로 영향을 미치는 대상을 나타내는 조사.
  を
  動作が直接的に影響を及ぼす対象を表す助詞。

- **하다 (どうし)** : 어떤 행동이나 동작, 활동 등을 행하다.
  する【為る】。やる【遣る】。なす【成す・為す】
  ある行動や動作、活動などを行う。

- **-였-** : 어떤 사건이 과거에 완료되었거나 그 사건의 결과가 현재까지 지속되는 상황을 나타내는 어미.
  た。ている
  ある出来事が過去に完了したことや、その出来事の結果が現在まで持続している状況を表す語尾。

- **-길래** : 뒤에 오는 말의 원인이나 근거를 나타내는 연결 어미.
  から。ので。ため
  後にくる事柄の原因や根拠を述べる意を表す「連結語尾」。

- **하나 (めいし)** : 전혀, 조금도.
  ひとつも【一つも】。まったく【全く】
  全然、少しも。

- **도** : 극단적인 경우를 들어 다른 경우는 말할 것도 없음을 나타내는 조사.
  も。すら。さえ。まで
  極端な場合を例にあげて、他の場合は言うまでもないという意を表す助詞。

- **안 (ふくし)** : 부정이나 반대의 뜻을 나타내는 말.
  対訳語無し
  否定や反対の意を表す語。

- **틀리다 (どうし)** : 계산이나 답, 사실 등이 맞지 않다.
  まちがう【間違う】。まちがえる【間違える】
  計算・答え・事実などが合っていない。

- **-었-** : 어떤 사건이 과거에 완료되었거나 그 사건의 결과가 현재까지 지속되는 상황을 나타내는 어미.
  た。ている
  ある出来事が過去に完了したことや、その出来事の結果が現在まで持続している状況を表す語尾。

- **-어요** : (두루높임으로) 어떤 사실을 서술하거나 질문, 명령, 권유함을 나타내는 종결 어미.
  ます。です。ますか。ですか。てください
  (略待上称) ある事実を叙述したり質問、命令、勧誘する意を表す「終結語尾」。<しつもん【質問】>

<u>저</u>+<u>는</u> 그저 학교+에서 <u>배우+[ㄴ 것]</u>+을 빠짐없이 <u>복습하+였+[을 뿐이]</u>+에요.
전　　　　　　　　배운 것을　　　　　　복습했을 뿐이에요

- **저 (だいめいし)** : 말하는 사람이 듣는 사람에게 자신을 낮추어 가리키는 말.
  わたくし【私】
  目上の人に対して自分をへりくだっていう語。

- **는** : 문장 속에서 어떤 대상이 화제임을 나타내는 조사.
  は
  文の中で、ある対象が話題であることを表す助詞。

- **그저 (ふくし)** : 다른 일은 하지 않고 그냥.
  ただ
  他のことはせずに。

- **학교 (めいし)** : 일정한 목적, 교과 과정, 제도 등에 의하여 교사가 학생을 가르치는 기관.
  がっこう【学校】
  一定の目的、教科課程、制度などに従って、教師が児童・生徒・学生を教える機関。

・에서 : 앞말이 행동이 이루어지고 있는 장소임을 나타내는 조사.
　で
　前の言葉が行動の行われる場所であることを表す助詞。

・배우다 (どうし) : 새로운 지식을 얻다.
　まなぶ【学ぶ】。ならう【習う】
　新しい知識を得る。

・-ㄴ 것 : 명사가 아닌 것을 문장에서 명사처럼 쓰이게 하거나 '이다' 앞에 쓰일 수 있게 할 때 쓰는 표
　　　　현.
　こと。の。もの
　名詞でないものを文中で名詞化し、「이다」の前にくるようにするのに用いる表現。

・을 : 동작이 직접적으로 영향을 미치는 대상을 나타내는 조사.
　を
　動作が直接的に影響を及ぼす対象を表す助詞。

・빠짐없이 (ふくし) : 하나도 빠뜨리지 않고 다.
　もれなく【漏れなく】。ておちなく【手落ちなく】。ぬかりなく【抜かりなく】
　一つも欠かさずに全部。

・복습하다 (どうし) : 배운 것을 다시 공부하다.
　ふくしゅうする【復習する】
　習ったことを繰り返し学習する。

・-였- : 어떤 사건이 과거에 완료되었거나 그 사건의 결과가 현재까지 지속되는 상황을 나타내는 어미.
　た。ている
　ある出来事が過去に完了したことや、その出来事の結果が現在まで持続している状況を表す語尾。

・-을 뿐이다 : 앞에 오는 말이 나타내는 상태나 상황 이외에 다른 어떤 것도 없음을 나타내는 표현.
　だけだ
　前の言葉の表す状態や状況以外には何もないという意を表す表現。

・-에요 : (두루높임으로) 어떤 사실을 서술하거나 질문함을 나타내는 종결 어미.
　ます。です。ますか。ですか
　(略待上称) ある事実を叙述したり質問する意を表す「終結語尾」。<じょじゅつ【叙述】>

< 대화(たいわ【対話】) > - 95

듣기 좋은 노래 좀 추천해 주세요.
듣끼 조은 노래 좀 추천해 주세요.
deutgi joeun norae jom chucheonhae juseyo.

신나는 노래 위주로 듣는다면 이건 어때요?
신나는 조용한 노래 위주로 듣는다면 이건 어때요?
sinnaneun norae wijuro deunneundamyeon igeon eottaeyo?

< 설명(せつめい【説明】) / 번역(ほんやく【翻訳】) >

듣+기 좋+은 노래 좀 추천하+[여 주]+세요.
추천해 주세요

- 듣다 (どうし) : 귀로 소리를 알아차리다.
  きく【聞く・聴く】
  耳で音を感じ取る。

- -기 : 앞의 말이 명사의 기능을 하게 하는 어미.
  こと
  前の言葉を名詞化する語尾。

- 좋다 (けいようし) : 어떤 것의 성질이나 내용 등이 훌륭하여 만족할 만하다.
  よい【良い・善い】。うまい【旨い】
  性質や内容などが立派で、満足できるくらいである。

- -은 : 앞의 말이 관형어의 기능을 하게 만들고 현재의 상태를 나타내는 어미.
  た。ている
  前の言葉に連体修飾語の機能を持たせ、現在の状態の意を表す語尾。

- 노래 (めいし) : 운율에 맞게 지은 가사에 곡을 붙인 음악. 또는 그런 음악을 소리 내어 부름.
  うた【歌・唄】。かきょく【歌曲】
  韻律に合わせて作った歌詞に曲をつけた音楽。また、音楽を声に出して歌うこと。

- 좀 (ふくし) : 주로 부탁이나 동의를 구할 때 부드러운 느낌을 주기 위해 넣는 말.
  ちょっと【一寸・鳥渡】
  主に頼んだり同意を得たりする時、雰囲気をやわらかくするためにいう語。

· 추천하다 (どうし) : 어떤 조건에 알맞은 사람이나 물건을 책임지고 소개하다.
　すいせんする【推薦する】
　一定の条件に合う人や物を責任を持って紹介する。

· -여 주다 : 남을 위해 앞의 말이 나타내는 행동을 함을 나타내는 표현.
　てやる。てあげる。てくれる
　他人のために前の言葉の表す行動をするという意を表す表現。

· -세요 : (두루높임으로) 설명, 의문, 명령, 요청의 뜻을 나타내는 종결 어미.
　ます。です。ますか。ですか。てください
　(略待上称) 説明・疑問・命令・要請の意を表す「終結語尾」。<ようせい【要請】>

신나+는 노래 위주+로 듣+는다면 <u>의것(이거)</u>+은 <u>어떻</u>+어요?
　　　　　　　　　　　　　　　　이건　　　　어때요

· 신나다 (どうし) : 흥이 나고 기분이 아주 좋아지다.
　よろこぶ【喜ぶ】
　楽しくて、気分が非常に良くなる。

· -는 : 앞의 말이 관형어의 기능을 하게 만들고 사건이나 동작이 현재 일어남을 나타내는 어미.
　する。ている
　前の言葉に連体修飾語の機能を持たせ、出来事や動作が現在進行中であるという意を表す語尾。

· 노래 (めいし) : 운율에 맞게 지은 가사에 곡을 붙인 음악. 또는 그런 음악을 소리 내어 부름.
　うた【歌・唄】。かきょく【歌曲】
　韻律に合わせて作った歌詞に曲をつけた音楽。また、音楽を声に出して歌うこと。

· 위주 (めいし) : 무엇을 가장 중요한 것으로 삼음.
　ほんい【本位】
　何かを一番重要視する。

· 로 : 어떤 일의 방법이나 방식을 나타내는 조사.
　で
　ある動作を行うための方法や方式を表す助詞。

· 듣다 (どうし) : 귀로 소리를 알아차리다.
　きく【聞く・聴く】
　耳で音を感じ取る。

· -는다면 : 어떠한 사실이나 상황을 가정하는 뜻을 나타내는 연결 어미.
　なら。のなら。のだったら
　ある事実や状況を仮定するという意を表す「連結語尾」。

· 이것 (だいめいし) : 말하는 사람에게 가까이 있거나 말하는 사람이 생각하고 있는 것을 가리키는 말.
　これ
　話し手の近くにあるか、話し手が考えている対象を指す語。

· 은 : 문장 속에서 어떤 대상이 화제임을 나타내는 조사.
　は
　文章の中である対象が話題であることを表す助詞。

· 어떻다 (けいようし) : 생각, 느낌, 상태, 형편 등이 어찌 되어 있다.
　どうだ
　考え、感じ、状態、都合などがどういうふうになっている。

· -어요 : (두루높임으로) 어떤 사실을 서술하거나 질문, 명령, 권유함을 나타내는 종결 어미.
　ます。です。ますか。ですか。てください
　(略待上称) ある事実を叙述したり質問、命令、勧誘する意を表す「終結語尾」。 <しつもん【質問】>

< 대화(たいわ【対話】) > - 96

너 모자를 새로 샀구나. 잘 어울린다.
너 모자를 새로 삳꾸나. 잘 어울린다.
neo mojareul saero satguna. jal eoullinda.

고마워. 가게에서 보자마자 마음에 들어서 바로 사 버렸지.
고마워. 가게에서 보자마자 마으메 드러서 바로 사 버렫찌.
gomawo. gageeseo bojamaja maeume deureoseo baro sa beoryeotji.

< 설명(せつめい【説明】) / 번역(ほんやく【翻訳】) >

너 모자+를 새로 <u>사</u>+<u>았</u>+<u>구나</u>.
        샀구나

잘 <u>어울리</u>+<u>ㄴ다</u>.
   어울린다

- 너 (だいめいし) : 듣는 사람이 친구나 아랫사람일 때, 그 사람을 가리키는 말.
 おまえ【お前】。きみ【君】
 聞き手が友人か目下の人である場合、その聞き手をさす語。

- 모자 (めいし) : 예의를 차리거나 추위나 더위 등을 막기 위해 머리에 쓰는 물건.
 ぼうし【帽子】
 礼をわきまえたり、寒さや暑さなどを防ぐために頭にかぶるもの。

- 를 : 동작이 직접적으로 영향을 미치는 대상을 나타내는 조사.
 を
 動作が直接的に影響を及ぼす対象を表す助詞。

- 새로 (ふくし) : 전과 달리 새롭게. 또는 새것으로.
 あらためて【改めて】。ふたたび【再び】。ことあたらしい【事新しい】
 以前とは違って新しく。または新しいものに。

- 사다 (どうし) : 돈을 주고 어떤 물건이나 권리 등을 자기 것으로 만들다.
 かう【買う】。こうにゅうする【購入する】
 金を払って品物や権利などを自分のものにする。

• -았- : 어떤 사건이 과거에 완료되었거나 그 사건의 결과가 현재까지 지속되는 상황을 나타내는 어미.
　た。ている
　ある出来事が過去に完了したことや、その出来事の結果が現在まで持続している状況を表す語尾。

• -구나 : (아주낮춤으로) 새롭게 알게 된 사실에 어떤 느낌을 실어 말함을 나타내는 종결 어미.
　(だ)な。(だ)ね
　(下称) 新しく知った事実に何らかの感情をこめて述べるという意を表す「終結語尾」。

• 잘 (ふくし) : 아주 멋지고 예쁘게.
　りっぱに【立派に】。きれいに
　とても立派できれいに。

• 어울리다 (どうし) : 자연스럽게 서로 조화를 이루다.
　にあう【似合う】。つりあう【釣り合う・釣合う】
　調和がとれている。

• -ㄴ다 : (아주낮춤으로) 현재 사건이나 사실을 서술함을 나타내는 종결 어미.
　する。している
　(下称) 現在の出来事や事実を叙述するという意を表す「終結語尾」。

고맙(고마우)+어.
　　고마워

가게+에서　보+자마자 [마음에 들]+어서　바로　사+[(아) 버리]+었+지.
　　　　　　　　　　　　　　　　　　　　　　사 버렸지

• 고맙다 (けいようし) : 남이 자신을 위해 무엇을 해주어서 마음이 흐뭇하고 보답하고 싶다.
　ありがたい【有難い】
　他人が自分に何かしてくれたことに対して、嬉しく恩返ししたいと思う。

• -어 : (두루낮춤으로) 어떤 사실을 서술하거나 물음, 명령, 권유를 나타내는 종결 어미.
　のか。なさい。。よう。ましょう
　(略待下称) ある事実を叙述したり、質問・命令・勧誘の意を表す「終結語尾」。 <じょじゅつ【叙述】>

• 가게 (めいし) : 작은 규모로 물건을 펼쳐 놓고 파는 집.
　みせ【店】。しょうてん【商店】
　小規模で品物を並べて売る店。

• 에서 : 앞말이 어떤 일의 출처임을 나타내는 조사.
　で
　前の言葉が出処であることを表す助詞。

・**보다 (どうし)** : 눈으로 대상의 존재나 겉모습을 알다.
　みる【見る】。ながめる【眺める】
　目で対象の存在や外見を知る。

・**-자마자** : 앞의 말이 나타내는 사건이나 상황이 일어나고 곧바로 뒤의 말이 나타내는 사건이나 상황이
　　　　　 일어남을 나타내는 연결 어미.
　やいなや【や否や】。とすぐに。たとたん【た途端】
　前の言葉の表す出来事や状況が起こってからすぐ後の言葉の表す出来事や状況が起こるという意を表す「連
　結語尾」。

・**마음에 들다 (かんようく【慣用句】)** : 자신의 느낌이나 생각과 맞아 좋게 느껴지다.
　気に入る
　自分の感じ方や考え方に似ていて、好感を抱く。

・**-어서** : 이유나 근거를 나타내는 연결 어미.
　て。から。ので。ため。ゆえ【故】
　理由や根拠の意を表す「連結語尾」。

・**바로 (ふくし)** : 시간 차를 두지 않고 곧장.
　すぐ【直ぐ】。ただちに【直ちに】。さっそく【早速】
　間を置かずにすぐ。

・**사다 (どうし)** : 돈을 주고 어떤 물건이나 권리 등을 자기 것으로 만들다.
　かう【買う】。こうにゅうする【購入する】
　金を払って品物や権利などを自分のものにする。

・**-아 버리다** : 앞의 말이 나타내는 행동이 완전히 끝났음을 나타내는 표현.
　てしまう
　前の言葉の表す行動が完全に終わったという意を表す表現。

・**-었-** : 어떤 사건이 과거에 완료되었거나 그 사건의 결과가 현재까지 지속되는 상황을 나타내는 어미.
　た。ている
　ある出来事が過去に完了したことや、その出来事の結果が現在まで持続している状況を表す語尾。

・**-지** : (두루낮춤으로) 말하는 사람이 자신에 대한 이야기나 자신의 생각을 친근하게 말할 때 쓰는 종결
　　　 어미.
　よ。だろう
　(略待下称) 話し手が自分に関する話や自分の考えを親しみをこめて述べるのに用いる「終結語尾」。

< 대화(たいわ【対話】) > - 97

엄마, 약속 시간에 늦어서 밥 먹을 시간 없어요.
엄마, 약쏙 시가네 느저서 밥 머글 시간 업써요.
eomma, yaksok sigane neujeoseo bap meogeul sigan eopseoyo.

조금 늦더라도 밥은 먹고 가야지.
조금 늗떠라도 바븐 먹꼬 가야지.
jogeum neutdeorado babeun meokgo gayaji.

< 설명(せつめい【説明】) / 번역(ほんやく【翻訳】) >

엄마, 약속 시간+에 늦+어서 밥 먹+을 시간 없+어요.

- 엄마 (めいし) : 격식을 갖추지 않아도 되는 상황에서 어머니를 이르거나 부르는 말.
  ママ。おかあちゃん【お母ちゃん】
  くだけた場面で母親を指したり呼ぶ語。

- 약속 (めいし) : 다른 사람과 어떤 일을 하기로 미리 정함. 또는 그렇게 정한 내용.
  やくそく【約束】
  他人と一定の行動をすることを前もって決めること。また、そう決めた内容。

- 시간 (めいし) : 어떤 일을 하도록 정해진 때. 또는 하루 중의 어느 한 때.
  じかん【時間】。とき【時】
  ある事を行うように定められた時。または、一日中のある時。

- 에 : 앞말이 시간이나 때임을 나타내는 조사.
  に
  前の言葉が時間や時期であることを表す助詞。

- 늦다 (どうし) : 정해진 때보다 지나다.
  おくれる【遅れる】。ちこくする【遅刻する】。まにあわない【間に合わない】
  決まった時を過ぎる。

- -어서 : 이유나 근거를 나타내는 연결 어미.
  て。から。ので。ため。ゆえ【故】
  理由や根拠の意を表す「連結語尾」。

• 밥 (めいし) : 매일 일정한 때에 먹는 음식.
　しょくじ【食事】
　毎日、決まった時に食べる食物。

• 먹다 (どうし) : 음식 등을 입을 통하여 배 속에 들여보내다.
　たべる【食べる】。くう【食う・喰う】。くらう【食らう】
　食べ物を口の中に入れて飲み込む。

• -을 : 앞의 말이 관형어의 기능을 하게 만들고 추측, 예정, 의지, 가능성 등을 나타내는 어미.
　対訳語無し
　前の言葉に連体修飾語の機能を持たせ、推測・予定・意志・可能性などの意を表す語尾。

• 시간 (めいし) : 어떤 일을 할 여유.
　じかん【時間】。ひま【暇】
　ある事をする余裕。

• 없다 (けいようし) : 어떤 사실이나 현상이 현실로 존재하지 않는 상태이다.
　ない【無い】
　事実・現象が現実として存在しない状態だ。

• -어요 : (두루높임으로) 어떤 사실을 서술하거나 질문, 명령, 권유함을 나타내는 종결 어미.
　ます。です。ますか。ですか。てください
　(略待上称) ある事実を叙述したり質問、命令、勧誘する意を表す「終結語尾」。<じょじゅつ【叙述】>

조금 늦+더라도 밥+은 먹+고 가+(아)야지.
가야지

• 조금 (ふくし) : 시간이 짧게.
　すこし【少し】。わずか【僅か・纔か】。ちょっと【一寸・鳥渡】
　時間が短いさま。

• 늦다 (どうし) : 정해진 때보다 지나다.
　おくれる【遅れる】。ちこくする【遅刻する】。まにあわない【間に合わない】
　決まった時を過ぎる。

• -더라도 : 앞에 오는 말을 가정하거나 인정하지만 뒤에 오는 말에는 관계가 없거나 영향을 끼치지 않음
　　　　　을 나타내는 연결 어미.
　ても。でも。であっても。としても
　前の事柄を仮定したり認めたりするものの、
　後の事柄とは関係がないかそれに影響を及ぼさないという意を表す「連結語尾」。

・**밥 (めぃし)** : 매일 일정한 때에 먹는 음식.
　しょくじ【食事】
　毎日、決まった時に食べる食物。

・**은** : 강조의 뜻을 나타내는 조사.
　は
　強調の意を表す助詞。

・**먹다 (どうし)** : 음식 등을 입을 통하여 배 속에 들여보내다.
　たべる【食べる】。くう【食う・喰う】。くらう【食らう】
　食べ物を口の中に入れて飲み込む。

・**-고** : 앞의 말과 뒤의 말이 차례대로 일어남을 나타내는 연결 어미.
　て
　前の事柄と後の事柄が順次に起こるという意を表す「連結語尾」。

・**가다 (どうし)** : 한 곳에서 다른 곳으로 장소를 이동하다.
　ゆく・いく【行く】。うつる【移る】
　ある場所から他の場所へ移動する。

・**-아야지** : (두루낮춤으로) 듣는 사람이나 다른 사람이 어떤 일을 해야 하거나 어떤 상태여야 함을 나타
　　　　　　　내는 종결 어미.
　ないと。なきゃ。すべきだ
　(略待下称) 聞き手や他の人がある行動をしないといけないか、
　ある状態でないといけないという意を表す「終結語尾」。

< 대화(たいわ【対話】) > - 98

너 오늘 많이 피곤해 보인다.
너 오늘 마니 피곤해 보인다.
neo oneul mani pigonhae boinda.

어제 늦게까지 술을 마셔 가지고 컨디션이 안 좋아.
어제 늗께까지 수를 마셔 가지고 컨디셔니 안 조아.
eoje neutgekkaji sureul masyeo gajigo keondisyeoni an joa.

< 설명(せつめい【説明】) / 번역(ほんやく【翻訳】) >

너 오늘 많이 피곤하+[여 보이]+ㄴ다.
피곤해 보인다

- 너 (だいめいし) : 듣는 사람이 친구나 아랫사람일 때, 그 사람을 가리키는 말.
  おまえ【お前】。きみ【君】
  聞き手が友人か目下の人である場合、その聞き手をさす語。

- 오늘 (ふくし) : 지금 지나가고 있는 이날에.
  きょう【今日】。ほんじつ【本日】
  今過ごしているこの日に。

- 많이 (ふくし) : 수나 양, 정도 등이 일정한 기준보다 넘게.
  おおく【多く】。たくさん【沢山】。かずおおく【数多く】。ゆたかに【豊かに】
  数や量、程度などが一定の基準を超えて。

- 피곤하다 (けいようし) : 몸이나 마음이 지쳐서 힘들다.
  つかれる【疲れる】
  心身が疲れていて辛い。

- -여 보이다 : 겉으로 볼 때 앞의 말이 나타내는 것처럼 느껴지거나 추측됨을 나타내는 표현.
  てみえる。くみえる。にみえる。そうだ
  見かけでは前の言葉の表す状態のように見えたり思われるという意を表す表現。

- -ㄴ다 : (아주낮춤으로) 현재 사건이나 사실을 서술함을 나타내는 종결 어미.
  する。している
  (下称) 現在の出来事や事実を叙述するという意を表す「終結語尾」。

어제 늦+게+까지 술+을 <u>마시+[어 가지고]</u> 컨디션+이 안 좋+아.
마셔 가지고

- **어제 (ふくし)** : 오늘의 하루 전날에.
  きのう【昨日】
  今日の一日前の日に。

- **늦다 (けいようし)** : 적당한 때를 지나 있다. 또는 시기가 한창인 때를 지나 있다.
  おそい【遅い】
  適当な時期が過ぎている。また、盛期が過ぎている。

- **-게** : 앞의 말이 뒤에서 가리키는 일의 목적이나 결과, 방식, 정도 등이 됨을 나타내는 연결 어미.
  …く。…に。ように。ほど
  前の事柄が後の事柄の目的・結果・方法・程度などになるという意を表す「連結語尾」。

- **까지** : 어떤 범위의 끝임을 나타내는 조사.
  まで
  ある範囲の終端であることを表す助詞。

- **술 (めいし)** : 맥주나 소주 등과 같이 알코올 성분이 들어 있어서 마시면 취하는 음료.
  さけ【酒】
  ビールや焼酎などのようにアルコール成分が入っていて飲めば酔う飲み物。

- **을** : 동작이 직접적으로 영향을 미치는 대상을 나타내는 조사.
  を
  動作が直接的に影響を及ぼす対象を表す助詞。

- **마시다 (どうし)** : 물 등의 액체를 목구멍으로 넘어가게 하다.
  のむ【飲む】。すう【吸う】。くらう【食らう】
  水などの液体を喉へ送り込む。

- **-어 가지고** : 앞의 말이 나타내는 행동이나 상태가 뒤의 말의 원인이나 이유임을 나타내는 표현.
  て。から。ので
  前の言葉の表す行動や状態が後に述べる事柄の原因や理由であることを表す表現。

- **컨디션 (めいし)** : 몸이나 건강, 마음 등의 상태.
  コンディション。ちょうし【調子】。ぐあい【具合】
  心身の健康状態。

- **이** : 어떤 상태나 상황의 대상이나 동작의 주체를 나타내는 조사.
  が
  ある状態・状況の対象や動作の主体を表す助詞。

· **안 (ふくし)** : 부정이나 반대의 뜻을 나타내는 말.
　対訳語無し
　否定や反対の意を表す語。

· **좋다 (けいようし)** : 신체적 조건이나 건강 상태 등이 보통보다 낫다.
　よい【良い・善い】。りょうこうだ【良好だ】
　身体的な条件や健康状態などが普通よりました。

· **-아** : (두루낮춤으로) 어떤 사실을 서술하거나 물음, 명령, 권유를 나타내는 종결 어미.
　する。である。するのか。しなさい。しよう。しましょう
　(略待下称) ある事実を叙述したり質問・命令・勧誘の意を表す「終結語尾」。<じょじゅつ【叙述】>

< 대화(たいわ【対話】) > - 99

요리 학원에 가서 수업이라도 들을까 봐.
요리 하궈네 가서 수어비라도 드를까 봐.
yori hagwone gaseo sueobirado deureulkka bwa.

갑자기 왜? 요리를 해야 할 일이 있어?
갑짜기 왜? 요리를 해야 할 이리 이써?
gapjagi wae? yorireul haeya hal iri isseo?

< 설명(せつめい【説明】) / 번역(ほんやく【翻訳】) >

요리 학원+에 <u>가</u>+(아)서 수업+이라도 <u>듣(들)</u>+[을까 보]+아.
　　　　　　 가서　　　　　　　 **들을까 봐**

- **요리 (めいし)** : 음식을 만듦.
  りょうり【料理】
  食べ物をこしらえること。

- **학원 (めいし)** : 학생을 모집하여 지식, 기술, 예체능 등을 가르치는 사립 교육 기관.
  じゅく【塾】
  児童・生徒を募集して、知識・技術・芸術・体育などを教える私設教育機関。

- **에** : 앞말이 목적지이거나 어떤 행위의 진행 방향임을 나타내는 조사.
  に。へ
  前の言葉が目的地であったり、ある行為の進行方向であったりすることを表す助詞。

- **가다 (どうし)** : 한 곳에서 다른 곳으로 장소를 이동하다.
  ゆく・いく【行く】。うつる【移る】
  ある場所から他の場所へ移動する。

- **-아서** : 앞의 말과 뒤의 말이 순차적으로 일어남을 나타내는 연결 어미.
  て。てから
  前の事柄と後の事柄が順次に起こるという意を表す「連結語尾」。

- **수업 (めいし)** : 교사가 학생에게 지식이나 기술을 가르쳐 줌.
  じゅぎょう【授業】
  教師が生徒・学生に知識や技術を教えること。

・이라도 : 그것이 최선은 아니나 여럿 중에서는 그런대로 괜찮음을 나타내는 조사.
  でも
  最善ではないが、その中では悪くない選択肢であることを表す助詞。

・듣다 (どうし) : 다른 사람의 말이나 소리 등에 귀를 기울이다.
  みみにとめる【耳に留める】。みみをかたむける【耳を傾ける】
  人の言葉や音などに耳を傾ける。

・-을까 보다 : 앞에 오는 말이 나타내는 행동을 할 의도가 있음을 나타내는 표현.
  ようか。ようとおもう【ようと思う】
  前の言葉の表す行動をする意図があるという意を表す表現。

・-아 : (두루낮춤으로) 어떤 사실을 서술하거나 물음, 명령, 권유를 나타내는 종결 어미.
  する。である。するのか。しなさい。しよう。しましょう
  (略待下称) ある事実を叙述したり質問・命令・勧誘の意を表す「終結語尾」。<じょじゅつ【叙述】>

갑자기 왜?

요리+를 하+[여야 하]+ㄹ 일+이 있+어?
　　　　　해야 할

・갑자기 (ふくし) : 미처 생각할 틈도 없이 빨리.
  きゅうに【急に】
  考える間もなくいきなり。

・왜 (ふくし) : 무슨 이유로. 또는 어째서.
  なぜ【何故】。どうして。なんで【何で】
  どういう理由で。また、何ゆえ。

・요리 (めいし) : 음식을 만듦.
  りょうり【料理】
  食べ物をこしらえること。

・를 : 동작이 직접적으로 영향을 미치는 대상을 나타내는 조사.
  を
  動作が直接的に影響を及ぼす対象を表す助詞。

・하다 (どうし) : 어떤 행동이나 동작, 활동 등을 행하다.
  する【為る】。やる【遣る】。なす【成す・為す】
  ある行動や動作、活動などを行う。

• -여야 하다 : 앞에 오는 말이 어떤 일을 하거나 어떤 상황에 이르기 위한 의무적인 행동이거나 필수적
　　　　　　　인 조건임을 나타내는 표현.
　ないといけない。ないとならない。なければいけない。なければならない。ねばならない
　前にくる言葉が、ある事をしたりある状況になるための義務的な行動、
　または必須条件であるという意を表す表現。

• -ㄹ : 앞의 말이 관형어의 기능을 하게 만들고 추측, 예정, 의지, 가능성 등을 나타내는 어미.
　する。だろう。であろう
　前の言葉に連体修飾語の機能を持たせ、推測・予定・意志・可能性などの意を表す語尾。

• 일 (めいし) : 해결하거나 처리해야 할 문제나 사항.
　こと【事】。よう【用】。じこ【事故】
　解決したり処理したりしなければならない問題や事項。

• 이 : 어떤 상태나 상황의 대상이나 동작의 주체를 나타내는 조사.
　が
　ある状態・状況の対象や動作の主体を表す助詞。

• 있다 (けいようし) : 어떤 사람에게 무슨 일이 생긴 상태이다.
　ある【有る・在る】
　ある人に何かが起こった状態だ。

• -어 : (두루낮춤으로) 어떤 사실을 서술하거나 물음, 명령, 권유를 나타내는 종결 어미.
　のか。なさい。よう。ましょう
　(略待下称) ある事実を叙述したり、質問・命令・勧誘の意を表す「終結語尾」。 **<しつもん【質問】>**

< 대화(たいわ【対話】) > - 100

이 옷 사이즈도 맞고 너무 예뻐요.
이 옫 사이즈도 맏꼬 너무 예뻐요.
i ot saijeudo matgo neomu yeppeoyo.

다행이네. 너한테 작을까 봐 조금 걱정했는데.
다행이네. 너한테 자글까 봐 조금 걱쩡핸는데.
dahaengine. neohante jageulkka bwa jogeum geokjeonghaenneunde.

< 설명(せつめい【説明】) / 번역(ほんやく【翻訳】) >

이 옷 사이즈+도 맞+고 너무 <u>예쁘(예쁘)</u>+어요.
예뻐요

- **이 (かんけいし)** : 말하는 사람에게 가까이 있거나 말하는 사람이 생각하고 있는 대상을 가리킬 때 쓰는 말.
  この
  話し手の近くにあるか、話し手が考えている対象を指す語。

- **옷 (めいし)** : 사람의 몸을 가리고 더위나 추위 등으로부터 보호하며 멋을 내기 위하여 입는 것.
  ふく【服】。ころも【衣】。いふく【衣服】。いしょう【衣装】
  体にまとって、暑さや寒さなどから体を保護し、お洒落をするために着るもの。

- **사이즈 (めいし)** : 옷이나 신발 등의 크기나 치수.
  サイズ
  服・靴などの大きさ・寸法。

- **도** : 이미 있는 어떤 것에 다른 것을 더하거나 포함함을 나타내는 조사.
  も
  既存の物事に他の物事を加えたり含ませたりするという意を表す助詞。

- **맞다 (どうし)** : 크기나 규격 등이 어떤 것과 일치하다.
  あう【合う】
  大きさや規格などがあるものと合致する。

- **-고** : 두 가지 이상의 대등한 사실을 나열할 때 쓰는 연결 어미.
  て
  二つ以上の対等な事柄を並べ立てるのに用いる「連結語尾」。

- 너무 (ふくし) : 일정한 정도나 한계를 훨씬 넘어선 상태로.
  あまりに
  一定の程度や限界をはるかに超えた状態で。

- 예쁘다 (けいようし) : 생긴 모양이 눈으로 보기에 좋을 만큼 아름답다.
  きれいだ【綺麗だ・奇麗だ】。かわいい【可愛い】
  目に見て心地よいほど美しい。

- -어요 : (두루높임으로) 어떤 사실을 서술하거나 질문, 명령, 권유함을 나타내는 종결 어미.
  ます。です。ますか。ですか。てください
  (略待上称) ある事実を叙述したり質問、命令、勧誘する意を表す「終結語尾」。<じょじゅつ【叙述】>

다행+이+네.

너+한테 작+[을까 보]+아 조금 걱정하+였+는데.
　　　　　작을 까봐　　　　　걱정했는데

- 다행 (めいし) : 뜻밖에 운이 좋음.
  さいわい【幸い】
  案外運が良いこと。

- 이다 : 주어가 지시하는 대상의 속성이나 부류를 지정하는 뜻을 나타내는 서술격 조사.
  だ。である
  主語が指す対象の属性や部類を指定する意を表す叙述格助詞。

- -네 : (아주낮춤으로) 지금 깨달은 일에 대하여 말함을 나타내는 종결 어미.
  (だ)なあ。(だ)ね。(なの)か。(だ)よ
  (下称) その場で悟った事について述べるという意を表す「終結語尾」。

- 너 (だいめいし) : 듣는 사람이 친구나 아랫사람일 때, 그 사람을 가리키는 말.
  おまえ【お前】。きみ【君】
  聞き手が友人か目下の人である場合、その聞き手をさす語。

- 한테 : 앞말이 기준이 되는 대상이나 단위임을 나타내는 조사.
  に
  前の言葉が基準になる対象や単位であることを表す助詞。

- 작다 (けいようし) : 정해진 크기에 모자라서 맞지 아니하다.
  ちいさい【小さい】
  一定の大きさに達していず、合わない。

• -을까 보다 : 앞에 오는 말이 나타내는 상황이 될 것을 걱정하거나 두려워함을 나타내는 표현.
　そうだ。ようだ。みたいだ。かもしれない
　前の言葉の表す状況になることを心配したり恐れるという意を表す表現。

• -아 : 앞에 오는 말이 뒤에 오는 말에 대한 원인이나 이유임을 나타내는 연결 어미.
　て。たので。たから
　前の事柄が後の事柄の原因や理由であることを表す「連結語尾」。

• 조금 (ふくし) : 분량이나 정도가 적게.
　すこし【少し】。わずか【僅か・纔か】。ちょっと【一寸・鳥渡】
　分量や程度が少ないさま。

• 걱정하다 (どうし) : 좋지 않은 일이 있을까 봐 두려워하고 불안해하다.
　しんぱいする【心配する】
　よくないことがあるのではないかと思って、恐ろしくて不安だ。

• -였- : 어떤 사건이 과거에 완료되었거나 그 사건의 결과가 현재까지 지속되는 상황을 나타내는 어미.
　た。ている
　ある出来事が過去に完了したことや、その出来事の結果が現在まで持続している状況を表す語尾。

• -는데 : (두루낮춤으로) 듣는 사람의 반응을 기대하며 어떤 일에 대해 감탄함을 나타내는 종결 어미.
　(だ) ね。(だ) なあ
　(略待下称) 聞き手の反応を期待しながら何かについて感嘆しているという意を表す「終結語尾」。

< 참고(さんこう【参考】) 문헌(ぶんけん【文献】) >

고려대학교 한국어대사전, 고려대학교 민족문화연구원, 2009

우리말샘, 국립국어원, 2016

표준국어대사전, 국립국어원, 1999

한국어교육 문법 자료편, 한글파크, 2016

한국어 교육학 사전, 하우, 2014

한국어기초사전, 국립국어원, 2016

한국어 문법 총론 Ⅰ, 집문당, 2015

HANPUK

대화로 배우는 한국어 にほんご(ほんやく)

발 행 | 2024년 6월 21일
저 자 | 주식회사 한글2119연구소
펴낸이 | 한건희
펴낸곳 | 주식회사 부크크
출판사등록 | 2014.07.15.(제2014-16호)
주 소 | 서울특별시 금천구 가산디지털1로 119 SK트윈타워 A동 305호
전 화 | 1670-8316
이메일 | info@bookk.co.kr

ISBN | 979-11-410-9061-6

www.bookk.co.kr
ⓒ 주식회사 한글2119연구소 2024